WILHELM RE

□

CİNSEL DEVRİM

□

4. BASIM

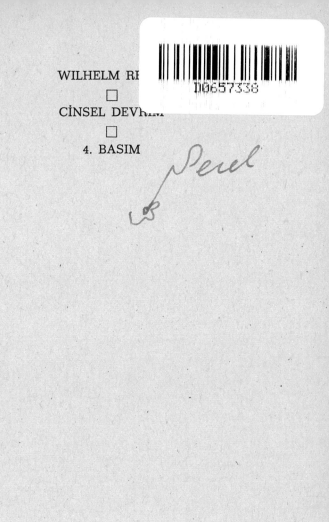

PAYEL YAYINLARI : 34
Bilim Kitapları   : 8

ISBN-975-388-003-0

Dizgi - baskı : Teknografik Matbaası

●

Kapak filmleri : Ebru Grafik

●

Kapak basımı : Çetin Ofset

●

Cilt : Esra Mücellithanesi

Wilhelm Reich 1897 yılında Galiçya'da, bir çiftçi ana-babadan dünyaya geldi. Tıp öğrenimini Viyana'da tamamladı. Kendini önce cinselbilime, daha sonraysa ruhçözümlemesine adadı. 1919'da Freud'u keşfetti. Onun hayranı, en yakın dostu ve yardımcısı oldu. 1927'de aralarında kuramsal ve siyasal bir ayrılık başgösterdi. 1928'de Viyana'nın emekçi mahallelerinde işçiler için ruhçözümleyici sağlıkevleri açtı. 1930'da, Berlin'de cinsel siyaset hareketini başlattı. Cinsel sorunu siyasallaştırmak istiyordu. Kurduğu derneğe bir yılda yirmi bin üye yazıldı.

Nazi tehlikesinin hızla Almanya'yı sarması üzerine Reich, önce İskandinav ülkelerine, oradan da Birleşik Amerika'ya gitti. 1939'da bu ülkeye yerleşti. Burada «orgon» adını verdiği yaşam enerjisi üzerinde çalışmalar yaptı. Yazdığı kitapların çoğu bir süre yasaklandı. Büyük tekeller ve «akıllı uslu» dernekler tarafından amansızca kovalandı. 1957'de altmış yaşındayken, bir cezaevinde öldü. Ölümünden çok sonra kitapları dünyanın bütün ülkelerinde büyük ilgi gördü.

Yapıtın özgün adı : Die Sexualitaet im Kulturkampf

●

Birinci basım : Şubat 1974

●

İkinci basım : Ekim 1977

●

Üçüncü basım : Haziran 1980

●

Dördüncü basım : Şubat 1989

WILHELM REICH

İnsanın Kişilik Özerkliği İçin
CİNSEL DEVRİM

Çeviren:
BERTAN ONARAN

PAYEL YAYINEVİ
İstanbul

WILHELM REICH'ın
yayınlarımız arasında çıkan öteki yapıtları :

CİNSEL AHLÂKIN BOYGÖSTERMESİ

☐

FAŞİZMİN KİTLE RUHU ANLAYIŞI

☐

BEDENSEL BOŞALMANIN İŞLEVİ

☐

DİNLE KÜÇÜK ADAM

☐

KİŞİLİK ÇÖZÜMLEMESİ

☐

GELECEĞİN ÇOCUKLARI

☐

DİRİMİN ÖLDÜRÜLÜŞÜ

☐

İNSANIN DOĞADAKİ YERİ

☐

REICH FREUD'U ANLATIYOR

☐

KANSER

CİNSEL DÜZENLİLİK, CİNSEL TUTUMBİLİM (ECO-
NOMIE SEXUELLE) : *Cinsel düzenlilik* terimi, yaşam ener-
jisinin düzene konması, ya da başka bir deyişle, bireyin cin-
sel enerjisinin düzenli kullanılması anlamına gelir. *Cinsel
düzenlilik*, bir bireyin yaşam enerjisini kullanma biçimini
gösterir; cinsel boşalmada harcadığı enerjiye karşılık bede-
ninde sakladığını anlatır. Bu düzenlemeyi belirleyen etken-
ler toplumsal, ruhsal ve dirimseldir. Cinsel tutumluluk bili-
mi işte bu etkenlerin incelenmesinden elde edilen bilgilerle
oluşmuştur. Bu kavram Reich'ın yapıtının, Freud'un kültür
felsefesini çürütüşünden, Orgon'un bulunuşuna kadarki ke-
simini belirler; ondan sonra, orgon-bilim, ya da Yaşam Ener-
jisi Bilimi tarafından aşılmıştır.
(Wilhelm Reich Infant Trust Fund'ın tanımı.)

CİNSEL SİYASET : «Cinsel siyasete ilişkin» ve «cinsel
siyaset» terimleri, cinsel düzenlilikle ilgili kavramların top-
lumsal alanda, topluca uygulanışını anlatır. Bu çalışma,
Avusturya ve Almanya'da, 1927 - 1933 yılları arasında, akıl
sağlığı kurumlarıyla devrimci örgütler çerçevesinde ta-
mamlanmıştır.
(Wilhelm Reich Infant Trust Fund'ın tanımı.)

EMEK DEMOKRASİSİ : Emek demokrasisi düşünsel
bir dizge değildir. Partilerin, bağımsız siyasetçilerin ya da
kuramcı kümelerin övgüleriyle topluma zorla benimsetile-
cek «siyasal» bir dizge de değildir... Emek demokrasisi, in-
sanlar arasında doğal olarak gelişmiş ve gelişmekte bulu-
nan, akılsal ilişkileri örgütsel açıdan yöneten yaşama işlev-
lerinin tümüdür.
Emek demokrasisinin yeniliği şuradadır: toplumbilim
tarihinde ilk kez, insan toplumunun ilerde *gerçekleştirilebi-
lecek* düzeni, yaratılacak koşullardan ya da öğretilerden
değil, doğal olarak elimizde bulunan ve dünya kuruldu ku-
rulalı etkinliklerini sürdürmüş süreçlerden çıkarılmakta-

dır. Bu kavramın yeniliği, her türlü boş tartışmayı ve siyaseti bir yana bırakması, elinin tersiyle itmesidir. Başka bir yenilik de, emekçi yığınlarının her türlü toplumsal sorumluluktan uzak tutulmaması, tam tersine omuzlarına sorumluluk *yüklenmesi*'dir. Emek demokratlarının siyasal tutkuları olmadığı gibi, şuraya ya da buraya gelmeye özenmelerine izin de yoktur. Ve hepsinden önemlisi bu demokrasi, (oy verene başkaca hiçbir sorumluluk yüklemeyen, yalnız birtakım kuramsal temsilcilere oy verme işlemine indirgenen) biçimsel demokrasiyi bilinçli olarak geliştirir, tüm uluslarca uygulanacak sahici, elle tutulur, kılgısal (pratik) demokrasiye dönüştürür; sürekli bir gelişmeyle sevme, çalışma ve bilgi edinme işlevlerinden doğan bir demokrasi yaratır. Gizemciliğe ve tekelci Devlet düşüncesine soyut bir öğretiyle değil, kendi doğal yasalarının yönettiği kılgısal yaşama işlevleriyle savaş açar...

Sözün kısası, emek demokrasisi siyasal bir program değil, kısa bir süre önce bulunmuş, yaşamın temel dirimsel - toplumbilimsel işlevidir.

(Wilhelm Reich Infant Trust Fund'ın tanımı.)

KİŞİLİK YAPISI : Bir bireyin, coşkusal uyarılmalarını ve organsal duyumlarını denetlemek üzere kurduğu kendine özgü kişilik ve kas davranışlarının (yerleşmiş kas gerilmelerinin) tümü. Bireyin kendine özgü eylemde bulunma ve tepki gösterme biçimi.

(Wilhelm Reich Infant Trust Fund'ın tanımı.)

Sevgi, çalışma ve bilgi yaşamımızın gerçek kaynaklarıdırlar. Dolayısıyla, yaşamı onların yönetmesi gerekir.

Katyuşka'nın yayımcısı: «Neden yaşıyoruz?» diye soruyor. Belki derin bir felsefî tartışmaya girmek istiyor. Belki de insan yaşamının anlamsızlığı dikkatini çekmiş. İlk varsayım doğruysa, kendisinden yanayız. Yoo, eğer ikincisi doğruysa, çok kötü olur. Çünkü bu soruya, ne denli garip ve tekyanlı görünürse görünsün, «yaşamın ereği, yaşamaktır»dan başka yanıt verilemez. Yaşamın anlattığı şeylerin tümü, yaşamın kendisidir, yaşam sürecidir — insan her şeyden önce yaşamı sevmeli, her yanını yaşamla doldurmalıdır. Ancak ondan sonra yaşamın imlemi görülebilir, anlamı kavranabilir. Yaşam, insanoğlunun yarattığı şeylerin tersine, kuram falan istemez. Yaşama işlevlerini dolu dolu yerine getiren insanın, yaşam kuramına gereksinimi yoktur.

Lise öğrencisi
Kostia Riabtsev'in
Günce'sinden

Gelecek bütün zamanlarda geçerli bir tasarı kurmak bize düşmediğine göre, şu anda yapmamız gereken, varolan her şeyin acımasız, eleştirel değerlendirilmesidir; acımasız derken, eleştirimizin kendi elde edeceği sonuçlardan da, yerleşik güçlerle çatışmaya girmekten de korkmaması gerektiğini anlatmak istiyoruz.

Karl Marx

DÖRDÜNCÜ BASIMIN ÖNSÖZÜ

Bu kitabın ilk kesiminin, GESCHLECHTSREIFE, EN-THALTSAMKEIT, EHEMORAL (Cinsel Olgunluk, Cinsel Arzularını Gemleme, Evlilik Ahlâkı) adıyla, Viyana'da, Muenster - Verlag yayınlarında çıkışından bu yana yirmi yıl geçti. Dirimsel yaşam alanında, yirmi yıl pek bir şey değildir; oysa yirminci yüzyılın şu hareketli ilk yarısında insan toplumu, daha önceki birkaç yüzyıldakinden fazla acı çekti. Son yirmi yıl içerşinde, insanoğlunun varoluşunu açık seçik kavrayabilmek için kullandığı bütün kavramların gözden geçirildiği söylenebilir. Bu kavramlardan hiçbiri cinsel ahlâk kadar sarsılmadı; söz konusu kavram, çok çok otuz yıl önce, insan yaşamının en güvenilir kılavuzu durumundaydı. İnsan denen varlıkların cinsel yaşamıyla ilgili her şeyin yeniden değerlendirildiği bir dönemdeyiz. Bu gözden geçirme süreci, özellikle *çocukların ve gençlerin cinsel yaşamıyla* ilgili değerleri etkiledi.

1928'de, Viyana'da Cinsel Bilgi ve Araştırma Toplumcu Derneği'ni *(Sozialistische Gesellschaft für Sexualberatung und Sexualforschung'u)* kurduğum zaman, *çocuklarla gençlerin cinsel hakları* yoktu. Analarla babaların, çocukların cinsel oyunlarına hoşgörüyle bakabilmeleri — hattâ bunları doğal ve sağlıklı bir gelişmenin etkisi saymaları olacak şey değildi. Genç varlıkların sevgi gereksinimlerini doğal sarılmalarla gidermelerini düşünmek bile insanların tüylerini diken diken ediyor, miğdelerini bulandırıyordu. Bu haklara sözle değinmeye kalkan kıyasıya aşağılanıyordu. Çocuklarla gençlerin sevisel yaşamını güvenlik altına alma girişimlerine açılan savaşta, genellikle birbirlerinin kanlı bıçaklı düşmanı insan kümeleri birleşiverdiler: türlü inançlardaki papazlar, toplumcular, ortaklaşmacılar (komünistler), ruhbilimciler, doktorlar, ruhçözümcüler vb. İnsanların cinsel hastalıklarına baktığım yerlerde, akıl sağlığıyla ilgili toplantılarda —Avusturyalıların çoğu bu toplantıları anımsar belki— ahlâk ve felsefe öğretmenleri söz alıyor, insan soyunun yozlaşmasının ahlâksızlık sonucu olduğunu bildiriyorlardı birer peygamber gibi. Halk kitlelerine cennet vaat eden sorumsuz siyasetçiler, *çocuklarla gençlerin doğal sevişme hakları'*nı savunduğumuz için bizi örgütlerinden attılar. Cinsel yaşamın dirimsel gerekliliğini salt hekimlik açısından ortaya koymak bile toplumun toplumsal ve iktisadî yapısında çok ciddî sarsıntılara yol açacaktı elbet: gençler için konut yapılması, analara, babalara, eğitimcilere ve gençlere yaşama güvenliği sağlanması gerekecekti; varlıklarını ve etkinliklerini insanın temel yalnızlık duygusuna yaslayan bütün siyasal hareketlerin eleştirilmesi; kitlelere dek uzanan, insanoğlunun ta özünde duyacağı kendi kendine yetme duygusunun edinilmesi; yetişkinlerin adım adım kendine yetmeyi öğrenebilmeleri için *çocuk eğitiminde özerkliğin* sağlanması gerekecekti. İnsanın dirimsel durumunun yeniden değerlendirilmesinin ilk adımları bunlardı.

Bu toplumsal sağlık çalışmasına dört bir yandan yönelen baskılar öyle bir kerteye vardı ki, kendimi alıp Almanya'ya aktarmaya karar verdim. 1930 Eylül'ünde, vızır vızır işleyen özel bakımevimi ve Viyana'daki ruhçözümlemesi derslerimi bırakıp Berlin'e gittim. Avusturya'ya tek bir kez, 1933 Nisan'ında döndüm; bu kısa süre içinde, Viyana Üniversitesi'nde büyük bir öğrenci kalabalığına seslendim. Faşizmin yapısı konusunda yaptığım çalışmanın bazı sonuçlarını anlattım onlara. Ruh hekimi ve yaşambilimci olarak, Alman yıkımını, buyurma gücüne susamış bir avuç haydudun boyunduruğuna girmiş insan kitlelerinin dirimsel sıkıntısının sonucu olarak görüyordum. O günlerin Viyanalı üniversite öğrencilerinin dediklerime kulak verişi beni müthiş rahatlattı. Buna karşılık, siyaseti uğraş seçmiş kişilerden bir teki bile konuşmamı dinlemeye gelmek lütfunda bulunmadı. O günden bu yana, insan denen memeli hayvanın dirimsel yaşamı sorunu hatırı sayılır boyutlara erişti. Bu önsözü yazdığım günlerde (1949 Mart'ında), Birleşik Devletler'de, yirmi otuz yıldır insanlığı içten içe etkileyen yaşambilimsel devrimi tanıyabilme konusunda zorlu bir kavgaya girişmiş bulunuyoruz. Konuyu ayrıntılarıyla incelemek, bizi çok ötelere götürebilir. Ancak, şu *nokta*'nın altı bastıra bastıra çizilmeli.

1920 - 1930 yıllarının Avusturya'sında çok garip ve tehlikeli sayılan şey, 1949 Amerika'sında halk katlarına yayılan ateşli bir tartışmaya konu olmaktadır. İkinci Dünya Savaşı'ndan hemen sonra, 1946'larda, bir dönüm noktasına gelindi. Bu değişim, çocuğun cinsel açıdan kendini doyurmasının doğallığını tartışan gazete yazılarının yayımıyla ortaya çıktı. Birleşik Devletler'de, akıl sağlığı hareketi halkın zihnine girmişti. Şimdi bu ülkede, *insanlığın geleceğinin, insanın kişilik yapısı sorununa bulunacak çözüme bağlı olduğuna* inanılıyor. Özellikle, son iki yıl içersinde, çocuk eğitiminin *özerkliği* düşüncesi epey yol aldı ve kitlelerin dikkatini çekmeye başladı. Başka yerlerde olduğu gibi, burada da, yüksek katlarda görevli cinsel ikiyüzlüler —kendi kendini sıkı düzene koymak'tan söz açılır açılmaz kızıp köpüren hükümet üyeleri— var elbet. Bunlar, buyurma gücüne susamış siyasetçilerin en kötüleridirler. Ancak, akıl sağlığı hareketinin ve çocukla gencin doğal cinsel etkinliğinin *olumlanması*'nın gelişmesi kuşkuya yer bırakmayacak kadar açıktır. Bundan böyle kimsecikler durduramaz bu hareketi.

Yengiye ulaşıldığını söylemiyorum. Daha bilmem ne kadar onar yılı kaplayacak zorlu çatışmalar olacak. Ama ben, *doğal* sevisel yaşamın temel olumlamasının epey yol aldığını ve yaşama düşman bir sürü adama karşın, engellenemeyeceğini söylüyorum. Yine bildiğim kadarıyla, Amerika, «yaşam'ın, özgürlüğün ve mutluluk araştırısının» Anayasa'da yer aldığı tek ülkedir. Birleşik Devletler'deki gerici eğilimlerin yüzde yüz bilincinde olduğumu belirterek okuyucunun yüreğine su serpmek isterim. Ancak burada, hiçbir yerde başarılamayacak kertede, *mutluluğa kavuşmak, yaşamın temel haklarını elde etmek için savaşılabilir.* Alexandre Neill'in, eğitimde cinsel düzenlilik ilkesini işleyen *The Problem Family*'si (Sorun Aile'si) çıkar çıkmaz

binlerce satıldı. Benim *Cinsel Devrim* de yayımlandığı zaman iyi karşılandı. Amerika'da, çocuğun eğitiminde kendi
kendini yönetme ilkesiyle birlikte cinsel düzenlilik ilkesini
destekleyen, ana-babalar ve öğretmenlerce kurulmuş, Devlet tarafından tanınmış, etkili örgütler var. Yaşamın temel
ilkeleriyle ilgili dersler arasında cinsel sorunların da işlendiği üniversiteler var. Şurada burada duraksamalara, suskunluklara, hattâ düşmanlıklara rastlanıyor, ama cinsel
sağlık milyonlarca kişi için bir gerçekliktir.

Elinizdeki kitabı, bu alandaki güncel bilgilerimizi inceleyerek genişletmek isterdim. Ama sonunda vazgeçtim
bu tasarıdan. Son yirmi yılın siyasal ve cinsel durumu bölünmez bir tablo oluşturuyor: bu tablo, günümüzde de, temel olarak geçerli. 1930'dan beri cinsel düzenlilik alanında girişilen bilimsel ve hekimsel deneyler özel incelemelerde anlatıldı. Onun için, *Cinsel Devrim*'i hemen hemen de
ğiştirmeden yayımlıyorum.

Çalışmamın, on yedi yılı aşkın süredir, her türlü siyasal hareket ve partiden bağımsız olarak sürdüğüne bir kez
daha parmak basmak zorundayım. Elinizin altında yalnızca —yaşamın tepesinde dolaşan siyasal tehlikeyle taban tabana çatışan— insan yaşamını inceleyen bir yapıt var.

W. R.
Forest Hills, New York,
Mart 1949

ÜÇÜNCÜ BASIMIN ÖNSÖZÜ

DIE SEXUALITAET IM KULTURKAMPF (Kültürel Kavgada Cinsel Yaşam) adlı kitabımın üçüncü basımı (ilk basım 1930, genişletilmiş ikinci basım, 1936), Dr. Thedore P. Wolfe'un tükenmez çabaları sonunda, ilk kez İngiliz dilinde çıkıyor. İçerik konusunda hiçbir değişiklik yok. Ancak, aşağıdaki nedenlerden ötürü, *terimler*'de bazı önemli değişiklikler yapıldı :

Bu kitabın gereçleri, Avrupa'yı özgürlüğe kavuşturma hareketi çerçevesinde, 1918 - 1935 yılları arasında derlenmişti. Söz konusu hareket, büyük bir yanlışlıkla, buyurgan öğretinin «kentsoylu» yaşama biçimiyle, özgürlükçü öğretininse «işçi» yaşama biçimiyle anlamdaş olduğuna inanmaktaydı. Bu temel yanılsama, Avrupa'yı özgürlüğe kavuşturma hareketinin başarısızlığıyla sonuçlandı. Son on iki yılın toplumsal olayları, söz konusu yanılsamanın kanlı dersleri oldu. Bu olaylar, buyurgan ve özgürlükçü öğretilerle sınıfların iktisadî görünüşü arasında hiçbir bağıntı olmadığını gösterdi. Bir toplumsal katmanın düşüncelerinin toplamı, ille de, onun iktisadî durumunun dolaysız yansısı değildir. Halk kitlelerinin coşkusal ve gizemsel (mistik) uyarılabilirlikleri, toplumsal süreç içinde, salt iktisadi çıkarlardan çok daha fazla değilse bile, en azından onlar kadar önemlidir. Tıpkı özgürlüğe yönelmiş düşünce ve eylem gibi, buyurgan zorlama (Zwang) da toplumun *bütün* katmanlarını ve bütün ulusları etkiler. Kişilik yapısında, iktisadî ve toplumsal durumlardaki gibi, belirli sınıf sınırları yoktur. Makineci toplumsal kuramın bizleri inandırmaya çalıştığı gibi, işçi sınıfıyla kentsoylu sınıf arasındaki «kavga»ya ilişkin bir sorun değildir bu. Burada karşımıza çıkan, kişilik yapıları özgürlüğe uyan emekçilerle buyurgan yapılı emekçiler ve toplumsal asalaklar arasındaki çatışmadır; canlarını tehlikeye atarak, zaman zaman işçi sınıfından bile çıkan buyurganlara karşı, *bütün* emekçilerin hakları uğrunda kavgaya girişebilecek, toplumun üst katmanlarından gelen, kişilik yapıları özgürlüğe yatkın kişiler vardır yeryüzünde. Varlığını bir işçi devrimine borçlu Sovyet Rusya, bugün, 1944'te cinsel siyaset açısından gerici, Amerika'ysa, kentsoylu devrim altyapısıyla, en azından ilericidir. XIX. yüzyılın salt iktisadî içerikli toplumsal kavramları, XX. yüzyılın kültürel çatışmaları sırasında ortaya çıkan düşünsel katmanlaşmaya uygulanamamaktadır.

Bugünün toplumsal kavgaları, en yalın deyişle, *yaşamı koruyan ve olumlayan çıkarlarla onu yıkan ve yadsıyanları* karşı karşıya getirmektedir. Toplumsal durumla ilgili ilk soru artık: «Varlıklı mısınız, yoksa yoksul mu?» değil, «İnsan yaşamında özgürlüğün savunulmasından ve artırılmasından yana mısınız, bunun için savaşıyor musunuz? Emekçi kitlelerini düşüncelerinde, eylemlerinde, yaşama biçimlerinde yeterince bağımsız kılmak, çok uzak olmayan bir gelecekte insan yaşamının tam anlamıyla kendi başına düzene konabilmesini gerçekleştirmek için elinizden gelen her şeyi yapıyor musunuz?» dur.

Temel toplumsal soru böyle somut biçimde ortaya konduktan sonra, toplumsal çabanın, en yoksullar da içinde olmak üzere, toplumun bütün üyelerinin yaşama işlevi üzerinde toplanması gereği açıkça belirir. Bu açıdan bakıldığında, on beş yılı aşkın bir süre önce cinsel yaşamın toplumsal baskı altında tutuluşuna verdiğim imlem korkunç bir önem kazanmaktadır. Cinsel, toplumsal ve bireysel düzenlilik göstermiştir ki, çocuk ve gencin cinsel yaşamının yokedilmesi, siyasal, düşünsel ve iktisadî köleliği güvenlik altına alan kişilik yapılarını oluşturan temel çarktır. Şimdi artık, şu ya da bu anlayışa sahip olunduğunu göstermek üzere insanların burnuna beyaz, sarı, kırmızı ya da kara bir parti kartı dayamak yetmiyor. Yapılması gereken şey, *bütün toplumsal kandırmacaları kesin ve şaşmaz bir biçimde yokedebilmek üzere*, yeni doğan bebekte, çocukta, delikanlıda ve yetişkin insanda yaşamın özgür ve sağlıklı belirtilerini bütünüyle olumlamak, bunlara yardım etmek, korumaktır; ya da, kuramsal bahanesi ya da aracı ne olursa olsun, şu ya da bu «işçi» ya da «anamalcı» Devlet'i yararına, Yahudilik, Hıristiyanlık, Budacılık, şu ya da bu din adına, bu belirtileri baskı altına almak ve yıkmak zorundasınız. Bu dediğim her yerde ve yaşam varoldukça geçerlidir; emekçi yığınlarının örgütlü kandırılmasına son vermek, birtakım edimlerde bulunurken demokratik ülküleri ciddiye aldığımızı kanıtlamak istiyorsak, daha başından bunu kabul etmemiz gerekir.

Cinsel yaşam koşullarında köklü bir değişiklik yapılması gereği artık genel olarak toplumsal düşünceyi etkilemiştir ve bu süreç gittikçe hızlanmaktadır. Çocuğun sevisel yaşamını anlama konusundaki çaba gittikçe yaygınlaşmaktadır. Gencin sevisel yaşamının toplum içersinde kılgısal olarak olumlaması hâlâ görünürlerde yok; resmî eğitbilim (pedagoji), «yakıcı bir nokta» olarak kalmaya devam eden ergenlik çağındaki cinsellik sorununa değinmekten kaçınmakta; bununla birlikte, gencin cinsel ilişkide bulunma gereksiniminin çok açık ve doğal olduğu düşüncesi, benim bundan ilk kez 1929'da söz ettiğim zamanki gibi tiksintiyle karşılanmıyor. Cinsel tutumbilimin bir sürü ülkede elde ettiği başarıyı, sayısız iyi eğitimciye ve çocuklarla gençlerin cinsel gereksinimlerinin son derece doğal ve haklı olduğunu kabul eden anlayışlı ana babalara borçluyuz. Gerçi, Orta Çağ'dan kalma yasalarla ıslahevleri gibi korkunç kurumların lekesi hâlâ alnımızdadır; ancak, çocuk ve gencin cinsel yaşamına akılcı yoldan bakış geri dönülmesi olanaksız yollar almıştır.

Yeni bir akılcılık dönemi, Orta Çağ'dan kalma güçlü artıklara karşı çıkarını korumak zorundadır. Ortalıkta hâlâ «kalıtımsal yozlaşma»yı, «soydan gelen suçluluğu» savunan kuramcılar var elbet, ama sevisel hastalıkların ve suçun *toplumsal* kökeninin saptanması gittikçe yaygınlaşmakta. Daha bir sürü hekim, kendi kendini doyurmayı önlemek üzere çocukların ellerini bağlamaya yeltenmekte el-

bet; ama karşı görüşler günlük gazetelere bile girdi. Son
derece sağlıklı gençler, doğal sevisel işlevlerini yerine ge-
tirdikleri için ıslahevlerine gönderiliyor elbet; ama bu ya-
salarla bu kurumların toplumsal suç olduklarını bilen yar-
gıçların sayısı da artmakta. Doğal cinsel yaşamı şeytan işi
sayan, alabildiğine yaygın, işkenceci papaz ahlâkı sürüp
gidiyor elbet; ama dinbilim alanında toplumsal çalışmalar
yapan, kendilerini bu köhnemiş ahlâktan kurtaran bir sü-
rü üniversite öğrencisi de var. Her ne kadar yalnız yasal
evlilikte kullanılmasından yanaysalar da, gebeliği önleme
araç ve gereçlerini savunan dinadamlarına bile rastlanı-
yor. Pek çok genç sevisel mutluluk uğrunda verilen kavga-
nın kurbanıdır elbet; ancak, bir radyo yayınında, yasa içi
evlilik yapmadan çocuk doğuran kızını cezalandıran baba-
nın kınandığını da görmekteyiz. Boşanmayı bir gözdağı ha-
line getiren zorlama evlilik yasaları hâlâ yürürlükte elbet;
ama bu yasalarla onların uygulanışının uyandırdığı tik-
sinti gittikçe artıp yaygınlaşmaktadır.

Yaşamakta olduğumuz şey, gerçek ve köklü bir kültü-
rel yaşam devrimidir. Bu devrim gürültüsüz patırtısız, tö-
rensiz, birörnek giysisiz, top tüfek atılmadan oluşmakta;
ama kurbanları 1848 ya da 1917'deki halk savaşlarındakin-
den daha az değil. İnsan denen hayvanın duyuları, yaşa-
ma işlevleri alanında, binlerce yıllık uykularından uyan-
makta. Yaşamımızdaki devrim sevisel, toplumsal ve iktisa-
dî varoluşumuzun temellerini etkilemekte.

Hele toplumun en zayıf noktası olan *aile yaşamı*'ndaki
devrimler korkunç bir hızla gelişmekte. Korkunç bir hızla
diyoruz, çünkü binlerce yıllık ataerkil aileden kalma astığı
astık, kestiği kestik aile yapımız, *doğal* bir aile yaşamı sü-
reci belirdiği ve toplum bu süreci desteklemediği için, te-
melinden sarsılmakta. Bu kitap doğal aile ilişkilerini tar-
tışmıyor; daracık yasalarla, insanın gerici kişilik yapısıyla
ve akla aykırı kamuoyuyla ayakta duran zorlayıcı buyur-
gan aile biçimlerini eleştiriyor. Rusya'da, 1917'den sonraki
toplumsal devrim sırasında başgösteren ve kitabın ikinci
kesiminde ele alınan olaylar, bu gibi devrimlerin karşımı-

za çıkardığı coşkusal ve toplumsal tehlikeyi göstermekte: Sovyet Rusya'nın, 1920'lerde, kısa bir zaman dilimi içersinde çözmeye çalıştığı aile bunalımı, çok daha ağır, ama eksiksiz bir biçimde bütün dünyaya yayılmaktadır; «kültürel yaşamın köklü devrimi»nden söz ederken, özellikle, *buyurgan ataerkil ailenin yerine doğal bir aile biçiminin geçirilmesi*'ni anlatmak istiyorum. Ama erkekle eşi, ana-babalarla çocuklar arasındaki bu doğal ilişki biçimi, şu anda, en tehlikeli toplumsal engellerle karşılaşmaktadır.

Gerek bu kitapta, gerekse cinsel düzenlilikle ilgili öbür yazılarımızda geçen «devrimci» sıfatı, dinamit patlatılmasını değil, doğru'nun kullanılmasını anlatır; gizli toplantıların örgütlenmesi, yasadışı bildirilerin dağıtılması anlamına gelmez, zihinsel sınırlamalar, dolaylamalar ve kaçamaklar yapmadan, insan bilincine açıkça çağrıda bulunmayı dile getirir; kurşuna dizmeleri, sorguya çekmeleri, yapılan ve bozulan sözleşmeleriyle siyasal haydutluğu tanımlamaz; burada devrimci sıfatı kökten, yani *her şeyin köküne inen* demektir. Cinsel tutumbilim, tıpkı hekimlikte bakterilerin ya da bilinçaltı ruhsal yaşamın, uygulayımda mekanik ve elektrik yasalarının, iktisatta üretici gücün, işgücünün yapısının bulunuşu gibi devrimcidir. Cinsel tutumbilim, insan kişiliğinin oluşum yasalarını ortaya çıkardığı ve özgürlük kavgasını birtakım özgürlükçü lâflara değil, yaşam enerjisinin işletilmesini belirleyen yasalara dayandırdığı için devrimcidir. Yaşamın süreçlerine makineci, siyasal ya da gizemci açılardan değil, *doğal-bilim*'in yöntemleriyle yanaştığımız için devrimciyiz. Orgon'un[1] bulunması, toplumsal araştırmalarımıza sağlam bir doğal-bilim temeli kazandırmıştır, çünkü o, yaşam enerjisi halinde bütün canlılarda etkindir.

---

[1] Bkz. *Bedensel Boşalmanın İşlevi* IX. Bl. «ORGON: İlk acunsal enerji; her yerde vardır, görsel, ısısal, elektroskopik yollardan ve Geiger-Müller sayacıyla varlığı saptanabilir. Canlı organizmalarda, dirimsel-enerji, yaşam enerjisi halindedir (W. Reich).» 1936 - 1940 yılları arasında, Reich tarafından bulunmuştur.

Çağımızın toplumsal gelişmesi, her yerde, *koşulsuz ulus-lararacılığa* yönelmiştir. Halkların, siyasetçilerin sert bas-kısına boyuneğişi kaldırılmalı, onun yerine toplumsal işle-rin bilimsel yöntemle yürütülmesi geçirilmelidir. Önemli olan Devlet değil, insanların oluşturduğu toplumdur. Önem verilmesi gereken şey, tutulacak günlük yol değil, doğru' dur. Doğal-bilim, şimdiye dek karşılaştığı görevlerin en bü-yüğünü üstlenmek zorundadır: işkence altında inleyen in-sanlığın sorumluluğunu kesin olarak yüklenme görevidir bu. Siyaset, vaktini kesinlikle doldurmuştur. Bilginler, iste-seler de istemeseler de, toplumsal süreçlere kılavuzluk et-mek, siyasetçilerse, hoşlarına gitse de gitmese de, yararlı işler yapmayı öğrenmek zorundadırlar. Bir sürü insanın dünyanın dört bir yanında gerçekleştirmeye çalıştığı şeye, yaşama yeni bir bilimsel ve akılsal düzen verilmesine yar-dımcı olmak bu kitabın ereklerinden biridir. Yaşama iş-levlerinin sağlıklı oluşu anlamında dürüst ve toplumsal bir sorumluluk taşıdığının bilincine varmış kişi bu kitabı yan-lış yorumlamaya da, kötüye kullanmaya da ne yeltenir, ne de böyle bir şeyi ister.

W. R.
Kasım 1944

İKİNCİ BASIMIN ÖNSÖZÜ

1935 Ekim'inde, üç yüz ünlü ruh hekimi bütün dünyayı önemli bir konu üzerinde düşünmeye çağırdı. İtalya, Habeşistan'ı işgal etmişti. Binlerce erkek, kadın, çocuk kılıçtan geçirilmişti. Yeni bir dünya savaşı çıkarsa kitle halindeki ölümlerin ne kertelere varacağını kestirebiliyorduk.

Milyonlarca insanın açlıktan öldüğü İtalya gibi bir ülkede ulusun bayrak altına çağrıldığı zaman hiç başkaldırmayışı, hatta seve seve koşusu beklenmedik bir şey değildi; oysa kimsenin aklı almadı bu olguyu. Buysa, şu genel izlenimi doğruluyordu: bazı ülkelerin başında, ruh hekimlerinin kolayca akıl rahatsızlıkları bulacakları kişilerin oturması bir yana, üstüne üstlük, kimi halklar tümüyle hastaydı; tepkileri olağandışıydı, bireylerin özel istek ve olanaklarıyla çelişki halindeydi. İşte size birkaç olağandışı tepki örneği: bolluğa baka baka açlıktan ölmek; bir yanda kömür, yapı gereçleri ve arsa varken, soğukta, yağmur ve kar altında titremek; ak sakallı kutsal bir gücün her şeyi yönettiğine, gerek iyiliğin, gerek kötülüğün ondan geldiğine inanmak; büyük bir coşkuyla suçsuz insanları kırıp geçirmek ve daha önce adını bile duymadığınız bir bölgeyi fethetmek zorunda olduğunuza inanmak; partallar içinde dolaşmak, ama kendini «ulus yüceliği»nin temsilcisi sanmak; bir siyasetçinin Devlet Başkanı olmazdan önce vaat ettiklerini unutmak; Devlet adamı da olsalar, birtakım bireylere, kendi canı ve yazgısı konusunda mutlak kararlar verme gücünü bağışlamak; Devlet'in sözümona başdümencilerinin de uyumak, yemek yemek, doğanın çağrısına uymak zorunda olduklarını, bilinçaltından gelen, denetlenmesi olanaksız duygusal dürtülerle yönetildiklerini, bütün ölümlüler gibi cinsel rahatsızlıklar geçirdiklerini anlayamamak; «kafa eğitimi» uğrunda çocukların dövülmesi gerektiğini tartışılmaz bir doğru saymak; çiçeği burnunda gençleri cinsel birleşme mutluluğundan yoksun bırakmak; bu örnekleri sonsuza dek uzatabilirsiniz.

Üç yüz ruh hekiminin bildirisi, kendini olağan yoldan uygulamaya bağlı saymayan bilim açısından kılgısal bir araya girmeydi. Ama eylemi yetersizdi: görüngüleri doğru biçimde betimliyor, ancak bunların köküne inmiyordu. Çağdaşlarımızdaki genel kötülüğün *yapısı*'nı sorun olarak ortaya getirmiyordu. Halk kitlelerinin hangi nedenle, bir avuç top satıcısının yararına böylesine büyük bir coşkunlukla canlarını adadıklarını araştırmıyordu. Sahici gereksinimlerin doyurulmasıyla, uluşçu coşkunluğun sağladığı aldatıcı doyum arasındaki ayrımı saptamıyordu; oysa bu ikinci doyum, bir dine körü körüne bağlı kişilerin gizemsel coşkunluklarına benziyordu.

Üretimdeki artışla birleşen açlık ve yoksulluk, iktisadî yaşamın akıllıca planlanmasına yol açacak yerde, halk kitleleri arasında açlığın ve yoksulluğun kutsallaştırılmasıyla sonuçlanıyordu. Toplumcu atılım hızını yitiriyordu. Buradaki sorun, Devlet adamlarının ruhsal durumundan değil, kitlelerinkinden doğmaktaydı.

Bugünkü Devlet adamları büyük sanayicilerin dostları, kardeşleri, yeğenleri ya da kayınbabalarıdırlar. Eğitim görmüş, düşünen bireyler kitlesinin bunu görmemesi ve buna göre etkinlikte bulunmaması, bireyin «ruhsal uygulayım» sınavlarına sokulmasıyla çözülemeyecek bir sorundur. Akılcı düşüncenin bozulmasını, yazgıya katlanmayı, yetkeye ve *Führer*'lere boyuneğmeyi de aralarında sayabileceğimiz zihinsel bozukluklar, en kestirme deyişle, bitkisel yaşamdaki, özellikle de buyurgan toplumun belirlediği cinsel yaşamdaki uyumsuzluğun sonucudurlar.

Kaçıkların gösterdiği garip belirtiler, halkların tümünün, savaşları yakarmayla savuşturmaya kalktıkları an gösterdikleri gizemci ve çocukça belirtilerin abartılmasından başka bir şey değildir. Bütün dünyadaki, aşağı yukarı bin kişiden dördünü barındıran ruh hastalıkları bakımevlerinde de bitkisel yaşamın cinsel görünüşüne genel siyasetin gösterdiğinden daha büyük bir dikkat gösterilmiyor.

Bugün bilimin CİNSELLİK dalı yazılmamıştır. Ancak, olağandışı ruhsal tepkilerin cinsel doyumsuzluktan, cinsel enerjinin başka yönlere kaydırılmasından doğduğuna kuşkumuz olamaz. Dolayısıyla, *insanın cinsel yaşamının toplumsal düzenlenmesi* sorununu ortaya atmak, toplu ruh hastalığının köklerini aramak anlamına gelmektedir.

İnsanın düşünme ve duygulanma yapısını cinsel enerji yönetir. «Cinsel yaşam (solunum ve sindirim dizgesini yöneten sinirlerin işleyişi açısından ele alındığında) yaşam enerjisinin *ta kendisi*'dir. Bunu önlemek, yalnız en dar hekimlik anlamıyla değil, en genel anlamıyla da temel yaşam işlevlerini alt üst etmek demektir. Bunun en önemli toplumsal belirtisi, insan eyleminin akılcılıktan uzaklaşması: gizemciliğe, dinciliğe, savaşa yatkınlığa dönüşmesidir. Cinsel siyasetin çıkış noktası: *insanın sevisel yaşamının baskı altına alınmasının gerekçesi nedir?* olmalıdır.

Cinsel tutumbilimin, insanın ruh dünyasıyla toplumsal-iktisadî etkenlerin ilintilerini irdeleyen kuramını kısaca özetleyelim. Toplum, insan gereksinimlerini oluşturur, değiştirir ve baskı altında tutar; bu süreç boyunca, ruhsal bir yapı ortaya çıkar; bu yapı doğuştan gelmez, her bireyde, gereksinimle toplum arasında verilen kavga içersinde gelişir. Güdülerimiz doğuştan gelen bir yapıya sahip değildirler, yaşamın ilk yıllarında kazanırlar bu yapıyı. Ancak bitkisel enerjinin az ya da çok bir parçası doğuştandır. Buyurgan toplum, birbirleriyle eşzamanlı boyuneğme ve başkaldırmalardan oluşmuş bir köle yapısı yaratır. Buyurgan olmayan toplumsa «özgür» bireyler yaratmalıdır. Dolayısıyla yalnız buyurgan birey yapısını üretme yollarını değil, buyurgan olmayan birey yapısını da üretecek güçleri tanıyıp geliştirmelidir.

Cinsel işlev ruhsal işleyişin çekirdeği olduğuna göre, kılgısal ruhbilimin çekirdeği de cinsel siyasetten başka bir şey olamaz. Bu, sinema ve edebiyat aracılığıyla dile gelir: her türlü romanların % 90'ı, filmlerle oyunların % 99'u doyurulmamış cinsel gereksinimlere yöneltilen çağrıya dayalıdır.

Yaşamın temel gereksinimleri, beslenme ve cinsel doyum gereksinimleri, genel bir toplumsal örgüt kurulmasını gerektiren nedenlerdir. Bu toplumsal örgütün doğurduğu «üretim biçimleri» temel gereksinimleri büsbütün yoketmese de bozup değiştirmekte, dolayısıyla yeni gereksinimler yaratmaktadır. Yakın zamanda yaratılmış bu değişik gereksinimler daha sonraki üretim biçimini belirlemekte, yeni üretim araçları ortaya çıkarmakta ve tabiî bireyler arasında yeni toplumsal ve iktisadî ilişkilerin doğmasına yol açmaktadır. Üretimdeki kişilerarası ilişkilerle birtakım ahlâkî, felsefî vb. yaşam kavramları gelişir. Bu kavramlar aşağı yukarı her çağın uygulayımsal gelişme durumuna, yani insan yaşamını anlayıp buyruğu altına alma yetisine uygundurlar. Böylece gelişen toplumsal «öğreti» yeni bir insan yapısı kurar. Bu açıdan bakıldığında, «öğreti» maddî bir güç olur çıkar; insanın yapısında, «gelenek» adıyla yaşar. Bir sonraki gelişme, öğretinin oluşumuna bütün toplumun ya da küçük bir azınlığın katılışına göre çok değişik nitelikler kazanır. Siyasal güç küçük bir azınlığın elindeyse, genel düşünsel yapıyı dilediği gibi kurma yetkisi de onda demektir. Sonuç olarak da, buyurgan toplumda, halkın çoğunluğunun düşünme biçimi siyasal ve iktisadî yönden toplumu egemenlikleri altında bulunduranların çıkarlarına uyar. Gerçek demokraside, emek demokrasisindeyse toplumsal kuram toplumun *bütün* üyelerinin temel çıkarlarına uyacaktır.

Şimdiye dek toplumsal öğreti, «insanların kafa»sında oluştuğu biçimiyle, iktisadî süreçle ilgili kavramların yalın toplamı sanıldı. Ancak, Almanya'da siyasal gericiliğin zaferinden ve kitlelerin akıldışı tutumunun bize verdiği dersten sonra, kuram artık basit bir yansıma sayılamaz. Siyasal öğreti bir halkın ruhsal yapısına kök salıp onu değiştirdi mi, *elle tutulur bir siyasal güç* olmuş demektir. Tarihsel bir önem taşıyıp da kitlelerin ruhsal yapısına işlememiş, onların davranışlarında dile gelmemiş bir tek toplumsal-iktisadî süreç yoktur. «Üretim güçlerinin *kendi başına* gelişmesi» diye bir şey olmaz; ancak, toplumsal-iktisadî süreç temeline dayalı bir bilinçaltına itişin insan yapısında, düşünce ve duygusunda yaratacağı gelişme vardır. İktisadî süreç, yani makinelerin gelişmesi, bu süreci gerçekleştiren, hızlandıran ya da bilinçaltına iten, aynı zamanda etkisinde kalan insanların ruhsal yapı sürecine işlev açısından tıpa tıp uyar. İnsanın etkin duygusal yapısı dışında düşünemeyiz iktisadı; iktisadî dayanak olmadan da duygululuk, düşünce ve eylem olamaz. Bunlardan birini ya da öbürünü önemsememek, bizi ya *ruhsalcılık*'a («tarihin biricik itici gücü ruhsal güçlerdir» demeye), ya da *iktisadicilik*'e (uygulayımsal gelişme «tarihin biricik itici gücüdür» demeye) götürür. *Eytişim* (dialectique) *konusunda sonu gelmez söylevlere girişecek yerde, insan kümeleriyle, doğa ve makineler arasındaki canlı ilişkileri anlamaya çalışmak gerekir;* bunların işleyişi birleştiricidir, aynı zamanda da karşılıklı olarak koşullayıcı. Ruhsal yapının çekirdeğinin cinsel yapı olduğunu ve kültürel sürecin öncelikle cinsel gereksinimler tarafından belirlendiğini anlamadan bugünkü kafa eğitimi sürecini çekip çevirebilmek olanaksızdır.

Sözümona «siyaset dışı» sayılan şu daracık, yoksul cinsel yaşam, buyurgan toplumun sorunlarıyla ilintileri içersinde incelenmelidir. Siyasetin ilgi alanı elçiliklerarası yemekler değil, günlük yaşamdır. *Dolayısıyla, günlük yaşamda toplumsal bilinç vazgeçilmez öğedir.* Yeryüzündeki insanların tümü öndegelen beş yüz diplomatın eylemini anlayabilseydi, işler çok daha iyi yürürdü; toplum ve insanın gereksinimleri silâh yapımcılarının ve siyasetçilerin çıkarına göre yönetilmezdi. Ama yeryüzündeki insanlar, olanca alçakgönüllülüğüyle kişisel yaşamlarının bilincine varmadıkça, kendi yazgılarını belirleyemeyeceklerdir. Ellerini kollarını bağlayan, içlerindeki şu iki güçtür: *cinsel ahlâkçılık* ve *dinsel gizemcilik.*

Son iki yüzyılın iktisadî düzeni insan yapısını hatırı sayılır derecede değiştirdi. Ancak bu değişiklik doğal yaşamın, özellikle de cinsel yaşamın binlerce yıl baskı altında tutulmasının insana getirdiği genel yoksullaşmaya oranla hiçtir. Bir yandan akılalmaz küçüklük duygusu, öte yandansa eziyetçi kabalıkla kendini gösteren, yetke karşısındaki korku ve kölelikten oluşmuş toplu ruhsal temelin biricik kökeni işte bu binlerce yıllık baskıdır; son iki yüzyılın anamalcı düzeni bu temel üzerinde kök salmıştır.

Ancak, milyonlarca yıl önce, insan yapısındaki bu değişikliği başlatan toplumsal-iktisadî süreçleri unutmamak gerekir. Demek ki, karşımızda, iki yüzyıllık işleyimsel makineleşmeye bağlı bir süreç değil, bugüne dek makinelere söz geçirmeyi başaramayan, aşağı yukarı 5000 yıllık insan yapısı vardır. *Anamalcı iktisat yasalarının bulunması ne denli göz kamaştırıcı ve devrimci olursa olsun, yetkeye boyuneğme sorununu çözmeye yetmez.* Gerçi dünyanın her yanında «ekmek ve özgürlük» için savaşan birey kümeleri ve yoksul sınıf parçacıkları var, ama insanların ezici çoğunluğu ya bekleyiş ve yakarıya çöreklenip kalıyor, ya da özgürlük savaşına düşmanlarının yanında girişiyor. Halk kitleleri günün her saatında gereksinimin amansızlığını sınamakta. Onlara yaşamın bütün zevklerini değil de, yalnız ekmek vermeye hazır oluşumuz, isteklerini çoğaltacak yerde, isteme biçimlerini yumuşatmakta. Özgürlüğün ne olduğunu ya da ne olabileceğini halk yığınlarına henüz kimse somut bir biçimde açıklamadı. Yaşamın genel mutluluk olanakları onlara elle tutulur biçimde gösterilmedi. Bu açıklamaya girişenler de, yalnız suçluluk duygusuyla yüklü, yüzeysel, hastalıklı gönül eğlendirmelerden söz ettiler. Yaşamdaki mutluluğun çekirdeği *cinsel* mutluluktur. Büyük ya da küçük hiçbir siyaset adamı bunu belirtme yürekliliğini gösteremedi daha; buna karşılık cinsel yaşamın siyasetle ilgisi bulunmayan, özel bir iş olduğu öne sürüldü. Siyasal gericilikse bu kanıda değil!

Geschlechtsreife, Enthaltsamkeit, Ehemoral adlı kitabımın Fransız çevirmeni [*La crise sexuelle* (Cinsel Bunalım), Editions Sociales Internationales, Paris, 1934] Freud'çu-Marx'çılıkla Marx'çılığı karşılaştırıyor ve ruhçözümcü düşünme biçiminin Marx'çı düşünceyi değiştirdiğini öne sürüyor : «Reich, diyor, cinsel bunalımın her şeyden önce çökmekte olan anamalcı kurumlar ve ahlâk ile yeni toplumsal ilintiler ve gelişen yeni ahlâk arasındaki çelişmeden doğduğuna dikkat etmiyor; bunu doğal, ölümsüz cinsel gereksinimlerle anamalcı düzenleme arasındaki çelişkinin sonucu sayıyor.» Böyle karşıçıkmalar her zaman öğreticidir, bizi sözlerimizi kesinleştirip tamamlamaya iter.

Eleştirmen burada sınıflar arasındaki ayrımı bir yana, doğal gereksinimle toplum arasındaki çatışmayıysa öte yana koyuyor. Oysa, bu ikisinin birbirinden yüzde yüz ayrıldığı sanılmamalıdır; ikisi de, temelde, aynı yoldan açıklanmak zorundadır. Nesnel sınıf çatışması açısından bakıldığında, cinsel bunalımın düşüş halindeki anamalcılıkla yükselmekte olan devrim arasındaki çatışmanın dile gelişi olduğu doğrudur; ama o, aynı zamanda cinsel gereksinimle toplumsal işleyiş arasındaki çatışmanın belirtisidir. Bu iki görüş açısını nasıl bağdaştırmalı? Nesnel açıdan, cinsel bunalım sınıflar arasındaki ayrımın dışa vurmasıdır; peki öznel yaşam açısından nasıl dışa vuruyor? Şu «yeni işçi ahlâkı» denen şey nedir? Anamalcı ahlâk, sınıf ahlâkı cinsel yaşama *karşı*'dır, dolayısıyla ilk ağızda çatışmaya yol açar. Devrimci hareket, her şeyden önce cinsel yaşama anlayışla bakan bir dünya görüşü kurarak, yeni yasalarla ve yeni bir cinsel yaşamla bu dünya görüşünü kılgısal (pratik) hale getirerek çatışmayı yokeder. Başka bir deyişle, buyurgan toplum düzeniyle cinsel yaşamın toplumsal baskı altında tutulması atbaşı giderler, devrimci «ahlâk»la da cinsel gereksinimlerin doyurulması yoldaştır. «Yeni devrimci ahlâk anlayışı» deyiminin kendi başına bir anlamı yoktur; yalnız cinsel alanda kalmayan düzenli bir gereksinim doyurulmasıyla içerik kazanır. Bu temel, somut içerikten yoksunsa, devrimci dünya görüşü sözde kalır ve gerçeklikle çatışır. Kuramla gerçeklik arasındaki çatışmayı Sovyetler Birliği'nde kolayca görebiliriz.

«Yeni ahlâk anlayışı» deyiminin bir anlam kazanabilmesi için, toplumsal yaşamın ahlâkî kurallara bağlanmasının gereksizliğini, herkesin kendi yaşamına düzen verme ilkesini savunması gerekir. Açlıktan ölmeyen adamın içinden hırsızlık eğilimi gelmez, dolayısıyla hırsızlık etmesine engel olan bir ahlâk düşüncesine gereksinimi yoktur. Aynı temel yasa cinsel yaşam için de geçerlidir: cinsel doyuma ermiş kişi başkalarına saldırma eğilimi duymaz, bu eğilimi köstekl2yen bir ahlâka gereksinimi yoktur. Burada karşımıza çıkan, zorlayıcı ahlâkî düzenlemeye aykırı düşen, cinsel tutumbilime uygun bir öz-düzenlemedir. Ortaklaşmacılık (komünizm), cinsel yaşamın yasalarını bilmediğinden, yalnız içeriğini değiştirerek tutucu ahlâkı biçim olarak sürdürmeye çalıştı; buradan, eskinin yerini alan «yeni bir ahlâk anlayışı» doğdu. Bir yanılgıdır bu. Lenin'in dediği gibi (işçi sınıfının geçici buyuruculuğu dönemi dışında) nasıl Devlet'in yalın bir biçim değişikliğine uğramayıp «ortadan kalkması» gerekiyorsa, zorlayıcı ahlâk da yalnız kılık değiştirmemeli, ortadan kalkmalıdır.

Bizim eleştirmenin ikinci yanılgısı, toplumla çatışan *mutlak* bir cinsel yaşam kabul ettiğimizi sanmasıdır. Resmî ruhçözümlemesinin ilk yanılgısı, güdüleri mutlak dirimsel (biyolojik) veriler saymasıdır; ve tabiî bu, ruhçözümlemesinin bilimsel yapısından değil, ruhçözümcülerin makineci (mekanist) görüşlerinden gelmektedir; onlar, makineci kavramlarda olageldiği üzere, görüşlerini fizikötesi savlarla tamamlarlar. Güdüler gelişir, başka bir kalıba girer ve yozlaşırlar. Oysa, dirimsel değişiklikler toplumsal değişmelere oranla öylesine uzun sürede gerçekleşir ki, toplumsal değişmeleri görece ve zamana bağlı sayar, birincileriyse mutlak veriler gibi görürüz. Somut ve zamanla sınırlı toplumsal süreçleri incelersek, belli bir dirimsel güdüyle toplumsal düzenin ona hazırladığı yazgı arasındaki çatışmayı saptamakla yetinebiliriz. Cinsel sürecin dirimsel yasaları için durum aynı değildir. Burada, coşkusal yapının göreceliğini ve değişkenliğini titizlikle göz önünde tutmamız gerekir. Eğer her türlü toplumsal sürecin ilk koşulları olarak bireysel yaşamın süreçlerini ele alırsak, yaşamın ve temel gereksinimlerin varlığını kabul etmemiz yetişir. Ama bu yaşam mutlak değildir. Acunsal düzeyde zaman dilimlerini ele alır incelersek, yaşam, cansız maddeden fışkıran, sonra yine ona dönen bir şey olur. Bu incelemeler bize insanların «tinsel, aşkın» görevlerle ilgili yanılsamalarının önemsizlik ve küçüklüğünü; buna karşılık, insanın bitkisel yaşamıyla doğanın tümü arasındaki bağlantının, birliğin büyük önemini her şeyden daha iyi gösterir. İnsanla toplumun minicik parçaları oldukları acunsal süreçlere oranla toplumsal kavganın da önemsiz olduğu söylenerek dediklerimiz kötü yorumlanabilir; duruk yıldızlar küresinde gezegenlerin devinimine oranla, halkların birbirini kırıp geçirmesinin, bir Hitler'in işbaşına getirilmesinin, az sayıda insana iş bulunmasının da önemsiz olduğu; oturup doğanın zevkini çıkarmakla çok daha iyi edeceğimiz söylenebilir. Bu yorum aldatıcı olur, çünkü bilimsel görüş açısı gericiliğin karşısında, emek demokrasisinden yanadır. Gericilik, acunsal sonsuzluğu ve onu yansıtan doğa duygusunu, cinsel perhiz ülküsüyle kendini uluşçu tasarılara adama ülküsünün daracık çerçevesine kapatmaya uğraşmaktadır. Emek demokrasisiyse, tam tersine, bireysel ve toplumsal yaşamın darlığını doğanın büyük süreçlerinin yörüngesine oturtmaya çalışır; binlerce yıllık sömürü, kandırmaca ve cinsel baskı sonucu ortaya çıkıp toplumu kemiren çatışmayı yoketmeye uğraşır; kısacası doğal cinsel etkinlikten yana, doğaya aykırı ahlâkçılığa karşı, evrensel iktisadî planlamadan yana, sömürücülüğe ve uluşçuluğa karşıdır.

Uluşçu-toplumcu (nasyonal-sosyalist) öğretide, «toprağa ve kana bağlılık» savsözüyle dile getirilen ve gerici harekete olağandışı bir atılım kazandıran, akılcı bir çekirdek vardır. Buna karşılık, uluşçu-toplumcu kılgı, toplumun, doğanın ve uygulayımın (tekniğin) birleştirilmesini erek edinen devrimci eylem ilkesini köstekleyen güçlere katılmaktan kurtulamaz. Halk birliği yanılsamasının ortadan kaldıramadığı sınıflı topluma ve «halk malı» düşüncesinin yokedemediği üretim araçlarının özel ellerde bulunmasına da öyle. Uluşçu-toplumculuk, öğretisinde, devrimci hareketin çekirdeğini gizemci bir biçimde dile getirir. sınıfsız bir toplum, doğayla uyum kuran bir yaşam yaratmak ister. Devrimci hareketse, daha kendi öz kuramının tam anlamıyla bilincine varamadıysa bile, yaşamın akılcı yoldan nasıl gerçekleştirilebileceğinin, mutluluğa nasıl erileceğinin toplumsal ve iktisadî koşullarını açıklığa kavuşturmuştur.

**
*

Bu kitap, kılgısal hekimlik yılları boyunca elde edilen cinsel tutumbilim savlarına dayanarak şimdiki cinsel yaşam koşullarının ve kavramlarının eleştirilmesini özetlemektedir. Kitabın ilk kesimi (*Cinsel Ahlâkçılığın Başarısızlığı*), altı yıl önce, *Geschlechtsreife, Enthaltsamkeit, Ehemoral* adıyla yayımlanmıştır. Yer yer genişletildiyse de, bütünüyle değişikliğe uğramamıştır. İkinci kesim (*«Yeni Yaşam Biçimi» Uğrunda Sovyetler Birliği'nde Girişilen Kavga*) yenidir. 1925-1935 yılları arasında derlenmiş gereçlere dayanmaktadır. Sovyet Rusya'da cinsel devrimin nasıl boğulduğunun gösterilmesi, cinsel yaşamın düzene konmasıyla ilgili ilk yazılarımda neden hep Sovyetler Birliği' ni örnek verdiğimi açıklayacaktır. Son dört yılda, bir sürü şey değişti. Buyurgan ilkelere toptan dönüşün sonucu olarak, Sovyet cinsel devriminin gerçekleştirdiği başarılar da yavaş yavaş kaldırılıp atıldı.

Söylemek bile gereksiz, ele aldığımız konuya ilişkin bütün sorunları inceleyemedik. Şu anda geçerli ruhsal hastalık kuramlarının eleştirilmesi de, dinin bir bütün halinde incelenmesi de çok yerinde olurdu. Ama sorunların sonsuzluğu, elinizdeki kitabı akla uygun bir çerçevede bırakma zorunluluğunu doğurdu. Faşizmin ve Kilise'nin cinsel siyaseti, ataerkil siyasal-cinsel örgüt biçimiyle, *Faşizmin Kitle Ruhu Anlayışı* adlı kitabımda incelenmiştir. Bu kitapsa, ne bir cinselbilim el kitabıdır, ne de bugünkü cinsel bunalımın tarihçesi. Özel örneklere dayanarak, çağımız cinsel bunalımının *temel* çizgilerini gözler önüne sermekle yetinmektedir. Burada kullanılan cinsel düzenlilik kavramları bir yazı odası çalışmasının sonuçları değildir. İşçi sınıfından, orta sınıftan ve aydın çevreden gelmiş gençlerle yıllarca sıkı ilintide bulunmasaydık, bu yoldan elde edilen deneyleri hastalar üzerindeki çalışmayla sürekli olarak doğrula-

masaydık, elinizdeki kitabın bir tek cümlesi bile yazılamazdı. Bunu, birtakım eleştirilerin önünü almak için söylemek
zorundayız; tartışma gerekli ve yararlıdır; ama cinselbilim
yaşantısının kaynaklarına inmeden böyle bir tartışmaya girişmek, boşu boşuna zaman ve enerji yitirmektir: bu kaynaklarsa, yoksul ya da kötü eğitilmiş halk yığınlarının yaşamı, acı çeken ve birbirleriyle dövüşen bireyler, Tanrı'dan
esin almış *Führer*'lerin *alt-insan* adını verdikleri kişilerdir.
Avusturya ve Almanya'da edindiğim kılgısal hekimlik ve
toplumbilim deneylerine dayanarak, olaylarla sürekli kişisel ilintim bulunmadığı halde, Sovyet Rusya'daki cinsel devrim konusunda belli bir kanıya sahip olmaya iznim vardı.
Cinsel siyaset alanındaki durumun bazı yanları biraz tek
yanlı gösterilmiş olabilir. Ama bizim ereğimiz mutlak doğrular ortaya koymak değil, temeldeki çatışmalarla eğilimlerin genel bir görünümünü sunmaktı. İlerki baskılarda olgularla ilgili düzeltmelerin yapılacağına kuşku yoktur.

Son olarak da, işleri başlarından aşkın, bana «siyasetin tehlikeli alanı»ndan çıkıp doğal-bilim alanında kalmayı salık veren dostlarıma, adına yaraşır cinselbilimin, istese de istemese de devrimci olduğunu söylemek isterim.
Alev almış bir yapıda, kim kalkar da «cırcır böceklerinde
rengin anlamı» üstüne estetik denemeler yazmak ister?

W. R.
Kasım 1935

BİRİNCİ KESİM

Cinsel Ahlâkçılığın Başarısızlığı

BİRİNCİ BÖLÜM

CİNSEL TUTUMBİLİMİN GETİRDİĞİ
ELEŞTİRİNİN TIBBÎ TEMELLERİ

1 — AHLÂKÎ DÜZENLEMEDEN CİNSEL TUTUMLULUĞA
UYGUN DÜZENLEMEYE

Burada sergilenen cinsel tutumbilim savları, başarılı bir kişilik çözümlemesi bakımı sırasında ruhsal bir değişikliğe uğrayan hastaların tıbben gözlenmesinden doğmuştur. Sinir hastalığına tutulmuş bir yapının sağlıklı bir yapıya dönüştürülmesiyle ilgili buluşların toplumsal yapıya ve onun ilerki bozukluklarına uygulanıp uygulanamayacağı sorulabilir haklı olarak.

Kuramsal bir tartışmaya girişecek yerde, olguları inceleyelim. Kitle halindeki akıldışı davranışların sinir hastasında yapılan gözlemlere dayanılarak anlaşılabileceğine kuşku yoktur. Aslında, buradaki ilke, belli bir salgın hastalığa açılan savaştakinin aynıdır; salgına yakalananların hepsinde bulunan mikrobun ve eyleminin özel kurbanlar üzerinde incelenmesinden başka bir şey değildir bu savaş. Sıradan bireyin hastalıklı davranışı, ayrı ayrı incelenen hastaların bizleri görür görmez yakalamaya alıştırdığı davranışları açıkça ortaya koyar: cinsel arzuların genel olarak bilinçaltına itilmesi; tinsel isteklerde zorlayıcılık; cinsel doyumla çalışmanın bağdaştırılabileceğini düşünememe; çocuk ve gençlerin cinsel yaşamının hastalıklı bir sapma olduğu garip inancı; ömür boyu tekeşlilikten başka bir cinsel yaşamı göz önüne getirememe; kendi gücüne, kendi yargısına güvenememe, dolayısıyla her şeyi bilen, yönetici bir Baba arama. Sıradan bireyin temel çatışkıları, hep aynıdır; bireysel öyküdeki değişiklikler ancak farklı ayrıntılar gösterir. Bireyden öğrendiğimizi halk yığınlarına uygulamaya kalkarsak, her bireyin örnek çatışkılarıyla kendimizi sınırlandırmamız gerekir; bu koşullarda, bireyin yapısal değişiklikleriyle ilgili gözlemler, yığınlar için de geçerli olabilir.

Hastalar bize çok belirgin rahatsızlıklarla gelir. Çalışma yetileri bozulmuştur; elde edilen sonuçlar toplumun saptadığı isteklere de, öznenin elverişliliğine de uymaz. Cinsel doyuma elverişlilik tümden yokolmamışsa bile, epey azalmıştır; üretken (génital) doyuma elverişliliğin yerini düzenli olarak üretken olmayan (üreme dönemi öncesi) doyumlar almıştır; hastada, ırza geçme düşleri falan gibi eziyetçi sevişme biçimi tasarımlarına rastlanır. Bireyin kişilik ve cinsel davranışındaki bu değişikliğin dört beş yaşlarına doğru kesin biçimini aldığını hemen her zaman gösterebiliriz. Toplumsal ve cinsel verimliliğin bozuluşu er geç ortaya çıkar. Hastaların hepsinde içgüdüyle ahlâk arasında çatışma vardır; cinsel arzular sinir hastalığı biçiminde bilinçaltına itildi mi, bu çatışma çözülemez: hastanın, toplumsal baskının etkisiyle kendi kendine koyduğu ahlâkî zorunluluklar, dar anlamıyla cinsel, daha geniş anlamıyla da bitkisel gereksinimlerinin bastırılmasını sürdürür ve güçlendirir; cinsel güç rahatsızlığı ciddîleştikçe, doyum *gereksinimi* ile doyuma *yatkınlık* arasındaki uyumsuzluk artar; buysa, baskı altında tutulan enerjilerin denetlenmesi için gerekli tinsel baskının artmasına yol açar; çatışkının bütünü temelinde bilinçsiz olduğundan, birey bu sorunu kendi başına çözemez.

İçgüdüyle ahlâk arasındaki çatışmada ve ben'le dış dünya arasındaki kavgada, ruhsal organizma dış dünyaya karşı olduğu kadar içgüdüye karşı da *zırhlanmak*, kendini *«soğuk»*laştırmak zorundadır. Ruhsal organizmanın «zırh kuşanması»ysa yaşama elverişliliğiyle yaşama etkinliğinin az ya da çok sınırlanması sonucunu doğurur. İnsanların çoğunun bu zırhın sıkıntısını çektiği söylenebilir; bir duvar vardır yaşamla aralarında. Toplu yaşayış içersinde bunca insanın yalnızlığının başlıca nedeni bu zırhtır.

Kişilik çözümlemesi yoluyla iyileştirme, bireylerin zırha takılıp kalan bitkisel enerjilerini özgürlüğe kavuşturur. Bu zırhlanmanın *en dolaysız* sonucu, topluma aykırı ve sapık içtepilerin yoğunlaşması, toplumsal bunalım ve ahlâkî baskıdır. Aynı anda çocukluktan kalma baba ocağına bağlanıp kalmalar, küçük yaştaki örselenmeler ve cinsel yaşamı engelleyen yasaklar ortadan kaldırılabilirse, gittikçe artan oranda enerji cinsel dizgeye döner. Böylece, doğal cinsel gereksinimler yeniden canlanır ya da ilk kez uyanır. Ayrıca, hastanın tam bir bedensel doyuma erebilmesi için cinsel bilinçaltına itişlerle cinsel bunalım yokedilirse, hasta kendine uygun bir cinsel eşe rastlayacak kadar talihliyse, genel tutumunda insanı şaşırtacak kadar geniş bir değişiklik olur. Şimdi bu değişikliğin en önemli görünüşlerini inceleyelim.

Sağaltımdan (tedaviden) önce düşünce ve eylemin bütünü bilinçdışı, akıldışı dürtülere bağlıyken, hasta gittikçe akılcı eylemde bulunabilme yeteneğine kavuşur. Bu süreç içersinde, gizemcilik, dincilik, çocukça bağlanma, boş şeylere inanma eğilimleri yavaş yavaş yokolur, üstelik de hastaya herhangi bir «eğitim» verilmeden. Eskiden kalın bir zırh içersindeyken, kendisiyle ve çevresiyle ilinti kuramazken, yalnızca doğal olmayan *sözümona* ilintiler kurabilirken, gerek güdüleriyle, gerek çevresiyle doğal ve dolaysız ilintiler kurabilme elverişliliği gittikçe artar. Bunun sonucu, şundan bundan ödünç alınmış, düzmece davranışların yerine, gözle görülür biçimde, doğal, kendiliğinden davranışların geçmesidir.

Hastaların çoğunun ikili bir yapıya sahip olduğu söylenebilir; dışardan bakıldıklarında, düzmece ve garip gözükürler; oysa, bu hastalıklı dış görünüşün ardında, sağlıklı bir şey vardır. Bugünkü durumda bireyleri birbirlerinden ayıran, bireysel sinir üstyapılarıdır. İyileştirme süreci boyunca, bireysel ayrılık hissedilir derecede azalır, yerini davranışın *yalınlaşması*'na bırakır; bu yalınlaşmanın sonucunda, iyileşme yolundaki hastalar bireysel özelliklerini yitirmeksizin, kalın çizgilerde birbirlerine daha benzer olurlar. Böylece, her hasta birey, çalışmaya uyamayışını kendine özgü bir biçimde gizler; çalışmasını engelleyen bozukluk yokolur da yetilerine güvenini yeniden kazanırsa, aşağılık duygusunu ödünlemesine yardım eden kişilik çizgileri de silinir gider; ödünlemeler son derece bireysel şeyler oldukları halde, herhangi bir işi gerçekleştirmekteki kolaylığa dayanan kendine güven duygusu herkeste temelinden benzerdir.

Bu dediğimiz, insanın cinselliğe karşı tutumu için de geçerlidir. *Cinsel yaşamını baskı altında tutan kişi, bin bir türlü ahlâkî ve kültürel savunma biçimi geliştirir.* Hastalar kendi özel cinsel gereksinimleriyle ilintiyi yeniden kurdukları zamansa, bu sinir hastalığı ayrılıkları ortadan kalkar; cinsel yaşama karşı takınılan tutum bütün bireylerde benzerleşir; bu tutum, zevkin kabul edilmesi, suçluluk duygusunun yokolması biçiminde kendini gösterir. Eskiden, içgüdüsel gereksinimle ahlâkî bilinçaltına itme arasındaki çatışma hastayı her durum ve koşulda, kendisinden üstün bir dış yasaya uygun hareket etmeye zorlamaktaydı; düşündüğü ya da yaptığı her şey, bu zorlamaya karşı çıksa da, bir ahlâkî ölçü birimine göre değerlendiriliyordu. Hasta, yeni bir kişilik yapısı kazanma süreci içersinde cinsel doyumun vazgeçilmezliğini anladıkça, bu ahlâkî deli gömleğinden de, cinsel gereksinimlerin bastırılmasından da kurtulur. Eskiden ahlâkî baskı içtepiyi yoğunlaştırmış, topluma aykırı hale getirmişti; buysa, bir tersine tepmeyle. ahlâkî baskının artmasını gerektiriyordu. Şimdiyse doyuma elverişlilik güdülerle aynı yoğunluğa eriştikçe, ahlâkî düzenleme yararsız hale gelir, eski kendini tutma mekanizmasına gerek kalmaz. Çünkü enerji topluma aykırı güdülerden çekilmiş, geriye, denetlemek üzere, pek bir şey kalmamıştır. Sağlıklı kişide kılgısal olarak ahlâk diye bir şey yoktur, çünkü içinden ahlâkî baskıyla bilinçaltına itmeyi gerektiren güdüler gelmez. Topluma aykırı içtepilerden arta kalanlar, temel cinsel gereksinimler doyurulduktan sonra, kolayca denetlenir. Bütün bunlar, bedensel boşalma gücüne kavuşan bireyin tutumunda rahatça gözlenebilir.[1] Bir yosmayla ilinti olanaksızlaşır; eziyetçi düşler yokolur; seviyi hak sayma ya da karşısındakini zorla sevme de, çocukları tavlama da akla hayale getirilmez; makattan sevişme, orasını burasını gösterme falan gibi sapıklıklar, onlarla birlikte de toplumsal korku ve suçluluk duyguları yokolur; cinsel arzunun ana-babaya, kız ya da erkek kardeşlere dönüklüğü önemini yitirir, bu saplanmaların bağladığı enerji özgürlüğe kavuşur. Sözün kısası, saydığımız görüngüler organizmanın *kendi kendini düzenlemeye* elverişliliğini belli eder.

Bedensel doyuma erme elverişliliğini kazanmış olanlar, cinsel durgunluk çekenlere oranla tekeşliliği daha kolay becerirler. Ve bu insanların tekeşliliği çokeşlilik içtepilerinin bastırılmasından ya da ahlâkî kaygılardan gelmez; insanı, aynı eşle yaşanmış zevkin ve yoğun doyumun yinelenmesine iten cinsel düzenlilik ilkesine dayalıdır; buysa, eşler arasında tam bir uyum kurulmasını gerektirir; *bu*

---

[1] Bu kavram için Sürekli Cinsel İlişkiler bölümüne (Bl. VII), bir de *Bedensel Boşalmanın İşlevi* adlı kitabın IV, 3 ve V, 5. bölümlerine bakın. Bedensel boşalma gücü «İnsanın kendini, arzuları bilinçaltına itmeksizin yaşam enerjisinin kabarmasına bırakabilme, bedene hoş gelen istemsiz açılıp kapanmalar aracılığıyla vücuttaki bütün cinsel kışkırtmaları bütünüyle doyurabilme yetisi»dir. Reich, bu kavramı, 1923'lerde, sinir hastalığının bir güncel cinsel yaşam bozukluğuyla birarada bulunması gerektiği savı üzerinde çalışırken, o zamanlar ruhçözümlemesinin elinde bulunan *fışkırtma gücü* ve *dikilme gücü* ölçütlerinin sağlıklı kişiyi tanımlamaya yetmediğini saptadıktan sonra geliştirmiştir; gerçekten de, söz konusu ölçütler, bitkisel sinir dizgesindeki durgunluğu konu dışında bırakmamaktadırlar. Bu yüzden, Reich, *bedensel boşalma gücü* adını verdiği, sinirlerin hasta olduğu durumları hesaba katmayan gücü, bedensel ve ruhsal görünüşleriyle içeren bir tanımlama yapmak zorunda kaldı; böylece, başlangıçtaki varsayım her durumda doğrulanmış oluyordu.

açıdan, sağlıklı erkekle sağlıklı kadın arasında hiçbir ayrım yoktur. Şimdiki koşullar içersinde kural haline gelmiş durum uyarınca uygun eş bulunamadığı zamansa, tekeşliliğe yatkınlık tersine dönüşür, kaygı içersinde uygun eş araştırısı başlar. Aranan (kadın ya da erkek) eş bulununca, tekeşlilik kendiliğinden belirir ve cinsel uyumla doyum sürdükçe yaşar; başka eşler ya hiç düşünülüp arzulanmaz; ya da, o anki eşe duyulan ilgiden ötürü eyleme geçilmez. Bununla birlikte, ilk ilişki tazeliğini yitirirse ve yenisi daha büyük zevk vaat ediyorsa, mutlaka bozulur; bu olgu, ne denli tartışma götürmez olursa olsun, cinsel düzenlilik ilkesiyle iktisadî çıkarların ve çocuklara verilen değerin çeliştiği toplumumuzun cinsel düzeniyle çatışır; ve tabiî, cinsel yaşamı yadsıyan şu toplumsal düzen içersinde, en yoğun acıları en sağlıklı kişiler çeker.

Bedensel boşalma güçleri *bozulmuş* kişilerin, yani insanların çoğunun tutumuysa bambaşkadır: cinsel edimden çok daha az zevk aldıklarından, kısa ya da uzun süre cinsel eşsiz yaşayabilirler; ayrıca, sevişme onlar için büyük bir anlam taşımadığından, pek titiz de değildirler. Cinsel ilişkilerinin kayıtsızlığı işte bu bozukluğun sonucudur. Cinsel yanları bozuk bu bireyler ömür boyu tekeşli yaşamaya daha yatkındırlar. Oysa bağlılıkları cinsel doyuma değil, ahlâkî baskıyla cinsel arzularını bilinçaltına itme dizgesine dayanır.

İyileşmekte olan hasta kendine uygun bir cinsel eş buldu mu, sinir hastalığı belirtileri yokolduğu gibi, çoğu kez şaşkınlıkla, yaşamını düzene koyabildiğini, çatışkılarını o güne dek tanımadığı bir kolaylıkla, hastalıklı olmayan yollardan çözebildiğini görür. Bütün bunları yaparken, en doğal biçimde zevk ilkesini izler. Ruhsal yapısında, düşünce ve duygularında dile gelen tutum yalınlaşması, yaşayışındaki bir sürü çatışmayı ortadan kaldırır; aynı zamanda, bugünkü ahlâkî düzene karşı eleştirici bir tutum takınır.

Şurası açık ki, *ahlâkî düzenleme* ilkesi *cinsel düzensizlik yoluyla kendi yaşamını düzene koyma* ilkesiyle çelişir.

Cinsel yönden hasta toplumumuz cinsel sağlığın düzeltilmesi girişimine katkıda bulunmaya yanaşmadığından, bedensel boşalma gücünün yeniden kazandırılması çalışmaları bin türlü aşılmaz engelle karşılaşır: ilk engel, hastanın, iyileşmeye yüz tuttuğu zaman rastlayabileceği cinsel yönden sağlıklı kişilerin sayısının sınırlı oluşudur; ardından da, zorlayıcı cinsel ahlâkın getirdiği türlü sınırlandırmalar gelir. Cinsel yönden sağlığa kavuşan kişi, sağlıklı ve doğal cinsel yaşamının gelişmesini önleyen bütün şu toplumsal kurum ve durumlar karşısında, bilinçsiz ikiyüzlülüğü bir yana bırakıp bilinçle ikiyüzlü olmak zorunda kalacaktır. Kimileriyse, yakın çevrelerini, şimdiki toplumsal düzenin sınırlayıcı etkisini önemsiz kılacak biçimde değiştirebilme yeteneklerini geliştirirler.

Özetlediğimiz hekimsel yaşantı,[1] *toplumsal* durumla ilgili genel sonuçlara varmamıza izin vermektedir. Sinir hastalıklarının önlenmesi, gizemciliğe ve boş şeylere inanmaya savaş açma gibi sorunlarla, doğayla kafa eğitimi, içgüdüyle ahlâk arasında çatışma olduğunu öne süren düzmece sorunu ilgilendiren bu sonuçların açtığı geniş bakış açıları ilk anda çok şaşırtıcı ve hesaplarımızı altüst ediciydi. Ancak, budunbilim (etnoloji) ve toplumbilim alanlarındaki çalışmalarla yıllar boyu yaptığımız karşılaştırmalar, ahlâka uygunluk ilkesinden cinsel tutumbilimin kendi yaşamına düzen verme ilkesine geçen kişilerin ruhsal yapılarındaki değişiklikten çıkardığımız sonuçlar konusunda kuşkuya yer bırakmamıştır. Bir toplumsal hareketin, cinsel yaşamın şimdiki yadsınışının yerine (bütün iktisadî istekleriyle birlikte) olumlanmasını geçirecek biçimde tüm toplumsal koşulları değiştirdiğini varsayalım; o zaman, halk yığınlarının ruhsal yapısı da değişir. Bu, cinsel tutumbilimi çok kötü yorumlayan bazı kişilerin sandığı gibi, toplumun bütün üyelerinin bakımevlerine yatırılabileceği an-

---

[1] Daha ayrıntılı açıklama için *Bedensel Boşalmanın İşlevi* (1927) ile *Kişilik Çözümlemesi*'ne (1933) bakın.

lamına gelmez elbet. Bizim demek istediğimiz, yalnızca, bireysel ruh yapılarının değiştirilmesi girişimi sırasında edindiğimiz yaşantının, çocuğun ve gencin yeni bir yoldan eğitilmesinde kullanılacak kuramsal bir temel sağladığıdır; bu eğitim, doğayla kafa ürünleri, bireyle toplum, cinsel yaşamla toplumsal yaşam arasında çatışma yaratmadığı gibi, olanları da beslemeyecektir.

Ancak şunu kabul etmek gerekir ki, ruh hastalıklarının iyileştirilmesi alanına yeni getirilen bedensel boşalma kuramının işe karışmasıyla elde edilen kuramsal buluşlar ve iyileştirme denemeleri, bu bilimin daha önce geliştirdiği bütün kavramlarla çelişmektedir. Cinsel yaşamla kafa eğitimi arasındaki mutlak karşıtlık, ahlâkı, kafa ürünlerini, bilimi, ruhbilimi ve iyileştirme bilimini yöneten el sürülmez bir dogmadır. Bütün bunlarda Freud'un ruhçözümlemesi başlıca rolü oynamaktadır, çünkü temelindeki tıbbî ve bilimsel buluşlara karşın, sözünü ettiğimiz karşıtlığa sımsıkı sarılmıştır. Onun için, bilimsel çalışmayı fizikötesine dönüştüren ruhçözümcü kuramın eğitim anlayışındaki köklü çelişkilere kısaca değinmek kaçınılmazdır. Bu kafa eğitimi kuramı büyük bir karışıklık kaynağıdır.

2 — FREUD'ÇU KÜLTÜR KURAMININ ÇELİŞKİSİ

A) *Cinsel arzuyu bilinçaltına itme ve*
    içgüdüden vazgeçme

Ruhçözümlemesinin toplumbilimsel sonuçlarının ciddî tartışması, şu sorunun açıklığa kavuşturulmasını gerektirir: Freud'un son yapıtlarında ortaya çıkan ve Roheim, Pfister, Müller - Braunschweig, Kolnai, Laforgue falan gibi öğretililerinin (müritlerinin) yazılarında çoğu kez gülünç formüllerle işlenen şu uyduruk ruhçözümcü toplumbilimle dünya görüşü, çözümcü (analitik) ruhbilimin mantıklı ve olağan gelişmesi midir? Yoksa, bu toplumbilimle dünya görüşü, varlığını çözümcü hekimlik çalışmasıyla bağların koparılmasına, hekimlikte elde edilen sonuçların eksik ve yanlış yorumlanmasına mı borçludur? Hekimsel kuram içersinde böyle bir kopmanın olduğu ortaya konur da, üstüne üstlük, bu kuramla temel toplumbilimsel kavramlar arasındaki bağ gösterilirse, ruhçözümcü toplumbilimdeki başlıca yanılgı kaynağı bulunmuş olacaktır (başka bir yanılgı kaynağı da bireyle toplumu denk saymaktır).

Freud'un eğitim felsefesi, öteden beri, kafa ürünlerinin varlıklarını cinsel içgüdünün bilinçaltına itilmesine, içgüdüden vazgeçilmesine borçlu bulunduklarını kabul edegelmiştir. Bu felsefenin temel düşüncesi, kafa ürünlerinin gerçekleştirilmesinin cinsel enerjinin yüceltilmesinden geldiğidir; dolayısıyla, mantık gereği, cinsel arzuların baskı altında tutulmaları ve bilinçaltına itilmeleri kültürel sürecin vazgeçilmez etkenidir. Bu söz, kör kör parmağım gözüne ortada tarihsel nedenlerden ötürü yanlıştır: kafa ürünleri verimi alabildiğine yüksek, hiçbir cinsel baskı yapmayan, cinsel yaşamın yüzde yüz özgür olduğu toplumlar var yeryüzünde.[1]

Ancak bu kuramın doğru yanı, baskının *belli* bir kafa eğitimine, türlü biçimleriyle *ataerkil* eğitime gerekli toplumsal temeli yarattığıdır. Doğru olmayansa, cinsel baskının genel anlamıyla zihinsel verimin temeli olduğudur. Freud nereden vardı bu düşünceye? Hiç kuşkusuz, bilinçli siyasal ya da felsefî nedenlerle değil. Tam tersine, ilk çalışmaları da, tıpkı «kültürel cinsel ahlâk» konusundaki çalışması gibi, bir cinsel devrim yönünde kafa eğitiminin kesin eleştirileridirler. Ama Freud sonradan bu yolu bırakmıştır; hattâ daha da ileri giderek, bir keresinde «ruhçözümlemesine uygun olmadıkları»nı söylediği bu yöndeki girişimlerin hepsine karşı çıkmıştır. Freud'la aramızdaki ilk ciddî ayrılıklar, kafa eğitiminin eleştirilmesini de içeren cinsel siyaset araştırmalarımla başlamıştır.

Freud, ruhsal mekanizmaları çözümleyerek, bilinçaltı-

---

[1] W. Reich, *Cinsel Ahlâkın Boygöstermesi.*

nın topluma aykırı içtepilerle dolu olduğunu bulmuştur. Ruhçözümcü yöntemi kullanan herkes bu buluşları doğrulayabilir. Her insanın kafasında babayı öldürme, onun yerine anaya eş olma düşleri vardır. Az çok bilinçli suçluluk duygularıyla bilinçaltına itilmiş eziyetçi içtepilere herkeste rastlanabilir; kadınların çoğunda erkeği iğdiş etme, örneğin yutarak erkeklik organına sahip olma konusunda şiddetli içtepiler bulabiliriz; bilinçaltında işlemeye devam eden bu içtepilerin derinlere itilmesi yalnızca toplumsal uyumsuzluğu değil, aynı zamanda (isterik kusma falan gibi) bir sürü bozukluğu doğurur; cinsel edim sırasında kadını yaralamak ya da delip geçmek isteyen erkeğin eziyetçi düşleri, suçluluk duyguları ve korkuyla içe itildikleri zaman, bir sürü güçsüzlük belirtisi yaratır; tersi durumdaysa, sapık cinsel ilişkilere ya da cinsel öldürmelere götürürler insanı. Dışkı yeme içtepisi, sınıf ayrımı gözetilmeksizin, pek çok bireyde görülebilir. Bir ananın çocuğuna ya da bir kadının kocasına gösterdiği aşırı sevginin, kurduğu öldürme düşlerinin yoğunluğuna bağlı olduğunu gösteren ruhçözümsel buluşlar, «kutsal ana sevgisi»ni ya da «evliliğin kutsallığı»nı savunanlar için akıl almaz şeylerdir ama doğrudurlar. Bu örnekleri sonsuza dek uzatabiliriz; ama biz konumuza dönelim. Bilinçaltındaki bu birikimler, anaya babaya, kardeşlere karşı çocukken takınılan tutumların kalıntısı gibi gözüküyor. Gerçekten de çocuklar, yaşayabilmek için bizim kafa eğitimine uymak ve sözünü ettiğimiz içtepileri bastırmak zorundadırlar; bunun için ödedikleri ücret, sinir hastalığına yakalanmak, başka bir deyişle çalışma yeteneklerinin, cinsel güçlerinin azalmasıdır.

Bilinçaltının topluma karşıt oluşunu bulmak doğruydu; toplumsal yaşayışa uyabilmek için içgüdüden vazgeçme gerekliliğinin bulunuşu da öyle. Ancak, bu iki olgu çelişir: bir yandan, çocuk eğitsel uyumu sağlayabilmek için güdülerini bilinçaltına itmek zorundadır; öte yandansa, bu süreçle, onu kafa eğitiminin gelişmesi ve toplumsal uyum yönünden güçsüz, dolayısıyla topluma aykırı kılan bir sinir hastalığına yakalanmaktadır. Doğal içgüdüsel doyuma

CİNSEL TUTUMBİLİMİN GETİRDİĞİ ELEŞTİRİ   47

olanak sağlayabilmek için, bilinçaltına itmeyi yoketmek, güdüleri özgür bırakmak gerekir; Freud'un ilk söyledikle-rinin sandıracağı gibi iyileşmenin ta kendisi değilse de, iyileşebilmenin birinci koşulu budur. Öyleyse, ne koyaca-ğız güdülerin bilinçaltına itilmesinin yerine? Güdüleri de-ğil tabii, çünkü ruhçözümcü kurama göre, böyle bir şey şimdiki eğitim içersinde yaşayamamak anlamına gelir.

Ruhçözümcü yapıtlarda, sık sık bilinçaltının gün ışı-ğına çıkarılmasının, gerçekliğinin tanınmasının ille de bu-nun gerektirdiği eyleme geçilmesi anlamına gelmediğini be-lirten sözlere rastlarız. Ruhçözümlemesi burada, gerek ya-şamın tümü, gerekse hastalığın iyileştirilmesi boyunca ge-çerli bir yasa koymaktadır: «Dilediğiniz her şeyi *söylemek* hakkınız ve ödevinizdir, ama bu, dilediğiniz her şeyi *yapa-bileceğiniz* anlamına gelmez.»

Oysa, sorumlu ruhçözümcü eskiden bilinçaltına itilmiş olan ve şimdi başıboş kalan güdülerin ne olacağı sorusuyla karşı karşıyaydı — şu anda da öyledir. Ruhçözümcü karşı-lık: *güdülerin yüceltilmesi ve şiddetle reddedilmesi*'ydi *(Ve-rurteilung)*. Hastaların ancak küçük bir azınlığı bu yücelt-me işini başarabildiğinden, tek çıkış yolu içgüdünün bilinç-li olarak itilmesi anlamına gelen vazgeçmeydi *(Verzicht)*. Bilinçaltına itmenin yerini şiddetle kınama almalıydı. Bu istek de şu savla doğrulanıyordu: çocuk, güdülerine zayıf ve gelişmemiş bir ben'le karşı koymaktaydı, dolayısıyla on-ları bilinçaltına itmekten başka çaresi yoktu; yetişkin insa-nın elindeyse, güdülerine kafa tutabilmek, onları şiddetle kınayabilmek için güçlü ve ergin bir ben vardır. Bu söz hekimlik deneylerine aykırı olduğu halde, en geçerli sav haline geldi ve öyle kaldı. Soruna bu türlü bakış, örneğin Anna Freud'un önümüze getirdiği ruhçözümcü eğitbilimde (pedagojide) de geçerlidir.

Bu anlayışta, birey bilinçaltına itmenin yerine konan içgüdüden vazgeçmeyle kafa ürünleri verebilecek hale ge-lebildiğine ve toplum birey gibi davranıyor sayıldığına gö-re, kültür içgüdüden vazgeçmeye dayalı demektir.

Bütün bu yapı kale gibi sağlam gözüküyor ve yalnız

ruhçözümcülerin çoğunluğunun değil, aynı zamanda genel kültürle ilgili soyut kavram savunucularının onayını alıyor. Bilinçaltına itmenin yerine vazgeçmenin ve şiddetle kınamanın geçirilmesi, Freud ilk buluşlarını karşısına çıkardığı zaman dünyanın tepesinde dikilir gibi olan ürkünç suratlı hayaleti kovmuşa benziyor. Gerçekten de, Freud'un ilk buluşları, cinsel arzuların bastırılmasının bireyleri hasta etmekle kalmayıp çalışamaz, zihinsel ürünler veremez hale getirdiğini açıkça göstermekteydi. O zaman bütün dünya Freud'a diş bilemeye, ahlâka ve törelere yönelttiği tehlikeden ötürü kızıp köpürmeye, onu «insanları zıvanadan çıkma»ya itelemek, böylece kafa ürünlerini tehlikeye düşürmekle suçlamaya başladı. Freud'un uyduruk ahlâksızlığı, ona ilk karşı çıkanların elinde yaman bir silâh oldu. Cinsel arzuların şiddetle kınanması önerilmeden dünyanın tepesindeki umacı yokolmadı; Freud'un daha başından «zihinsel kültürü» tuttuğunu, buluşlarının onun için bir tehlike yaratmadığını söylemesi pek az etki yapmıştı; «cinsel yaşamın birliği» konusundaki gevezelikler bunun en açık kanıtıdır. Şiddetle kınama kuramının getirdiği kusur düzeltiminden sonra, eski düşmanlığın yerini belli bir benimseme aldı. İçgüdüler «başıboş» bırakılmasındı da, «eğitsel açıdan», cehennemin karanlıklarında uyuklayan zebanilerin su yüzüne çıkmasını ister içgüdünün bilinçaltına itilmesi, ister elin tersiyle itilmesi önlesindi. Hattâ, belli bir ilerleme bile sağlanabilir: kötülüğün bilinçsizce bastırılması evresinden, içgüdüsel doyumu bile bile harcamaya geçilebilirdi. Ahlâk, cinssiz olmayı değil, tam tersine, cinsel eğilime karşı koymayı salık verdiğine göre, herkes kolayca anlaşabilirdi.

Eskiden hüküm giyen ruhçözümlemesi artık insan kafasının ürünlerinden yararlanabilecek hale geliyor, ama ne yazık ki bunu «içgüdüden vazgeçmek»le, yani içgüdüler konusunda kendi ortaya attığı kuramı çiğneyerek yapabiliyordu.

Birtakım yanılsamaları yıkmak zorunda kaldığıma üzgünüm. Ama bütün bu dizge, kolayca gösterilebilecek bir akılyürütme yanlışlığına dayalıdır. Ancak bu, sözünü ettiğimiz sonuçların dayandığı ruhçözümsel buluşların yanlış oldukları anlamına gelmez; tam tersine, onlar son derece doğrudurlar; yalnız içlerinde yer yer boşluklar vardır ve bazı alabildiğine soyut kuramsal sözler insanın aklını iyi sonuçlara ulaşmaktan alıkoymaktadır.

. B) *İçgüdünün doyurulması, içgüdüden vazgeçme*

Kentsoylu anlayışla ya da Alman siyasal ortamının baskısıyla ruhçözümlemesini yola getirmeye (Gleichschaltung) çalışan Alman ruhçözümcüleri, bilime aykırı tutumlarını doğrulamak üzere Freud'un yazılarından bölümler aldılar. Bu alıntılar, gerçekten de, ruhçözümlemesinin hekimlikteki buluşlarının devrimci niteliğini yoketmekte; Freud'un kafa eğitimine eğilen kentsoylu felsefeci yanıyla bilgin yanı arasındaki çelişmeyi açıkça ortaya koymaktadır. Bu alıntılardan biri şöyle diyor :

«Ruhçözümlemesinin sinir hastalığının iyileşmesini cinsel yaşamın 'başıboş bırakılması'ndan beklediğini söylemek, ancak bilgisizliğin açıklayabileceği ciddi bir anlayışsızlıktır. Bilinçaltına itilmiş cinsel arzuların bilinçli kılınması, bilinçaltına itmeyle gerçekleştirilemeyecek *denetimlere* izin verir (sözcüklerin altını ben çizdim, W. R.). Çözümlemenin, sinir hastasını cinsel yaşamın zincirlerinden kurtardığını söylemek daha doğru olur.»

(Ges. Schriften, c. XI, s. 217.)

Örneğin, yüce bir ulusal-toplumcunun (national-socialiste'in) 17 yaşındaki kızı bilinçaltına itilmiş cinsel ilişkilerin doğurduğu isteri nöbetleri geçiriyorsa, ruhçözümcü bakım aracılığıyla bu arzu ilkin edep dışı sayılacak, sonra kaldırılıp atılacaktır. Çok güzel. Peki o arada cinsel arzu n'olacak acaba? Yukarki sözler uyarınca, genç kız cinsel etkinliğin zincirlerinden «kurtulmuş»tur. Oysa, hekimlik açısından, genç kız ruhçözümlemesinin yardımıyla babasından kurtuldu mu, yalnızca töre dışı arzunun ağlarından sıyrılmış olmaktadır, *yoksa gerçek anlamıyla cinsel yaşamı'ndan değil.* Freud'un sözü işte bu temel olguyu es geçmektedir.

Cinsel yaşamın oynadığı rol konusundaki bilimsel tartışma işte bu hekimsel sorundan doğmuştur: günün koşullarına uydurulan ruhçözümlemesinin savlarıyla cinsel tutumbiliminkiler bu noktada birbirlerinden ayrılmaktadırlar. Freud'un yukarki sözü, genç kızın cinsel yaşamından vazgeçtiğini varsaymaktadır. Ruhçözümlemesi, bu biçimiyle, pek sayın bir Nazi yöneticisi tarafından bile kabul edilebilir ve Müller - Braunschweig gibi ruhçözümcülerin elinde «soylu insanın yetiştirilmesi»nde kullanılacak bir alet haline gelir. Yalnız, bu ruhçözümlemesinin, Hitler'in yaktığı kitaplardaki ruhçözümlemesiyle en küçük bir ortaklığı yoktur. Gerici önyargılarla çarpıtılmayan ikinci ruhçözümlemesi, iki anlamlılığa yer bırakmaksızın, genç kızın ancak cinsel arzularını kendisini doyurabilecek bir erkek arkadaşa yönelttiği zaman düzelebileceğini söyler. Buysa Nazi öğretisine aykırıdır ve ister istemez bugünkü cinsel düzeni sorun konusu eder. Çünkü cinsel tutumbilime uygun yaşayabilmek için, genç kızın cinsel yaşamının özgürleşmesi yetmez, ayrıca dingin bir oda, uygun gebelik önleyiciler, onu sevebilecek bir delikanlı, yani cinsel yaşamı yapısı gereği yadsıyan ulusal-toplumculardan başka biri gereklidir; anlayışlı ana-babayla cinsel yaşama elverişli bir toplumsal hava gereklidir; genç kız, gençlerin cinsel yaşamının karşısına dikilen toplumsal engelleri aşamayacak kadar yoksullaştıkça, gereksinimlerin baskısı artar.

Cinsel arzunun bilinçaltına itilmesinin bu arzudan vazgeçmeyle ya da onun şiddetle kınanmasıyla değiştirilmesi, bu mekanizmaların kendileri içgüdüsel yaşamın düzenliliğine bağlı olmasaydılar, basit bir sorun olurdu. İnsanın cinsel içgüdüden vazgeçmesi ancak belirli cinsel düzenlilik koşullarında olabilir. Kişilik çözümlemesi alanında yapılan deneyler topluma aykırı bir içtepiden vazgeçebilmenin ancak cinsel düzenlilik kurulmaktaysa, başka bir deyişle, vazgeçilmesi gereken içtepiye enerji sağlayacak bir cinsel durgunluk yoksa başarılabileceğini göstermiştir. *Düzenli cinsel yaşamsa, her yaşa uygun cinsel doyumun gerçekleştirilmesiyle kurulabilir.* Bunun anlamı, yetişkin insanın çocuksu ve hastalıklı arzuları ancak tam bir cinsel doyuma erebildiği zaman bırakacağıdır. Toplumun korunması gereken sapık ve hastalıklı doyumlar, gerçek cinsel doyumun yerine konmuş şeylerdir ve bu doyum bozulduğu ya da olanaksız kılındığı zaman ortaya çıkarlar. Bu saptama da açıkça gösteriyor ki, genel anlamıyla doyumdan ya da içgüdünün kaldırılıp atılmasından söz edemeyiz, olsa olsa *belli bir* güdünün doyurulması *belli bir* güdüden vazgeçilmesi konusunda somut araştırmalar yapabiliriz. Ruhçözümcü iyileştirme bilimi görevinin insanlara ahlâk öğütleri vermek değil, bilinçaltına itilen arzuları su yüzüne çıkarmak olduğunu kabul ediyorsa, bir tek doyumdan vazgeçilmesini isteyebilir: ele alınan yaşa ya da gelişme evresine uymayan doyum. Bu yöntemle, bir genç kız, babası üzerinde toplanan çocuksu ilgisinden ancak o ilginin bilincine vararak vazgeçebilecektir; ama söz konusu vazgeçiş, cinsel arzulardan da yüz çevirmek anlamına gelmez, çünkü enerji yine boşalmak isteyecektir. Babasına duyduğu arzulardan vazgeçmesini sağlamak çok kolaydır, işin içine ahlâkî kanıtlar sokmadıkça, yaşıtı bir delikanlıyla cinsel doyuma ermekten vazgeçmesini sağlamak olanaksızdır; her şeye karşın böyle bir şey yapmak, iyileştirme biliminin ilkeleriyle de, iyileşme olanaklarıyla da çelişir. Öte yandan, babası üzerinde toplanan dikkatini ancak cinsel yaşamı aradığı doğal eşe, onunla birlikte *güncel doyuma* kavuştuğu zaman dağıtabilir. Yoksa, ya bu çocuksu bağlanma çözülmez, ya da yine çocukluktan kalma başka ereklere göz dikilir ve temel sorun olduğu gibi kalır.

Bütün hastalıklı sevgiler için aynı şey söylenebilir. Bir kadın evliliğinde doyuma eremiyorsa, bilinçsiz olarak çocuksu cinsel gereksinimlerine dönecek ve bundan ancak cinsel yaşamı başka bir çıkış kapısı bulduğu zaman vazgeçecektir. Doğaya uygun bir cinsel yaşamın kurulması için çocukluktaki cinsel arzuların bırakılmasının bir önkoşul olduğu doğrudur; ama günlük doyumu içeren düzgün bir cinsel yaşamın kurulması da çocukluktaki içgüdüsel ereklerin bırakılmasının vazgeçilmez koşuludur. Bir cinsel sapık ya da katil hastalıklı içtepilerinden ancak bedensel açıdan doğaya uygun bir cinsel yaşama kavuşabilirse kurtarılır. Demek ki seçme, içgüdüden vazgeçmeyle içgüdüyü başıboş bırakma arasında değil, belli güdülerden vazgeçmeyle belli güdülerin doyurulması arasında yapılacaktır.

Bastırılmış bilinçaltının kötü yapısından soyut bir biçimde söz etmekle, yalnız sinir hastalıklarının iyileştirilmesi ve önlenmesinde değil, aynı zamanda eğitim konusunda da son derece önemli şeyler karanlıklaştırılmaktadır. Freud sinir hastalarının bilinçaltının —başka bir deyişle, uygarlığımızdaki bireylerin büyük çoğunluğunun— çocuksu, kan dökücü, topluma aykırı içtepilerle dolu olduğunu buldu. Bu buluş doğrudur. Ama onun buluşu, bilinçaltının aynı zamanda, gencin ya da kötü bir evliliğe zincirlenen bireyin cinsel arzusu gibi doğal bedensel istekleri dile getiren bir sürü güdüyü barındırdığını hesaba katmıyordu. Çocuksu ve topluma aykırı içtepilerin yoğunluğu, tarihsel ve iktisadî açıdan, bu doğal gereksinimlerin doyurulmamasından gelir; yerinde kullanılmayan yaşam enerjisinin bir bölüğü çocukluktan kalma ilk içtepileri besler, bir bölüğü yenilerini yaratır: göstermecilik ya da karşı cinsten birini öldürme arzusu halinde dışa vuran bu içtepiler temelinden topluma aykırıdırlar. Kavimbilimsel (etnolojik) araştırmalar bu itkilerin, iktisadî gelişmenin belli bir evresine dek ilkel halklarda bulunmadığını, doğaya uygun sevisel yaşamın toplumsal baskıya uğratılışı kurumlaştıktan sonra kendini gösterdiğini ortaya çıkarmıştır.

Cinsel yaşamın toplum tarafından baskı altına alınışından doğan ve toplumun yerinde bir davranışla uygulanmalarını yasakladığı bu topluma aykırı içtepilere ruhçözümlemesi yaşam olguları gözüyle bakmıştır. Bu anlayış, göstermeciliğin özel göstermecilik içsalgılarından geldiğini öne süren Hirschfeld'inkinin aynıdır. Bu çocukça makineci dirimbilimciliğin (mekanist biyolojinin) maskesini düşürmek epey güçtür, çünkü toplumumuzda belli bir görevi yerine getirmekte: sorunu toplumbilimsel alandan, çözülmez hale geldiği dirimbilimsel alana aktarmaktadır.

Oysa dünyada topluma aykırı cinsel yaşamı ve *bilinçaltını inceleyen bir toplumbilim*'e, yani gerek yoğunlukları, gerek içerikleriyle bilinçsiz içtepilerin toplumsal tarihine de yer vardır.

Bilinçaltına itmenin kendisi de, nedenleri de toplumbilimsel alana girerler. «Üreme organlarıyla ilgili güdüler»in incelenmesi kavimbilimsel verilerden ders almalıdır; örneğin, kimi anaerkil toplumlarda, yaşam enerjisinin gelişmesinde, bizim toplumda ağız evresiyle üreme organları evresi arasında yer aldığı kabul edilen dışkılık (makat) evresi yoktur; çünkü o toplumlarda, çocuklar üç dört yaşına kadar memededirler, ondan sonra hemen cinsel oyun evresine geçerler.

Topluma aykırı içtepi kavramı mutlak olduğundan, insanı deneyin yalanladığı sonuçlara götürür. Oysa, topluma aykırı içtepilerin göreceliği hesaba katılırsa, tepeden tırnağa değişik sonuçlara varılır; bunlar yalnız ruh hastalıklarının iyileştirilmesini değil, aynı zamanda toplumbilimi ve cinsel tutumbilimi ilgilendirir. Bir ya da iki yaşındaki çocuğun çişini ve kakasını etmesinin «toplumsal»lıkla «topluma aykırı»lıkla ilgisi yoktur. Ama bunların topluma aykırı etkinlikler oldukları soyut savında direnilirse, altıncı aydan sonra, çocuğa «kafa eğitimine yatkın» kılacak bir eğitim dizgesinin uygulanması gerekir; alınan sonuç istenilenin tam tersi olur, çocuk dışkılıkla ilgili etkinliği yüceltemez, dışkılığa bağlı birtakım sinir bozuklukları belirir. Cinsel yaşamla kafa eğitimi arasında uzlaşmaz bir karşıtlık gören makineci anlayıştan ötürü, ruhçözümlemesiyle uğraşmış ana-babalar bile, «tatlı kandırmacalar» yoluyla, çocuğun cinsel organlarıyla oynamasını önlemeye çalışırlar. Bildiğim kadarıyla, Anna Freud'un hiçbir yazısında, özel konuşmalarda kabul ettiği şeyden söz yoktur: ruhçözümsel buluşlar bizi, ister istemez, çocuğun kendi kendini okşamasının *bilinçaltına indirilmemesi gereken* bedensel bir görüngü olduğu sonucuna götürür. Bilinçaltına itilen, dolayısıyla bilincine varamadığımız her şeyin topluma aykırı olduğu görüşü sürdürülürse, arkasından da örneğin gencin cinsel isteklerini tu kaka ilân etmek zorunda kalınır. Bu düşünce, herkesin işine gelen, «gerçeklik ilkesi»nin içgüdüsel doyumun ertelenmesini gerektirdiği önermesinde somutlaşmıştır.

Ereklerine hizmet ettiği buyurgan toplum tarafından ortaya atıldığına göre, bu gerçeklik ilkesinin *kendisi*'nin de görece oluşu gibi son derece önemli bir noktaysa es geçilir; ve tabiî bilimin de siyasetle ilgisi yoktur. Bu kuramcılar, dediğimiz noktaya parmak basmamanın da siyasetçilik olduğunu görmeye yanaşmazlar. Bu gibi davranışlar ruhçözümlemesinin ilerlemesini tehlikeye düşürmüştür; kimi olguların bulunmasını engellemekle kalmamış, onlara tutucu kafa eğitimi kuramlarının terimleriyle aldatıcı yorumlar yakıştırarak, kesinlik kazanmış kimi olgulardan kılgısal sonuçların çıkarılmasını da önlemişlerdir. Ruhçözümlemesi ara vermeksizin toplumun birey üzerindeki etkisini incelediği, sağlıklı olanla olmayan, toplumsalla topluma aykırı olan konusunda yargılara vardığı, ama aynı zamanda hem uyguladığı yöntemin, hem de buluşlarının devrimciliğini görmezlikten geldiği için, çok acıklı bir kısırdöngü içersinde dönüp durmaktadır: cinsel arzuyu bilinçaltına itmenin kafa eğitimini tehlikeye düşürdüğünü bulup ortaya çıkarırken, beri yandan da, bu itilmenin kafa ürünlerinin vazgeçilmez koşulu olduğunu söylemektedir.

Ruhçözümlemesinin yanlış değerlendirdiği, kafa eğitimi konusunda ruhçözümcülerin kuramıyla çelişen olguları özetleyelim:

1 — Bilinçaltının kendisi de, hem nicelik, hem nitelik açısından. toplum tarafından belirlenir.

2 — Çocuksu ve topluma aykırı içtepilerin bırakılması, her şeyden önce, doğaya uygun bedensel cinsel gereksinimlerin doyurulmasına bağlıdır.

3 — Ruhsal aygıtın köklü zihinsel gerçekleştirilmesi demek olan yüceltme (sublimation) ancak cinsel arzular bilinçaltına itilmezse başarılabilir; bu yüceltme, ergin insanda, cinsel içtepilere değil, yalnız *üretkenlik öncesi cinsel* itkilere uygulanabilir.

4 — Cinsel tutumbilimin sinir hastalıklarının önlenmesinde ve bireyin yeniden toplumsal etkinliğe uyabilecek duruma getirilmesinde temel etken saydığı cinsel doyum, bugünkü yasalarla ve bütün ataerkil dinlerle her yönden çelişir.

5 — Ruhçözümlemesinin hem bir iyileştirme yolu, hem de toplumsal bilim olarak önerdiği cinsel arzunun bilinçaltına itilmesinin ortadan kaldırılması, bu itilmeye dayanan toplumumuzun bütün eğitsel öğelerine aykırıdır.

Ruhçözümlemesi, ataerkil kafa eğitimine bağlılığını ancak kendi zararına sürdürebilmektedir. Ruhçözümcülerin ataerkil kültürden gelen kavramlarıyla bu kültürü aşındıran bilimsel sonuçlar arasındaki çatışma, ataerkil dünya görüşünün yararına çözülmüştür. Ruhçözümlemesi kendi buluşlarının sonuçlarını kabul etme yürekliliğini göstermeyince, bilimin sözümona siyaset-dışı ("kılgısal olmayan") karakterine sığınır; oysa, gerçekte, ruhçözümcü kuram ve uygulamanın her aşaması birtakım siyasal ("kılgısal") sonuçları sorun konusu eder.

Bilinçaltı içerikleri yönünden dinadamlarının, faşistlerin ve gericilerin kuramları incelendiğinde, başlıca özelliklerinin savunma tepkisi olduğu görülür. Bütün bu öğretiler, her insanın kendinde taşıdığı bilinçsiz cehennem karşısında duyulan korku tarafından belirlenmiştir. Topluma aykırı bilinçsiz içtepiler mutlak ve dirimsel olsaydılar, bu olgu çileci ahlâkın doğrulanmasına izin verirdi; o zaman da, siyasal gericilik haklı olur, cinsel yoksulluğu ortadan kaldırmak üzere yapılan her girişim anlamsız kalırdı. Dolayısıyla, ataerkil dünya, insandaki «en yüce nitelikler»in, «temel değerler»in, «tanrısal öğe»nin, «ahlâkî öğe»nin yokedilmesinin bizi cinsel ve ahlâkî uçuruma sürükleyeceğini öne sürmekte haklı olurdu. İnsanlar «bolşeviklik»ten söz ederken, bilinçsiz olarak, işte bunu demek istiyorlar. Bir cinsel siyaset benimsenmesinden yana olan kanadın dışında, devrimci hareket de bu ilintiden habersizdir; öyle ki, iş gelip cinsel tutumbilimin temel sorunlarına dayandı mı, bir de bakarsınız siyasal gericiliğin yanında yer almış. Devrimci hareketin cinsel düzenlilik yasasına aykırı davranışı siyasal gericiliğinkinden ayrı nedenlere bağlıdır elbet: o, bu yasayı da, içerdiği anlamı da gerçekten bilmez. Topluma aykırı içtepilerin doğuştan ve mutlak olduğuna, dolayısıyla da, cinsel arzunun bilinçaltına itilmesi, cinsel yaşama ahlâkla düzen verilmesi gerektiğine inanır. Karşıtları gibi, devrimci hareket de içgüdüsel yaşamın ahlâkla düzenlenmesinin önlemek istediği şeye, yani topluma aykırı içtepilerin doğmasına yol açtığını bilmez.

Cinsel tutumbilim, beri yandan, topluma aykırı bilinçsiz içtepilerin —ama yalnız ahlâkçıların topluma aykırı diye nitelemediği, gerçekten öyle olan içtepilerin— ahlâkî düzenlemeden doğduklarını ve bu düzenleme varoldukça yaşayacaklarını göstermektedir. Doğayla kafa eğitimi arasındaki çatışkıyı ancak cinsel tutumluluk kuramının getireceği düzenleme yokedebilir; cinsel içgüdünün bilinçaltına itilmesini ortadan kaldırdınız mı, topluma aykırı ve sapık içtepiler de kendiliklerinden yokolurlar.

3 — İKİNCİ DERECEDEN GÜDÜLER VE AHLÂKÎ DÜZENLEME

«Bolşeviklik»le faşist «bolşevik düşmanlığı» arasındaki kavgada en önemli kanıt, toplumsal devrimin ahlâkı yerle bir ettiği, dünyayı cinsel uçuruma yuvarladığıdır. Bu sözün karşısına genellikle, toplumsal uçurumu tam tersine sermayeciliğin yarattığı, devrimin hiç kuşkusuz toplumsal yaşama güvenlik getireceği savıyla çıkılıyordu. Sovyetler Birliği'nde, buyurgan ahlâkın yerine kendi kendini yönetmeyi geçirme girişimi başarısızlıkla sonuçlanmıştır.

Ahlâk konusunda, buyurgan toplumla kendi kendine

çekidüzen verme ilkesinin yardımıyla yarışma denemesi pek inandırıcı olmamıştır. Böyle bir denemeye girişmezden önce, sıradan bireyin ahlâk kavramına neden böylesine tutsak olduğunu, «toplumsal devrim» düşüncesinin neden onun gözünde cinsel ve eğitsel (kültürel) uçurum anlamına geldiğini anlamak gerekirdi. Bu soruya, faşist öğretiye ayırdığımız incelemede belli oranda karşılık vermiştik: ruhsal yapısı cinsel yaşamı yadsıyan sıradan bireyin bilinçaltı için, «Bolşeviklik, kendini doludizgin tensel hazlara kaptırmak» demektir. Bir toplumsal devrim sırasında, ahlâkî düzenlemeyi kaldırıp atacak cinsel tutumbilimin buluşlarını kılgısal alanda ve hemencecik uygulayabileceğimizi öne sürmek, cinsel düzenlilik düşüncesini çok ters anlamak olur.

Toplum üretim araçlarına el koyup da buyurgan devlet aygıtını ortadan kaldırır kaldırmaz, karşısına ister istemez, insan yaşamının nasıl düzenleneceği sorunu çıkar: bu düzenleme ahlâka göre mi olacaktır, yoksa «başıboşluğa» göre mi? Şurası çok açık ki, ahlâkî ölçülerin ve ahlâkî düzenlemenin hemencecik kaldırılıp atılması söz konusu değildir. Bireylerin, şimdiki ruhsal yapılarıyla, kendi kendilerini yönetemeyeceklerini biliyoruz; iktisadî demokrasiyi hemen kurabilirler belki, ama akla dayanan ve kendi kendini yöneten bir toplumu, hayır. Lenin de, Devlet'in ancak yavaş yavaş ortadan kalkacağını söylerken bunu demek istiyordu herhalde. Ahlâkî düzenlemeyi kaldırıp onun yerine kendi kendini yönetmeyi koymak istiyorsak, eski ahlâkî düzenlemenin ne denli gerekli olduğunu da, topluma ve bireye ne kadar zararlı olduğunu da bilmek zorundayızdır.

Siyasal gericiliğin ahlâkçı savı, doğal içtepiyle toplumun çıkarı arasında mutlak bir çelişme bulunduğudur. Siyasal gericilik, bu sava yaslanarak, ahlâkî düzenlemenin gerekliliğini öne sürer: çünkü, der, «ahlâkı ortadan kaldırdık mı, hayvansal içgüdüler» ağır basar, bu da bizi «uçuruma götürür». Bu toplumsal uçurum kavramının içgüdüler karşısında duyulan korkuyu dile getirdiğine kuşku yok. Peki, ahlâk gerçekten gerekli midir? Topluma aykırı içtepiler toplumsal yaşamı gerçekten tehlikeye düşürdüğü için evet. Öyleyse, ahlâkî düzenlemeyi nasıl ortadan kaldırabiliriz?

Cinsel tutumbilimin getirdiği buluşları incelemeden bu soruya karşılık veremeyiz: ahlâkî düzenleme *doğal* bitkisel gereksinimlerin doyurulmasını önler ve baskı altına alır. Buysa, ister istemez bilinçaltına itilmesi gereken *ikinci dereceden, hastalıklı ve topluma aykırı* itkiler yaratır. Demek ki ahlâka uygunluk düşüncesi varlığını topluma aykırı içtepilerin bastırılması gerekliliğinden almamıştır. Ahlâk, ilkel toplumda, iktisadî gücünün artmasıyla işbaşına gelmeye hazırlanan bir üst toplum katmanının, aslında kendi başlarına insanın topluma uyabilmesini *hiç mi hiç* kösteklemeyen doğal gereksinimleri bastırmayı çıkarına uygun saymasıyla gelişti.[1] Ahlâkî düzenleme, yarattığı şeyler toplumsal yaşamı *gerçekten* tehlikeye düşürdüğü zaman varlık nedenine kavuştu. Örneğin, doğal açlığını gidermenin baskı altına alınması insanları hırsızlığa yöneltti, dolayısıyla da hırsızlık ahlâka aykırı sayıldı.

Demek ki ahlâkın gerekliliği, bir ahlâk dizgesinin yerine başkasını geçirme ya da onun yerine kendi kendini yönetmeyi koyma tartışılırken, *doğal* yaşama güdüleriyle varlıklarını zorlayıcı ahlâka borçlu *ikinci dereceden* güdüler arasında ayrım yapılmazsa, bir parmak bile yol alınamaz. Buyurgan toplumda yaşayan insanın bilinçaltında iki türlü içtepi vardır. Ödevimizi yerine getirip topluma aykırı güdüleri bastırdığımız zaman, doğal yaşama güdüleri de aynı baskıya uğrar. Siyasal gericilik için içgüdü ve «topluma aykırı» kavramları tek ve aynı şeyi dile getirdiği halde, yukarda sözünü ettiğimiz ayırım bile ikilemin çözümünü göstermektedir.

İnsanın ruhsal yapısındaki değişim, bitkisel enerjinin doğal düzenlenişi kendiliğinden her türlü topluma aykırı eğilimi yokedecek kerteye varmadıkça, ahlâkî düzenleme-

---

[1] Reich, *Cinsel Ahlâkın Boygöstermesi.*

yi ortadan kaldırmaya gücümüz yetmeyecektir. Ruhsal yapının değişimiyse çok uzun sürmek zorundadır. Ahlâkî düzenlemenin kaldırılıp onun yerine cinsel tutumluluk ilkesine uygun düzenlemenin geçirilmesi, doğal yaşama içtepilerinin alanı genişleyip de ikinci dereceden topluma aykırı içtepilerinki daraldıkça gerçekleşebilecektir. Bunun gerçekleşebileceğini ve yolunu, hasta bireyde yaptığımız kişilik çözümlemesi deneylerine dayanarak kesinlikle bilmekteyiz. Hastanın, ancak doğal cinsel yaşamına kavuştuğu oranda ahlâkî dertlerden kurtulduğunu gördük. Ahlâkî düzenleme ortadan kalkınca, hastanın topluma aykırılığı da yokolmaktaydı; birey, cinsel yönden sağlığına kavuştukça, zorlayıcı ahlâk düşüncesiyle çelişen doğal bir ahlâk düşüncesi geliştirmekteydi.

Dolayısıyla, ilerki toplumsal devrim —gerektiği gibi davranırsa— ahlâkî düzenlemeyi küt diye kaldırıp atmayacaktır. Toplumsal yaşama ve çalışmaya, ahlâkî baskı ve buyruklara gerek kalmadan, zorla benimsetilmesi olanaksız gerçek bir bağımsızlık ve istemli sıkıdüzen aracılığıyla uyabilsinler diye, bireylerin ruhsal yapısını değiştirmekle işe başlayacaktır. Ve tabiî, bu geçici dönemde, ahlâkî düzenleme yalnız topluma aykırı içtepilere uygulanmalıdır. Çocukların baştan çıkarılması gibi işlerin cezalandırılması, bir sürü yetişkinin ruhsal yapısında çocukları baştan çıkarma itkisi bulundukça, kaldırılamaz. Bu açıdan bakıldığında, devrim sonrası koşullar, buyurgan toplumunkilere benzer gözükebilir. Son derece önemli ayırım şu olacaktır: buyurganlık yapmayan bir toplum *doğal gereksinimlerin* doyurulmasını hiçbir engelle kösteklemeyecektir. Örneğin, iki genç arasındaki sevisel ilişkiyi yasaklamamakla yetinmeyecek: bütün olanaklarıyla koruyacaktır bu ilişkiyi. Çocukların kendi kendilerini okşamasını yasaklamamakla kalmayacak; çocuğun doğal cinsel yaşamını geliştirmesine engel olacak her yetişkini şiddetle cezalandıracaktır.

Yalnız burada, mutlak ve katı «cinsel içtepi» kavramına saplanmaktan da kaçınmak gerekir. İkinci dereceden itki de, yalnız ereği açısından değil, aynı zamanda gelişme

dönemi ve doyum aradığı koşullar açısından da aynı ölçü-
de belirlidir. Belli bir durum ve anda doğal olan bir belir-
ti, başka bir durum ve anda doğaya ve topluma aykırı ola-
bilir. Örneğin, bir ya da iki yaşındaki bir çocuk yatağını
ıslatır ya. da dışkısıyla oynarsa, bu üretken cinsel evre ön-
cesi gelişmenin kurala uygun aşamasıdır. O anda çocuğun
bu itkilerden ötürü cezalandırılması, en şiddetli cezayı ge-
rektiren bir eylemdir. Ancak, aynı çocuk, 14 yaşında da
aynı şeyleri yaparsa, bu ikinci dereceden, topluma aykırı,
hastalıklı bir içtepi olur: bireyin cezalandırılması değil, ba-
kımevine yatırılması gerekir. Ama özgür toplumda bu da
yetmez; en önemli iş, bu gibi hastalıklı içtepilerin gelişme-
sini önleyecek biçimde eğitimi değiştirmek olur.

Başka bir örnek alalım. 15 yaşındaki bir oğlan 13 ya-
şındaki bir kıza tutulur da ilişki kurarsa, özgür toplum ara-
ya girmediği gibi, bu ilişkiyi destekleyip korur. Yoo, 15 ya-
şındaki oğlan 3 yaşındaki kızları baştan çıkarmaya ya da
yaşıtı bir genç kızı kendisiyle cinsel ilişki kurmaya zorla-
maya kalkarsa, buna topluma aykırı davranış gözüyle ba-
kılır. Böyle bir girişim, oğlanın, kendi yaşındaki bir kızla
doğaya uygun ilişki kurma içtepisinin bilinçaltına itildi-
ğini gösterir. Sözün kısası, *buyurgan toplumdan özgür top-
luma geçiş döneminde, ilke olarak, ikinci dereceden ve top-
luma aykırı içtepiler için ahlâkî düzenleme, doğal yaşama
gereksinimleri içinse cinsel tutumluluğun kendi kendini
düzenleme yöntemi uygulanmalı;* başlıca erek, ikinci dere-
ceden içtepilerin, onlarla birlikte ahlâkî zorlamaların ya-
vaş yavaş yokedilmesi olmalıdır.

İkinci dereceden içtepilerle ilgili sözler, ahlâkçılar ve
daha başka hasta kişiler tarafından kendi ereklerine yara-
yacak biçimde kullanılabilir. Ancak, çok uzun süre geçme-
den birinci dereceden içtepilerle ikinci dereceden itkiler
arasındaki ayrım öylesine açık seçik ortaya konmalıdır ki,
geleneksel ahlâkî ikiyüzlülük insanın cinsel yaşamına ar-
ka kapıdan girememelidir. Sert ahlâkî ilkelerin varlığı, öte-
den beri, temel yaşama gereksinimlerinin ve özellikle cin-
sel gereksinimlerin doyurulmadığını gösteren kanıt olagel-

miştir. Doğal cinsel gereksinimlere kara çaldığı ya da yadsıdığı için, her türlü ahlâkî düzenleme *özü gereği cinsel yaşama* karşıttır. Bütün ahlâkçı görüşler yaşama karşıdır; özgür toplumun temel görevi, üyelerinin doğal gereksinimlerinin doyurulmasına olanak hazırlamaktır.

Cinsel tutumbilimin ereği de, bütün ahlâkî düzenlemeler gibi, «ahlâka uygun davranış»tır. Ancak, cinsel düzenlilik kuramı için «ahlâk düşüncesi»nin anlattığı şey başkadır: onun gözünde ahlâk, doğaya taban tabana aykırı bir şey değil, doğayla ve uygarlıkla tamı tamına uyuşan bir şeydir. Cinsel tutumbilim yaşamın olumlanması anlamına gelen ahlâkla değil, hastalıklı ahlâkî düzenlemeyle savaşır.

4 — CİNSEL TUTUMBİLİMİN «AHLÂK ANLAYIŞI»

Dünyanın her yanında, bireyler yeni bir toplumsal yaşam için savaşıyorlar. Bu kavga sırasında, en zor iktisadî ve toplumsal koşullarla karşılaşıyorlar; ama ayrıca, temelinde savaştıkları kişilerinkinin aynı olan kendi doğal-ruhsal yapılarının baskısı ve gözdağı altındadırlar, gözleri bu yapıyla körleşmiştir. *Kültürel devrimin amacı, bireylerde, onları özerk kılacak bir ruhsal (düşünsel) yapının geliştirilmesidir.* Bugün bu amaç uğrunda didinenler, çoğu kez, bu özgürlükçü ereğe uygun ilkelere göre yaşamaktadır; ama bunlar birer ilke olmaktan öteye geçmez. Şunu açıkça belirtmek zorundayız ki, günümüzde (1936) sağlam ve tam anlamıyla gelişmiş bir cinsel yaşamı kabul edebilecek birey yoktur, çünkü hepimiz cinsel yaşamı yadsıyan, buyurgan, dinsel bir eğitim çarkından geçmiş durumdayız. Bununla birlikte, kişisel yaşamımıza biçim verirken, cinsel tutumluluk ilkesine göre düzenlenmiş sayabileceğimiz bir yaşamayı gerçekleştiriyoruz. Bu yapı değişikliğini gerçekleştirmekte kimileri daha çok, kimileri daha az başarı elde ediyor. Uzun süre işçi örgütlerinde çalışmış olan kişi, işçiler arasında ilerki cinsel düzenliliğin ilk örneklerine rastlanabildiğini bilir.

«Cinsel tutumbilimin ahlâk anlayışı»nın ne olduğunu ve geleceğin ahlâk düşüncesine nasıl öncülük ettiğini birkaç örnekle aydınlatabiliriz. Şu olguya parmak basmak gerekir ki, bizler böyle yaşamakla kendimizi ıssız bir adaya kapatmıyoruz; bizim bu kavramları edinmemize ve onlara uygun yaşamamıza izin veren şey, bu yaşama biçimleriyle yeni «ahlâk ilkeleri»nin toplumun genel gelişme süreci içersinde oluşlarıdır; sözünü ettiğimiz süreç şu ya da bu bireyin, şu ya da bu siyasal ya da kültürel insan kümesinin görüşleri dışında gerçekleşir.

On beş yirmi yıl önce, evlenmemiş bir kızın *kız oğlan kız olmaması* büyük bir yüzkarasıydı. Günümüzdeyse, bütün toplumsal sınıf ve çevrelerin kızları —değişen ölçülerde ve az ya da çok açık bir biçimde— asıl yüzkarasının on sekiz, yirmi ya da yirmi iki yaşında *hâlâ* kız oğlan kız kalmak olduğunu anlamaya başlamışlardır.

Eskiden, evlenmeye niyetlenen bir çiftin nikâhtan önce cinsel ilişki kurması şiddetle cezalandırılan ahlâkî bir suçtu. Bugün, Kilise'nin, okulcu hekimliğin ve katı ilkeci kişilerin etkisine karşın, iki kişinin, ortak yaşamlarının temelinde, yani cinsel yaşamlarında birbirlerine uyduklarına emin olmadan bağlanmasının sağlığa aykırı, sakınımsız, hattâ yıkıcı olacağı düşüncesi kendiliğinden yayılmaktadır.

Birkaç yıl önce yasanın «ahlâkî yüzkarası» diye nitelediği, bağışlanmaz bir kusur sayılan evlilikdışı cinsel ilişkiler, bugün (1936'da), örneğin Almanya'daki orta sınıfla işçi sınıfı gençleri arasında son derece gerekli bir alışkanlık haline gelmiştir.

Birkaç yıl önce, on beş on altı yaşında bir kızın —cinsel yönden olgunlaştığı halde— erkek arkadaş edinmesi saçma gözüküyordu; bugün, ciddî tartışmalara konu olmakta; birkaç yıl sonraysa, evlenmemiş bir kadının cinsel eş bulması kadar doğallaşacaktır. Bir süre sonra, öğretmen hanımların cinsel yaşamdan uzak kalmaları gibi istekler, bir zamanlar erkeklerin eşlerine bekâret kemeri takmaları kadar alayla karşılanacaktır. Şu anda egemen olan öğretinin kabul ettiği, erkeğin kadını tavlamasını bekleyen, hoşgören, buna karşılık kadına erkeğin gönlünü çelme hakkını tanımayan görüş de aynı derecede gülünç kaçacaktır. Eş istemiyorsa cinsel ilişki kurulmaması gerektiğini kabul etmekten henüz çok uzağız. «Eşlik görevi» kavramının tüzel (adli) bir temeli, tüzel cezaları var. Bununla birlikte biz, cinselsağlık bakımevlerimizle özel yoklama evlerimizde bunun tersi bir eğilimin kendini gösterdiğini hissettik: erkek, toplumsal ve yasal öğretiye karşın, eşi istemediği zaman onunla cinsel ilişki kurmaya kalkışmıyordu; hatta kadın cinsel açıdan uyanmadığı zaman da öyle. Gerçekten de, kadınların sevişmeye içlerinden katılmadıkları halde katlanmaları hâlâ «doğal» sayılıyor. Oysa, ancak eşlerin ikisi de cinsel açıdan tam anlamıyla hazır oldukları zaman ilişki kurmak doğal ahlâk düşüncesinin bir yanıdır; bu da erkeğin kafasındaki şiddet kuramıyla, kadının erkek tarafından tavlanması ya da usulca saldırıya uğraması gerektiği inancını ortadan kaldırmaktadır. İnsanlar bugün, ortaklaşa bir kanıyla, eşin bağlılığına kıskançlıkla göz kulak olunması gerektiğini kabul ediyorlar. Günlük olaylarla sevda uğruna adam öldürmeler, içinde yaşadığımız toplumun bu açıdan ne denli çürüdüğünü açıkça göstermekte. Bununla birlikte, hiç kimsenin kadın ya da erkek eşinin, başka biriyle geçici ya da kalıcı cinsel ilişki kurmasını önlemeye hakkı olmadığı sezgisi yavaş yavaş yayılıyor. Cinsel tutumbilimin buluşlarıyla yüzde yüz uyuşan bu tutumun işi kayıtsızlığa vardırmakla, hiç kıskanç olmamak gerektiği düşüncesiyle, eşin yeni bir cinsel ilişki kurmasının «hiç önem taşımadığı» inancıyla uzaktan yakından ilgisi yoktur. *Sevilen* eşin başka birini kucakladığını düşünüp acı çekmek son derece doğaldır. Bu *doğal kıskançlık, sahip çıkıcı kıskançlık'*tan titizlikle ayrılmalıdır. Sevilen eşi başka birinin kollarına atmak istememek ne denli doğalsa, evlilikte ya da başka türlü sürekli ilişkide kendisiyle cinsel ilişkide bulunmaktan vazgeçtiysek, onun yeni bir ilişki kurmasını yasaklamak da doğallıktan o denli uzaktır.

Bu örnekler, şu anda son derece karmaşık olan cinsel

ve kişisel yaşamın, insanlar tam anlamıyla zevki tadabilecek yeteneğe ulaştıkları zaman büyük bir kolaylıkla düzene gireceğini göstermeye yeter. Cinsel tutumluluğa uygun düzenlemenin temeli her türlü mutlak kural ve ölçünün kaldırılıp atılmasında, toplumsal yaşamın düzenleyicisi olarak yaşama isteğiyle yaşama sevincinin kabulündedir. İnsan yapısının düzensizliğinden ötürü bugün bunun kabul edilmeyişi, yaşamını kendi başına düzenleme ilkesine karşı ileri sürülecek bir kanıt olamaz; tam tersine, bu kabul etmeyiş, söz konusu hastalıklı yapının kaynağı olan ahlâkî düzenlemeyi aşındırmaktadır.

İki *türlü* «ahlâk anlayışı», ama bir tek ahlâkî düzenleme vardır. Herkesin en açık gerçeklik saydığı birinci tür ahlâk anlayışı (kimsenin ırzına geçmemek, kimsenin canına kıymamak vb. ilkeler) ancak doğal gereksinimlerin yüzde yüz doyurulmasıyla kurulabilir. Bizim benimsemediğimiz ikinci tür ahlâk anlayışıysa (çocuklarla gençlerin cinsel perhizde yaşamaları, zorla eşine bağlı kalma vb.) özünden hastalıklıdır ve denetlemeye yeltendiği cinsel uçurumu kendi eliyle yaratmaktadır. O, doğal ahlâk anlayışının baş düşmanıdır.

Kimileri, cinsel tutumbilime uygun yaşamın aileyi yıkacağını ileri sürüyorlar; sağlıklı bir sevisel yaşamın doğuracağı «cinsel uçurum» konusunda gevezelik ediyor, öğretim üyesi ya da başarılı yazar oluşlarından yararlanarak halk yığınlarını etkiliyor böyleleri. Oysa neden söz ettiğimizi bilmek zorundayız: her şeyden önce, kadınlarla çocukların gerek *iktisadî,* gerekse *ahlâkî* köleliğine son vermek istiyoruz; bu iş yapılmadıkça, koca karısını, kadın kocasını, çocuklar da ana-babalarını sevmeyeceklerdir. Dolayısıyla, bizim yıkmak istediğimiz şey, «sevgi dış görünüşü»nü alsa da, ailenin yarattığı *nefret*'tir. Aile sevgisi söylendiği gibi insanın en büyük ayrıcalığıysa, bunu kanıtlaması gerekir. Eve zincirle bağlanmış bir köpek kaçmazsa, hiç kimse kalkıp da onu sahibine bağlı bir yoldaş sayamaz. Aklı başında hiç kimse, bir erkek elleri ayakları bağlı bir kadınla otururken sevgiden söz edemez. Azıcık dürüst hiçbir erkek kendisine sağladığı bakımla ya da toplumsal gücüyle satın aldığı kadının sevgisiyle övünemez. İnsanlık onuru taşıyan hiçbir erkek özgürlük içinde verilmeyen sevgiyi kabul etmez. Eşlik görevinde ve aile yetkesinde kendini belli eden zorlayıcı ahlâk anlayışı, korkak ve güçsüz kişilerin ahlâkıdır; bunlar, doğal sevgi yetenekleriyle yaşamayı göze alamadıkları şeyleri, boşu boşuna, polisin ve evlilik yasalarının yardımıyla elde etmeye çalışırlar.

, Bu kişiler, başkalarındaki doğal cinsel yaşamı hoşgöremedikleri için, bütün insanlığa kendi daracık deli gömleklerini giydirmek isterler. Aslında kendileri de öyle yaşamaya can attıkları, ama başaramadıkları için, doğal cinsel yaşam onları sıkar ve kıskandırır. İsteyen kişiyi aile yaşamından uzaklaştırmak aklımızın köşesinden geçmez; buna kârşılık, biz de, istemeyen adamın aile yaşamına zorlanmasını istemiyoruz. Ömrünü tekeşli geçirmek isteyen ve başarabileni kendi haline bırakalım; bunu başaramayacak, böyle bir şey yıkımına yol açacak kişiyse yaşamını başka türlü düzenleyebilme olanağına kavuşmalıdır. Ancak «yeni bir yaşama biçimi» kurmak istiyorsak, eskisinin çelişkilerini iyi tanımamız gerekir.

II. BÖLÜM

CİNSEL YAŞAM KONUSUNDA
DÜZELTİMCİLİĞİN GÜÇSÜZLÜĞÜ

Cinsel düzeltim (réforme), aslında, kökleri iktisadî durumlara uzanan ve ruh hastalıklarında dile gelen cinsel yaşam koşullarının ortadan kaldırılması ereğini güder. Buyurgan toplumda, küçük bir azınlığın çıkarlarını korumak üzere toplumun tümüne zorla benimsetilen ahlâk anlayışıyla bireyin cinsel gereksinimleri arasındaki çatışkı, şimdiki toplumsal düzen içersinde çözülemeyecek bir bunalıma yol açar. İnsanlık tarihi boyunca, bu çatışkı hiçbir zaman şu son otuz yıldaki kadar ciddi ve acımasız sonuçlar doğurmamıştır. İşte bu yüzden de, cinsel düzeltimler konusunda hiçbir zaman bu dönemdeki kadar çok tartışma yapılıp kitap yazılmamıştır; işte bu yüzden, şu «uygulayım ve bilim çağı» aynı zamanda, cinsel düzeltim alanındaki girişimlerin başarısızlığı yönünden en zengin dönem olmuştur. İnsanları kansız cansız bırakan cinsel yoksullukla cinselbilim alanında sağlanan azımsanmayacak ilerleme arasındaki karşıtlık; emekçi yığınlarının iktisadî yoksulluğuyla içinde yaşadığımız sanayi çağının getirdiği göz alıcı uygulayımsal ilerlemeler arasındaki karşıtlık birbirine koşuttur.

Daha başka gözle görülür aykırılıklar da var; örneğin, Almanya'da, hem de yaraların mikrop kapmasını önleme yönteminin (asepsie'nin) ve cerrahlığın müthiş ilerlediği bir dönemde, 1920 ile 1932 arasında, çocuk aldıran 20 000 kadın ölmüş, 75 000 kadın da ciddî olarak hastalanmıştır; üretimin akıl temeline oturtulduğu bir çağda, sanayide gittikçe daha az işçinin kullanılması bu insanların kurduğu ailelerin bedensel ve tinsel açıdan yıkımına yol açmaktadır. Bu aykırılıklar, anlamsız olmak şöyle dursun, tam tersine onları doğuran toplumsal ve iktisadî yapıları anlamaya yanaşırsak gereğinden çok şey anlatırlar. Biz, erek olarak cinsel yoksulluğun ve cinsel sorunu çözebilme olanaksızlığının, bunları doğuran toplumsal düzenin ayrılmaz parçaları sayılması gerektiğini göstermeyi seçtik.

Cinsel düzeltim girişimleri, genel kafa eğitimi çabası içersinde yer alırlar. Norman Haire gibi özgürlükçüler, bütünüyle ele alıp eleştirmeden, toplumumuzun özel bir eksikliğiyle savaşmak isterler, cinsel düzeltimin amacı budur. Toplumcular ve «düzeltimciler» de, cinsel düzeltim yoluyla, toplumumuza azıcık toplumculuk getirmeye uğraşırlar. Bu sonuncular, iktisadî yapıyı değiştirmezden önce, neden-sonuç denklemini tersine çevirip bir cinsel düzeltim yapmak arzusundadırlar.

Gericiler hiçbir zaman anlayamayacaklardır cinsel yoksulluğun savundukları düzenin bir parçası olduğunu. Onlar bunun nedenini ya insanoğlunun günahlı yapısında, doğaüstü bir yargıda ya da aynı derecede gizemli bir acı çekme isteğinde, ya da kendi koydukları çilecilik kurallarıyla tekeşlilik kurallarına uymamakta ararlar. Onlardan, düzeltimler aracılığıyla içtenlikle değiştirmeye çalıştıkları düzenin suçortağı olduklarını kabul etmelerini bekleyemeyiz. Bu suçortaklığını kabul etmeleri, düzeltimlerine temel aldıkları iktisadî anayapıyı sarsar çünkü.

Cinsel düzeltim, cinsel yoksulluğa çare bulmak üzere, yirmi otuz yıldır denenen bir girişimdir: fahişelik, cinsel organ hastalıkları, cinsel yoksulluk, çocuk aldırma, cinsel cinayetler, sinir hastalıkları gibi sorunlar kamuoyunun en çok ilgilendiği şeylerdir. Ancak öne sürülen düzeltimci çarelerin hiçbiri cinsel yoksulluğa öncelik tanımamıştır. Üstüne üstlük, *önerilen her düzeltim, cinslerarası ilişkilerde ortaya çıkan değişikliklerin bile ardında kalmaktadır.* Evliliğin gözden düşmesi, boşanmalarla eşini aldatmaların artması insanları evliliğe ilişkin bir düzeltim üzerinde tartışmaya zorluyor; ahlâkçı cinselbilimcilerin görüşlerine karşın, evlilik dışı ilişkiler gün günden *kılgısal olarak* kabul edilmekte; 15 - 18 yaşlar arasındaki gençlerin cinsel ilişkileri gittikçe daha geniş birey kategoryalarına yayılmakta; beri yandaysa, cinsel düzeltim hareketleri hâlâ gençlerin cinsel orucunun yirmi yaşından sonraya dek uzatılıp uzatılmaması ya da kendi kendini okşamanın doğal kurallara uygun olup olmadığı sorununu tartışıyorlar. «Yasaların suç saydığı» çocuk aldırma ve gebeliği önleyici araçlarla ilâçların kullanılışı dört bir yana yayılırken, cinsel düzeltim hareketleri çocuk aldırmaya izin vermek için tıbbî belirtilerin dışında toplumsal belirtilerin de aranıp aranmaması konusunda kafa yoruyorlar.

Sözün kısası, cinsel yaşamdaki somut değişikliklerin düzeltimcilerin önemsenmeyecek çabalarından çok çok önce gerçekleştiğini görmekteyiz. Düzeltimciliğin bu gecikmesi, düzeltim girişimlerinde temel bir bozukluk, yani her türlü çabayı dizginleyen ve kısırlaştıran bir iç çelişki bulunduğunu gösteriyor.

Bizim görevimiz, hem tutucuların uğradığı cinsel düzeltim başarısızlığının gizli anlamını, hem de bu türlü düzeltimcilikle onun uğradığı başarısızlıkların buyurgan toplumcu düzene bağlandığını ortaya koymak olacak[1]. Söz konusu bağ hiç de basit değildir ve cinsel öğretilerin oluşumu ayrı bir incelemeyi gerektirecek kadar karmaşıktır. Burada, aşağıdaki noktaları aydınlığa kavuşturmakla yetinerek, sorunun ancak bir kesimini ele alacağız :

1. Cinsel düzeltimi kösteklenişiyle evlilik kurumu.
2. Eğitim aracı olarak buyurgan aile.
3. Buyurgan bir dizge içersinde son derece mantıklı olan gençliğin cinsel perhizde, ömür boyu tekeşli ve ataerkil aile içersinde yaşaması gerekliliği.

---

[1] *Cinsel Ahlâkın Boygöstermesi* ve *Faşizmin Kitle Ruhu Anlayışı.*

4. Geleneksel cinsel düzeltimle geleneksel evlilik öğretisi arasındaki çelişki.

Bu bağlantıların çoğu şimdiye dek göze çarpmamıştır, çünkü düzeltimciliğin eleştirileri konut, çocuk aldırma koşulları, evliliğe ilişkin yasalar falan gibi, cinsel yaşamın dış görünüşleriyle ilgilenmiştir; cinsel gereksinim ve mekanizmalarsa, kılgısal olarak, konu dışında bırakılmıştır. Avrupa'da Hodann, Hirschfeld, Brupbacher ve Wolff gibi kişileri üne kavuşturan, 1918 - 1921 yılları arasında Rusya'da girişilen cinsel devrimle parlak bir biçimde kendini herkese duyuran toplumbilimsel eleştiriye eklenecek pek az şey vardır.[1]

Bununla birlikte, bireyin ve toplumun cinsel düzenliliği için buyurgan cinsel düzenin ruhsal ve eğitsel sonuçlarının doğru değerlendirmesini yapabilmek, cinsel yaşamın ruhsal ve dokusal işleyişlerinin bilinmesine bağlıdır. Öyleyse, toplumsal eleştiri, kişilik çözümlemesi deneyine ve bedensel boşalma üzerindeki araştırmalara dayanan hekimlik eleştirimizle tamamlanmalıdır.

---

[1] Genss'in, Rusya'da çocuk aldırma sorunuyla ilgili çalışmaları; Wolfsohn: *Soziologie der Ehe und Familie;* Batkis: *Die Sexuelle Revolution in der Sowjet - Union.*

III. BÖLÜM

CİNSEL YAŞAMDAKİ ÇELİŞKİLERE KAYNAKLIK EDİŞİYLE EVLİLİK KURUMU

Düzeltimciliğin amacı, bir evlilik ahlâkının kurulmasıdır. Bu ahlâkın desteği olarak, sağlam iktisadî çıkarlara dayalı, tutucu evlilik kurumunu buluyoruz karşımızda. Düşünsel üstyapı içersinde evlilik ahlâkı, iktisadî etkenlerin en son izdüşümüdür ve bu niteliğiyle cinsel yaşamı düzeltmeye kalkan bütün geleneksel düzeltimcilerin düşünce ve eylemlerini etkiler, gerçek bir cinsel düzeltimin yapılmasını olanaksız kılar.

İktisadî etkenlerle evlilik ahlâkı arasındaki bağ nedir? İktisadî çıkarların en dolaysız sonucu, kadının evlilik öncesi el değmemişliğine ve kocaya bağlılığına verilen değerdir. Alman cinsel sağlık uzmanı Gruber, şu satırları yazarken işte bu son ve kesin gerekçenin bilincindeydi:

«Kadının el değmemişliğini en değerli ulusal varlık olarak işlemeliyiz, çünkü bu, çocuklarımızın gerçek babası olabilmemizi, kendi canımız, kendi kanımız için çalışıp didinmemizi sağlayacak biricik güvencedir. Ulusun mutluluğunun vazgeçilmez temeli olan güvenlikli aile yaşamının kurulması için bu güvence gereklidir. Kadının evlilik öncesi el değmemişliğiyle eşine bağlılığını içeren yasa ve ahlâkın en sert isteklerini doğrulayan şey erkek bencilliği değil, işte bu nedendir. Çünkü kadının özgürlüğü, erkeğinkinden çok daha ciddî sonuçlar doğurur.»

(Hygiene des Geschlechtslebens, 53 - 54, s. 146 - 147.)

Mirasla ilgili yasaların döl vermeye bağlanması, cinsel yaşamın da bir daha çözülmemecesine evliliğe bağlanmasına yetmiştir: iki kişinin cinsel birliği artık cinsellikle ilgili bir iş değildir. Gerçekten de, kadının *evlilik öncesi el değmemişliği* ile *kocasına bağlılığı* ancak cinsel arzunun alabildiğine bilinçaltına itilmesiyle sağlam bir biçimde güvenlik altına alınabilir; genç kızın kız oğlan kız kalması gerekliliği de işte buradan doğar. Kimi ilkel toplumlarda görüldüğü üzere, başlangıçta, genç kız evlilik öncesi cinsel yaşamında özgürdü; ancak evlendikten sonra eşinin dışında ilişki kurması yasaklanırdı.[1] Bizim toplumdaysa, özellikle XIX. yüzyılın son on yılında, kız oğlan kızlık evliliğin mutlak koşulu haline geldi. *Evlilik öncesi iffet* ile *eşe kesin bağlılık,* gerici cinsel ahlâkın denektaşları oldu; bu ahlâk, cinsel yaşamdan korkan bir ruhsal yapı yaratarak evliliği ve buyurgan aileyi güçlendiriyordu.

Demek ki, bu dünya görüşü iktisadi çıkarların tam karşılığıdır. Ancak, bu kuramı benimsediğiniz anda sürecin iç çelişkisi su yüzüne çıkar; genç kızların el değmemiş olarak kalmalarını istemek gençleri sevecek eşten yoksun bırakır; bu da, içinde yaşadığımız toplumun arzulanmasa da kaçınılmaz bir biçimde kendini gösteren koşullarını doğurur: tekeşli evlilik *eşini aldatmaya,* genç kızların iffetiyse *fahişeliğe* yol açar. Eşini aldatmak ve fahişelik, iktisadî nedenlerden ötürü kadından esirgediğini, evlilikten önce de sonra da erkeğe bağışlayan ikiyüzlü ahlâkın büyük ikramiyeleridir. Cinsel yaşamın doğal ivediliği ortada olduğuna göre, cinsel ahlâkın sertliği amaçladığı şeyin tersini yaratmaktadır; gerici anlamıyla ahlâksızlık, yani eşini aldatma ve evlilik dışı cinsel ilişkiler acayip toplumsal görüngüler halinde iki katına çıkmaktadır: bir yanda cinsel sapıklık, öte yandaysa gerek evlilik içinde, gerek dışında,

---

[1] BRYK: *Negereros* (Marcus und Weber, s. 77), PLOSS-BARTELS: *Das Weib,* ve özellikle MALINOWSKI: *La Vie sexuelle des primitifs* (İlkel İnsanların Cinsel Yaşamı).

paralı cinsel yaşam boygöstermektedir. Evlilik dışı cinsel yaşamın paralı oluşu cinsel ilişkilerde sevecenliği yoketmekte ve bu iş, en aşırı biçimde, fahişelikte olmaktadır. Dolayısıyla, iyi yetiştirilmiş bir delikanlı cinsel yaşamını ikiye ayırmaktadır: duyularını «alt sınıflardan» bir kızla doyurmakta, sevgi ve saygısını kendi çevresinden bir kıza saklamaktadır. Sevisel yaşamın böyle ikiye bölünmesi ve cinsel yaşamın paraya bağlanması sevginin yozlaşmasına ve hayvanca bir nitelik kazanmasına yol açmaktadır; aynı bölünmenin başka önemli bir sonucu da, arzulanmasa da önlenemeyen öbür büyük ikramiye, yani üreme organı hastalıklarının yayılmasıdır. Fahişeliğe, evlilik dışı cinsel ilişkilere ve üreme organı hastalıklarına karşı savaş «uçkurunu sıkı tutma» bayrağı altında yürütülmektedir; buysa, cinsel etkinliğin ancak evlilik içinde ahlâka uyduğu düşüncesiyle atbaşı gider; evlilik dışı cinsel yaşamın ahlâka aykırılığının gözüken kanıtıysa, taşıdığı sözümona tehlikedir.

Oysa, gerici yazarlar şunu kabul etmek zorundadırlar ki, cinsel oruç üreme organı hastalıklarına karşı etkili bir silâh değildir; evlilik ahlâkının bir çıkmaz sokak olduğunu çok iyi farkettikleri halde, başka çareleri yoktur. Üreme organı hastalıklarının bulaşıcı olduğu doğrudur, ama bunun nedeni, evlilik içi cinsel ilişkinin kutsal sayılmasının sonucu olarak evlilik dışındakilerin değerini yitirmesidir. Gerici cinselbilim uzmanı, tutarlı olmak istediği sürece, işte bu çelişkiyi ayakta tutmak zorundadır.

Olgularla, aile ahlâkını ve evlilik kurumunu ayakta tutmak üzere ortaya konan kurallar arasındaki çatışkı çocuk aldırma sorununda da kendini gösterir. Çocuk aldırmanın yasallaştırılmasına karşı öne sürülen kanıtların başlıcası «ahlâkî»dir: yasalar «cinsel yaşamın genel olarak bozulmasına» yol açacağı için yasaklamaktadır çocuk aldırmayı. Gericiler, düzenli bir biçimde düşen doğum oranını artırmak isterler; oysa hepimiz biliyoruz ki, Sovyet Rusya'da çocuk aldırmanın yasallaştırılması doğum oranını düşürmemiş, yerinde toplumsal çarelerle, elle tutulur derecede artırmıştır. Peki, nereden geliyor bu doğumu yüksek tutma kaygısı? Ulusal güç kaygısından, topun ağzına sürülecek insan eti yetiştirme kaygısından.[1]

Buradaki dürtünün yedekte tutulacak bir sanayi ordusuna sahip olma arzusu olduğuna inanmak tastamam doğru değildir; çok az sayıdaki belli bir işçi kitlesinin ücretleri düşük tutmaya izin verdiği günlerde durum böyleydi; ama zamanlar değişti: çağımızın onulmaz işsizliği bu gerekçeyi geçersiz kıldı. Öyle ki, gebeliği önleme araç ve gereçlerinin kullanılmasını engelleyen dolaysız iktisadî gerekçeler, kuramsal gerekçelerin yanında anlamsız kaldı; oysa, işin aslına bakarsanız, bunların kökü de iktisadî gerekçelerdedir. Çocuk aldırmanın yasaklanışının başlıca gerekçesi, bu işin özgür kılınmasının yaratabileceği sonuçların «ahlâk düşüncesi»ni etkilemesi korkusudur. Çocuk aldırmayı yasallaştırdınız ve bu yasayı gerek evli kadınlara, gerekse evli olmayanlara uyguladınız mı, evlilik dışı cinsel ilişkileri tanımış, gebe kalan genç kızın evlendirilmesi gerektiği düşüncesini bir yana bırakmış olacaktınız; bu da evlilik kurumunu aşındıracaktı; oysa, cinsel yaşamdaki bütün çatışkılara karşın, evlilik ahlâkını sürdürmekte kuramsal bir gereklilik vardır. Neden mi? Çünkü bu ahlâk buyurgan ailenin belkemiği; buyurgan aileyse, *buyurgan öğretinin ve buyurgan insan yapısının oluşum yeri*'dir.

Günümüze dek, çocuk aldırmayla ilgili tartışmalarda bu olgu hesaba katılmadı. Kimileri, belki de evlilik kurumunun çıkarları kurtulsun diye, çocuk aldırmayı yalnızca evli kadınlara indirgemeyi savunacaklardır: cinsel öğretide şu temel kural bulunmasaydı, bu karşı çıkışın belli bir değeri olabilirdi: *cinsel birleşmede, döl vermenin dışında bir zevk ve doyum aranmamalıdır*. Döl vermenin dışında cinsel edimin resmî olarak kabul edilmesi, cinsel yaşamla ilgili bütün dinsel ve yönetimsel kavramların bir yana bırakılması anlamına gelirdi. Max Marcuse de, *Die Ehe* (Ev-

---

[1] GENSS: *Was lehrt die Freigabe der Abtreibung in Sowjet - Russland?* (Agis - Verlag, 1926).

lilik) adlı derlemesinin doğumların önlenmesi bölümünde öyle diyor zaten :

«Kadınları içerden kullanılacak bir ilâçla geçici olarak kısırlaştırabilirsek, karşımıza çıkacak en ivedi sorun, bunun yalnızca sağlık koşulları gerektirdiği zaman kullanılmasını; gerek cinsel düzen ve ahlâk, gerekse genel olarak yaşam ve uygarlık için taşıdığı büyük tehlikeyi önleyecek biçimde dağıtılmasını sağlayacak bir yöntem bulmak olacaktır» (s. 399).

Bu sözlerin altına, söz konusu tehlikenin buyurgan *kafa eğitimi*'ni ve onun önerdiği yaşama biçimini de kapsadığını eklemek gerekirdi.

Alman faşizmi, 1933'ten 1935'e kadar, düzeltimci (reformcu) Marcuse'nin 1927'de sözünü ettiği «tehlike»yi göz önünde bulundurdu: «gerek cinsel düzen ve ahlâkı, gerekse genel olarak yaşam ve uygarlığı büyük bir tehlike»den kurtarmak üzere, insan sağlığıyla uzaktan yakından ilgisi bulunmayan bin beş yüz kısırlaştırma gerçekleştirildi. «Büyük tehlike» dedikleriyse, cinsel yaşamla döl vermenin birbirinden ayrılmasıydı.

Basit bir aritmetik hesap bütün bu sözlerin anlamını açıkça ortaya koyar. Örneğin, hiçbir cinsel düzeltimci yoksul bir kadından beşten fazla çocuk doğurmasını bekleyemez. Cinsel etkinlik konusundaki yetkili uyarmalara karşın, insanoğlu, evlilik cüzdanı yoksa da, cinsel uyarılmayı ve cinsel doyum gereksinimi duyacak biçimde yaratılmıştır, hem de birkaç günde bir; sizin anlayacağınız, geleneksel ahlâka değil de, doğal gereksinimlerine uygun yaşarsa, on dörtle elli yaşları arasında üç dört bin kez sevişir. Marcuse yalnızca insan soyunun korunmasıyla ilgilenseydi, söz konusu kadının doğuracağı şu beş çocuk dışında, 2995 kez gebeliği önleyici ilâç ya da araç kullanmasına izin verecek bir yasayı savunurdu.

Ama işin doğrusu şu ki, bizim cinsel düzeltimcinin bu «beş» döl verici sevişmeye aldırdığı yoktur: onun bütün korkusu, bireylerin, *yüce yetkililerin de onayıyla,* o 3000 tatlı sevişmeyi arzulamakla kalmayıp gerçekleştirmeleridir. Neden acaba aklı fikri bu korkudadır?

1. Çünkü *evlilik kurumu* bu duruma uydurulmamıştır, ayrıca buyurgan öğretiyi üreten aile fabrikasının temel taşı olarak kurtarılması gerekmektedir. ;

2. Çünkü Marcuse, öyle bir yasaya evet dediği andan sonra, «uçkurunu sıkı tutma» ya da «cinsel eğitim» gibi lâflarla hesabını gördüğü *gençliğin cinsel yaşamı*'nı es geçemezdi artık.

3. Çünkü o, kadının, hattâ genel olarak insanın *tekeşli* bir yapıya sahip bulunduğu kuramını, karşılaştırıldıkları an yerle bir edecek dirimsel ve ruhsal olgulardan korumak istemektedir.

4. Çünkü bu yasayı onayladığı an, Kilise'yle arasında ciddî bir çatışkı belirecektir. O bu çatışkıdan ancak, tıpkı Van de Velde'nin *Le Mariage idéal* (Kusursuz Evlilik) adlı yapıtında önerdiği gibi, cinsel sevgiyi yalnız evlilik *içersinde* kabul ederek, o arada da, büyük bir özenle, önerilerinin dinsel dogmalarla çelişmediğini belirterek kurtulabilir.

Herkesin üzerinde uzlaştığı ahlâk kuramı, evlilik kurumunun temel taşıdır; cinsel doyuma aykırıdır ve cinsel yaşamın yadsınmasını gerektirir. Evlilik kurumu, çocuk aldırma sorununun çözülmesini olanaksızlaştırır.

IV. BÖLÜM

TUTUCU CİNSEL AHLÂKIN ETKİSİ

1 — «NESNEL» VE «SİYASETDIŞI» BİLİM

Tutucu cinsel öğretinin belirleyici özelliği, buyurgan toplumda *cinsel arzunun bilinçaltına itilmesi* süreciyle dile gelen cinsel yaşamın yadsınması ve aşağılanmasıdır. Bizim için bilinçaltına itilen gereksinimlerin ne olduklarını, bilinçaltına itilmenin genişliğini ve bunun birey üzerindeki sonuçlarını bilmek pek önemli değil; bizi burada, tutucu cinselbilimin yabana atılmayacak bir kesimini oluşturduğu «kamuoyunun» bu süreçte kullandığı araçlar ve bunların doğurduğu genel sonuçlar ilgilendiriyor.

Düşünsel havanın en iyi dile geldiği yer *tutucu cinselbilim*'dir, biz de evlilik ve gençliğin cinsel yaşam sorunlarını tartışırken bunu ayrıntılarıyla göstereceğiz. Şimdilik, nesnelliğe özenen bu cinselbilimin çok belirgin ahlâkî önyargılarından birkaç örnek verelim :

Timerding, Marcuse'nin resmî cinselbilimin hiç kuşkusuz temsilciliğini yapan yapıtı *Handwöterbuch der Sexualwissenschaft*'ta (Cinselbilim El Kitabı'nda) şunları yazıyor :

«Cinsel yaşamla ilgili her kuram, öteden beri, ahlâkî tutuma göre düzenlenmiştir. Düzeltim tasarıları hemen her zaman ahlâkî ilkelerle doğrulanmıştır» (s. 710).

«Cinselbilimde ahlâka verilen önemin nedeni, bizi, cinsel yaşamı kişiliğin gelişmesinin ve toplumsal düzenin bütünü içersinde daha iyi yerleştirmeye çağırmasındadır.»

Bildiğimiz gibi, toplumsal düzen ve kişiliğin gelişmesi derken, *gerici* toplumsal düzeni ve bu *düzene uyabilecek* kişiliğin gelişmesini anlatmak istiyorlar. Cinsel yaşamın gerçeklerine verdiği ödünler ne olursa olsun, egemen sınıfların cinsel yaşam ilkelerinden ne denli uzaklaşırsa uzaklaşsın, her gerici toplumsal ahlâk ister istemez cinsel yaşamı yadsır; yazarların çoğu, çelişkilerinden ötürü, o günkü toplumsal havaya aykırı sonuçlara varırlar; ama bunun bir etkisi olmaz, hiçbir zaman gerici toplumun saptadığı sınırları aşan bir eylem görülmez, dolayısıyla ortaya çıka çıka ancak tutarsızlıklar ve saçmalıklar çıkar. Örneğin, Wiese, Marcuse'nin *Handwörterbuch*'unda bakın neler yazıyor:

«Dinsel çileciliğin dışında, özellikle çağımızda, felsefî, ahlâkî ve toplumsal gerekçelerden doğan, bedensel ya da ruhsal sevi zayıflığından, tinselciliğe (spirtualizm'e) yatkınlıktan, ya da bütün bu gerekçelerin tümünün doğuştan getirdiğimiz bir dinsel içgüdüyle karışmasından ileri gelen iyi bir çilecilik ölçüsü, yani bir ilkeye bağlı perhiz vardır. İnsan ilişkilerini yüksek bir kültürel düzeye ancak cinsel perhizle çıkarabileceğimize inanılıyor çoğu kez... Sözünü ettiğimiz yeni perhizli yaşama... pek ender olarak sahici dinsel çileciliğin niteliğine erişebilir; o, tensel heyecanların güç ve değişikliğine dayanmayacak ölçüde zayıflamış bir canlılığın ya da aşırı doymuşluğun sonucundan başka bir şey değildir.

«Bütün uçkurunu sıkı tutma tür ve dereceleri göz önünde bulundurulursa, güçlü bir doğal içgüdünün yokedilemeyeceği, olsa olsa başka yöne saptırılabileceği ya da değiştirilebileceği sonucuna varılabilir. Perhiz, cinsel güdüyü 'bilinçaltına iter.' Ancak, Freud okulunun abartmalarına düşmemeye çalışarak, perhizin cinsel etkinliği bilinçaltına ittiği kuramının değerini kabul etmek gerekir: perhizden bir sürü bağnazlık, gariplik, nefret ve düşsel sevgi yaşamı doğabilir.

«Gereksinimin geçici bir süre ya da yaşlılıktan ötürü zayıflaması dışında, sağlıklı bireyde doğal bir perhiz eğilimi yoktur; çileciliğin kökeni yaşamın kendine değil, topluma dayanır. Çilecilik, kimi zaman kuraldışı yaşama koşullarına uyma görüngüsüdür, kimi zaman da hastalıklı bir kuramdır» (s. 40).

Bu yargılar, bütün halinde doğrudur; ancak, dinsel çilecilikle ötekinin birbirlerinden ayırılmasıyla ilerde doğabilecek kılgısal sonuçlar daha başından elenmektedir; bu ayırım, dinsel çileciliğin de «doğuştan getirdiğimiz dinsel içgüdü»den değil, bir «gizemcilik eğilimi»nden geldiğini gizlemektedir. Wiese, «dinsel içgüdü»nün varlığını savunarak, toplumsal kökeninin bulunmasından ve insanda «doğal bir perhiz eğilimi» olmadığının ortaya konmasından sonra, çileciliğin resmen kovulduğu yere gizlice girebilmesi için arka kapıyı açık bırakmaktadır.

Resmî cinselbilimin ahlâka aralık bıraktığı başka bir kapı da, cinsel ilişkilerin «tinselleştirilmesi» yolundaki önerisidir. İşe, duyusal hazlara düşkünlük yargılanarak başlanmıştır; ama bir de bakılmıştır ki bu, türlü hastalıklı biçimlerde, insanı çileden çıkarırcasına, yeniden boygösteriyor. Ee, peki «ahlâkî» yani çileci ve iffetli yaşama biçimine eskisinden daha fazla düşman hale gelen bu güçleri ne yapmalı acaba? Yapılacak şey, «cinsel yaşamı çok üst bir tinsel düzeye çıkarmak»tır. Cinsel yaşam düzeltimcileri arasında pek yaygın olan bu savsöz, içinde kullanıldığı formüllerin belirsizliğine karşın, son derece somut bir şeyi anlatır: cinsel etkinliğin bastırılıp bilinçaltına itilişinin hortlayışı.

Tutucu cinselbilimin belirgin özelliği olan ahlâkçılıkla olgusal gözlemlerin birbirine karıştırılması, Timerding'in aşağıya aldığımız parçasındaki gibi, son derece saçma düşüncelerin ortaya çıkmasına yol açar :

«Evlenmemiş kadından sevişme hakkını esirgersek, erkeğin de düğünden önce iffetli kalmasını istemek gerekir. *Ve gerçekleştirilebilse, evlilik öncesi kesin iffetlilik toplumsal denge sağlamlığının en iyi güvencesi olur, bireyi yığın-*

la acıdan kurtarırdı. Ama eğer bu istek, ancak ender durumlarda gerçekleştirilebilen bir ülkü olarak kalıyorsa (cümlelerin altını ben çizdim, W. R.), sonuç önemsiz demektir. *İffet ülküsü'nün bireysel ahlâk'ın temel ilkesi olması gerekirdi; oysa, cinsel olgunluğa erer ermez evlenebilme olanakları azaldıkça, bunun gerçekleşebilmesi olasılığı da azalıyor. İffet isteği, aileyi korumak üzere getirilmiş bir toplumsal ahlâk zorunluluğu olarak kaldıkça, birey bunu can sıkıcı bir zorlama sayıp elinin tersiyle itmekte haklı bulacaktır kendini»* (s. 721).

«Bu düşüncenin çağdaş yaşamın gerçekleri önünde tam anlamıyla başarısızlığa uğramış, kılgısal alanda basit bir şaka haline gelmiş olması dikkat çekicidir» s. 714).

Bu alıntıda şu tutarsızlıklarla karşılaşıyoruz; eğer kadın evlilikten önce cinsel perhizde yaşayacaksa, neden erkek de yaşamasın? Doğru! Bireysel ahlâk ilkesi olarak sevişmeden yaşama ülküsünü yerleştirmek günden güne olanaksız hale gelmektedir. Doğru! Bununla birlikte, «bu düşünce tam anlamıyla başarısızlığa uğramış... ve... gülünç bir şaka haline gelmiş bulunsa da» iffet ülküsünün beyinlere «yerleştirilmesi gerekirmiş»!!! Hele şu «evlilik öncesi iffetin toplumsal denge sağlamlığının en iyi güvencesi olması» düşüncesine gelince, bu, hiçbir kanıt gösterilmeden, habire yinelenen lâflardan biridir. Ancak, daha önceki bilgilerimize göre, «toplumsal denge» derken buyurgan toplumun dengesi anlatılmak isteniyorsa, önerme doğrudur. Yine Timerding'i okuyoruz :

«Sağlık açısından ele alındığı zaman cinsel yaşamın değerlendirilmesinde iki görüş çatışmaktadır: kimileri, cinsel yaşamı baskı altında tutmanın doğuracağı bedensel ve ruhsal zarara parmak basmakta, dolayısıyla, iktisadî durumlardan bağımsız, sağlıklı bir cinsel yaşam istemektedirler; kimileriyse, bir yandan cinsel yaşamın düzensizliğinin doğurduğu tehlikelere, özellikle üreme organı hastalıklarının ciddîlik ve yayılmasına parmak basmakta, beri yandan da kesin perhizin hiçbir zararı olmadığını öne sürmektedir... Gerçekten de, bu hastalıklardan korunmanın en güvenilir yolu, kesin perhizdir. Bunu ancak olağandışı durumlarda isteyebileceğimize göre, dönüp dolaşıp *tekeşli evlilikle sınırlandırılmış cinsel ilişki* ülküsüne gelmekteyiz. *Bu ülkünün gerçekleştirilmesi güdülen amacı güvenlik altına alır* (sözcüklerin altını ben çizdim, W. R.). O zaman üreme organı hastalıkları hızla azalır. *Ama bu ülkünün gerçekleştirilmesi de aynı derecede güçtür* (sözcüklerin altını yine ben çizdim, W. R.). Ayrıca, asıl tehlike evlilik öncesinde olduğundan, evliliğin korunması da pek bir işe yaramaz. Öyleyse, hiç değilse sakınımsız ve kalıcı olmayan cinsel ilişkileri önleyerek, bize ancak cinsel alanda *bilincin genel olarak yetkinleştirilmesi* yardım edebilir.

«Hattâ, kişilerin sağlam sevgisinin cinsel ilişkileri toplumsal ve yasal baskılardan nasıl kurtarabileceğini, kalıcı ilişkilerin kurulmasına nasıl yardım edebileceğini de düşünüp bulabiliriz; bu sevgi gizli ve açık fuhuşu ortadan kaldırır, gerek üreme organlarıyla ilgili, gerek öbür bedensel ve ruhsal hastalıkları azaltırdı. Doğal kurallara uygun bir cinsel gereksinim duyan kadınlarla erkeklerin hiçbir zaman yerleşmiş ahlâkî zorlamalara boyun eğmediklerini yadsıyamayız. Ancak, beri yandan, bedensel ve sevisel açıdan tam bir doyum sağlayan bir eşle cinsel ilişkide bulunma ülküsü de sürdürülebilir. Çünkü, bu ülküyü gerçekleştirenin mutlu olacağına kuşku yoktur» (s. 714).

Geleneksel düzeltimcinin, cinsel yoksulluğun kılgısal çözümüne epey yaklaştığını görüyoruz. Ama zorla tekeşli yaşama kuramından kendini kurtaramamaktadır; bu kuram yargısı üzerinde baskı yapmakta, onu çıkmaza sokmaktadır: «Beri yandan, tekeşlilik ülküsü sürdürülebilir... çünkü... bu ülküyü gerçekleştireni mutlu saymak gerekir.» Diyelim ki öyledir. Peki, kim gerçekleştirecek bu ülküyü? Ayrıca, bizim ahlâkçının kendisi bu ülkünün başarısızlığa uğradığını söylemedi mi daha önce. Burada çelişki, tekeşlilik ülküsünün iktisadî altyapısıyla açıklanmakta; dolayısıyla, söz konusu ülkünün cinsel düzenlilik koşulları içersinde gerçekleştirilmesi olanaksızlaşmaktadır.

Böylece, insanlar iffet kuramıyla evlilik kuramı arasında bocalamaktadır, çünkü tepelerinde, evlilik ahlâkıyla harama el uzatmama kuramının kaçınılmaz sonucu olduğu için denetim altına alamayacağımız «üreme organı hastalıkları tehlikesi» dolaşmaktadır. Cinselbilimci, «cinsel ilişkilerin toplumsal ve yasal baskılardan kurtarılmasının, fahişeliği ortadan kaldırıp üreme organı hastalıklarını azaltacağını, sürekli ilişkilerin kurulmasını kolaylaştıracağını» kabul ediyor elbet. Ancak toplum, bugünkü haliyle, «ahlâkî düzen»den ve «zorlama»dan vazgeçemez. O zaman da geriye, «bilinci yetkinleştirmek»ten başka çare kalmaz.

Bu göreviyse, cinsel sağlık konusunun ustası, profesör Gruber üstüne almıştır. Bakın ne diyor :

«İnsan denen yaratığın zevkinde acı vardır. Okuyucu, Eckhart Usta'nın bu yargısının doğruluğunu kendi yaşamında da sayısız kere saptamıştır elbet. Ayrıca, biz de cinsel ilişkinin doğurduğu korkunç acılardan, hastalıklardan ayrıntılarıyla söz etmedik mi?»

(*Hygiene des Geschlechtslebens*, s. 121.)

«İnsan denen yaratığın zevkinde acı vardır.» Elbette, efendim, elbette! Ama bunu öne sürenlerin hiçbiri, kendi kendine, acaba bu acının kökeni toplumsal mı, yoksa doğal mı diye sormuyor. *Omne animal post coitum triste* (Her hayvan çiftleşmeden sonra hüzünlüdür) önermesi, bilimsel bir dogma haline geldi. Şunu unutmamak gerekir ki, böyle «yetkili kişiler»den gelen ilkelerin, onları saygıyla dinleyenler üzerinde büyük etkisi vardır; bu gibi sözler bireylerin beynine öyle derinlemesine kazılmaktadır ki, o düzmece ilkeleri yalanlayacak deneyleri bile çarpıtmakta, hattâ bireyin içine işleyişleriyle her türlü bağımsız düşünceyi hiçe indirgemektedirler; oysa bağımsız düşünce onları, ister istemez, acının zorunlu bir biçimde zevke karıştığı toplumsal durumun bilincine varmaya iterdi.

Kendimizi, Fürbringer gibi bir cinselbilimcinin aşağıdaki yargılarını okuyan gencin yerine koyalım :

«Bugünün genci yeni sorunlarla, özellikle cinsel etkinliğin taşıdığı tıbbî tehlikelerle, bunların başındaysa bir üreme organı hastalığına yakalanma tehlikesiyle karşılaşmaktadır. İçinde yaşadığımız toplumda, erkeklerin çoğunun, evlenmeden cinsel etkinliğe giriştiği bir giz olmaktan çıkmıştır. Toplumun bu işi ne ölçüde kabul ettiğini, hattâ onayladığını incelemek bize düşmez» (Handwörterbuch, s. 718).

Genç bu sözler arasından şunları aklında tutar:

1) Hekimin, yani konunun uzmanı olmayan kişi için en fazla sayılması gereken insanın görüş açısına göre cinsel ilişkiler «sağlığa zararlıdır». Bir delikanlının böyle sözler karşısındaki tepkisini görmüş, bunları okuyan gençlerin cinsel çatışkılara ve merak hastalığına kapıldıklarını bilen, bu gibi olumlamalarla çocukken yaşanan deneylerin ortak eyleminin sinir hastalıklarına yol açtığını saptamış kişi, böyle kafadan atma yargılara karşı çıkmakla yetinilmemesi, çok sert biçimde saldırılması gerektiği konusunda bizimle görüş birliğine varacaktır sanırım.

2) Tıp, cinsel ilişkilerde hastalığa yakalanma tehlikesi bulunduğuna inanmaktadır. Gruber, evlilik öncesi ya da evlilik dışı cinsel ilişki kuran her kadına kuşkuyla bakılması gerektiğini öne sürüyor. Bu tehlike karşısında, yalnız tanıdığımız ve sevdiğimiz biriyle cinsel ilişki kurmak gibi bir çözüm vardır elbet; ayrıca bu eşle, ilişki süresince birbirine bağlı kalmak üzere sözleşilebilir; ya da, başkalarıyla kurulan cinsel ilişkilerin ardından birkaç hafta sevişilmeyebilir. Sözün kısası, şöyle ya da böyle, üreme organı hastalıklarından korunulabilir. Eh, hastalık umacısını uzaklaştırdık diyelim, peki ya ahlâk kaygısı n'olacak? Gruber ve Fürbringer gibi aynı düşünsel aileye giren bilginler, evlilik dışı cinsel ilişkiye, Engels'in deyimiyle, «genelev gözlüğü»nden baktıkları için, gerici cinsel öğreti içersinde son derece rahattırlar ve insanlara şöyle ahlâk öğütleri verebilirler:

«Fahişeliğin tiksindirici ve tehlikeli oluşundan ötürü, diyor Gruber, birçok genç, evlenecek yaşa gelene dek, cinsel doyumu 'birine bağlanma'da arama eğilimi duyacaktır. Ama gençlerin şunu kafalarına iyice yerleştirmeleri gere-

kir: böyle bir bağlanma insanı üreme organı hastalıkların-
dan ancak el değmemiş bir kızla ilişki kurulur ve mutlak
bir bağlılık sağlanırsa korur; üreme organı hastalıkları son
derece önemli olduğundan, *bütün* çokeşli ilişkiler alabildi-
ğine tehlikelidir. Para için ve gizlice de olsa, gönül rahat-
lığıyla böyle bir 'ilişki' kuracak kadar alçalan genç kızdan-
sa bağlılık beklenemez. Eğer, sık sık görüldüğü üzere, genç
kız elden ele geçmekteyse en az yosmalıkla yaşayan kadın
kadar tehlikelidir. Daha yüce ereklere varmak isteyen gen-
cin şunu da kafasına yerleştirmesi gerekir: gerek aldığı eği-
tim, gerekse sevebilme yeteneği açısından kendisinden ge-
ri, özençlerini anlayamayan, yalnızca bayağı zevklere düş-
kün bir kızla yaşamak, sonunda, onun bilgi düzeyini de
düşürür. Böyle bir 'sevda ilişkisi' insanı *ruhsal açıdan,* za-
man zaman bir sokak yosmasına gitmekten daha çok kir-
letir; sokak yosmasına gitmekse, ayakyoluna gitmek gibi,
insanın doğal gereksinimlerini gidermesine yarar.»
(Hygiene des Geshlechtslebens, s. 142 - 143.)

«El değmemiş» bir kızla ilişki kurmak insanı hastalık-
tan korur, diyor Gruber. Ama bu çözümü uygulanamaz
hale getirmek için aşağıdaki satırlar yeterlidir:
«Açıkça söylenerek yapılsa bile, 'geçici bir sevda uğ-
runda' duyguları soylu, onurlu bir kızın gönlünü çelmek,
dürüstlüğe aykırıdır.
«Erkek, şaşmaz bir içgüdüyle, el değmemiş eşi yeğle-
diği için — evlenmesini güçleştirdiğinden, genç kızın kız-
lığını bozmanın başlı başına bir zarar oluşu üzerinde dur-
mayacağım.
«Asıl sorun, kadın ruhunu sarsmadan, derinden yara-
lamadan böyle bir ilişki kurulamamasındadır. Çünkü her
iyi kadında analık arzusu doğuştandır ve cinsel ilişki an-
cak çocuk doğurma umudu varsa kadını tam anlamıyla
mutlu kılabilir. Nitelemek istemediğimiz hilelerle bir ka-
dını cinsel ilişkinin bayağılığına düşüren erkek, onun elin-
den, ilk sakınımsız sarılmalarıyla yasal evliliğin getireceği
yüce mutluluk anını çalmaktadır» (s. 144 - 145).

Görüldüğü gibi, «bilimsel» gözlemler evlilik kurumunun çıkarına uydurulmuştur. Cinsel etkinliği iten soğuk kadınların ruhçözümlemesi bize «yalnızca analık umudunun kadını mutlu kıldığı» sözünün gerçek anlamını göstermiştir. «Yasal evliliğin ilk sakınımsız sarılmaları»nın gerçek anlamınıysa, «yasal evlilik» sonucu hastalanan kadınları iyileştirmeye çalışırken öğrenmekteyiz.

İnsanları düzenli olarak cinsel ahlâk içersinde eğitmekte, ünlü bir üniversite öğretmeninden daha güçlü kişi var mıdır? Gerici toplum vaizlerini seçmekte son derece usta doğrusu.

Gruber, uçkuru bağlı yaşamanın zararlı olmak şöyle dursun, tohumlar vücut tarafından yeniden özümlendiği, böylece «bir protein kaynağı» sağladığı için, sağlığa yararlı olduğunu öne sürdüğü zaman, «bilimsel yetke»nin gerici kuramsal erekler uğrunda tehlikeli biçimde kullanılması son kertesine varmaktadır. «Tohumun bedende saklanmasının zararı diye bir şey söz konusu olamaz, çünkü tohum, sidik ya da dışkı gibi zehirleyici bir salgı değildir.» Gruber, bunu dedikten sonra, bu anlamsız sözünü o haliyle bırakmakta kararsızlık geçirir. Ekler :

«Bununla birlikte, tohumun yeniden vücuda mal edilmesinin yararlı olabilmesi için belli bir sınırda kalması gerektiği, fazlasının zararlı olabileceği düşünülebilir. Buna şöyle karşılık verilebilir: doğa —çok sık olmadıkları zaman kurala uygun düşen— gece boşalmalarıyla, aşırı tohum birikmesini önler. Ayrıca, *üreme aygıtı çalışmadığı zaman tohum üretimi kendiliğinden düşer.* Bu konuda, yumurtalıklar da vücudun öbür organlarına benzer: kullanılmadıkları zaman, oradaki kan dolaşımı yavaşlar, *bunun sonucundaysa, yumurtalıkların beslenmesi ve canlılığı azalır.* Böylece tehlike uzaklaştırılmış olur» (sözcüklerin altını ben çizdim, W. R.) (s. 72).

Bu cümleleri gereken dikkatle okuyun lütfen. Gruber' in burada dile getirdiği şey, bütün gerici cinselbilimin özüdür: ahlâkî düzenin, kafa eğitiminin ve Devlet'in çıkarı uğruna, üreme aygıtının uykuya yatırılması öngörülüyor. Bunu belgesiz öne sürsek, kimse sözümüze inanmazdı. Gerici cinsel öğretinin özü, *cinsel körelme*'dir! Eh, o zaman kadınların % 90'ının, erkeklerinse % 60'ının cinsel açıdan sakat, sinir hastalıklarının da toplumsal bir sorun haline gelmiş olmasına şaşmıyorsunuz artık.

Çare olarak «tohumların protein kaynağı olarak vücut tarafından emilmesi»ne, gece boşalmalarına ve yumurtalıkların körelmesine sığındınız mı, geriye bir tek iş kalır: insanları iğdiş etmek. Ama bunu yaptığı an, «nesnel» bilim, «insanlığın gelişmesi» ve «kafa eğitiminin ilerlemesi» uğruna, kendi kendini kötürüm etmiş olurdu. Ancak, faşistlerin yönetimi altında, «kafa eğitimimiz»in bu ender çiçeği de kısırlaştırma halinde boy atmıştır.

Gruber'in *Cinsel Yaşamda Sağlıkbilgisi* adlı kitabı 400.000 basıldığına, dolayısıyla en az bir milyon kişi —özellikle de gençler— tarafından okunduğuna göre, sinir hastalıklarının ve cinsel güçsüzlüğün doğuşunda rol oynayan bir dış etken olarak toplumsal etkisini kestirmek son derece kolaydır.

Cinselbilimcilerin çoğu kendisine katılmadığı için, yalnız Gruber'i örnek vermenin doğruyu tam yansıtmadığı öne sürülebilir. Biz de o zaman, sözümona Gruber'e katılmayan bu cinselbilimcilerden hangisinin, adamın yaptığı kötü etkiyi yokedecek bir inceleme yayımladığını sorabiliriz. Tozlu bilimsel dergilerde kalan uykudaki boşalmalar ve kendi kendini doyurmayla ilgili yazıları hesaba katmıyor, bilimsel inancın etkin bir biçimde dile getirilmesinden söz ediyorum: örneğin, halkın bu konudaki susuzluğunu ceplerini doldurmak için kötüye kullanan, cinselbilimden haberi bile olmayan binlerce hekimin ürettiği tiksinç yayınları başarısız kılacak halk kitapçıkları. «Üreme organı hastalığı» ve «kendi kendini doyurma» umacıları, bir avuç hekime seslenen bilimsel incelemelerle kovulamaz. Arkadaş saygısı ile şu uyduruk «hekimlik töreleri» ardına da sığınılamaz. Hayır, sorun çok daha başka yerdedir; Gruber gibilerin basmakalıp görüşlerine katılmayanlar, kendi doğru görüşlerinin ve bilimsel inançlarının gerektirdiği sonuçlara varmakta kararsızlık geçirmektedirler: öyle yaptıkları an geleneksel bilgiye tanınan sınırları aşmak, tutucu toplum içersindeki güvenliklerini yitirmek tehlikesiyle burun buruna geleceklerdir. Eh, insan öyle kolay kolay atmaz kendini bu tehlikeye.

Bu anlayışlarla kavgaya girişme denemeleri yok değildir elbet. Ancak, aşağıda görüleceği üzere, bu girişimler ya karışık, ya da günün havasına uygundur:

«Aynı şekilde, cinsel konuların sık sık rastlandığı üzere tu kaka ilân edilmesini önleyebilmek ve bunları daha iyi değerlendirebilmek için, cinsel yaşamın temel bedensel ve ruhsal süreçlerine ilişkin bilgilerin yayılması çok iyi olur. Gerçekten de, birey için, gerek kendi coşkularını, gerekse bunların doğurduğu davranışları anlamakta, kesinleşmiş bilimsel olguların önemi büyük olabilir. Kafa eğitimi alanındaki gelişmenin, özellikle en köklü yanıyla, sonunda cinsel törelerin yozlaşmasına değil, tam tersine, bunların incelip soylulaşmasına yol açacağını ummak gerekir.»

(*H. E. Timerding, Handwörterbuch,* s. 713.)

Cinsel yaşamın temellerinin bilinmesi «iyi olur»muş (işin *özü* değilmiş); bilimsel olguların bilinmesinin «önemi büyük olabilir»miş (büyük *değilmiş);* «törelerin yozlaşmasını» değil, «incelip soylulaşma»larını «ummak gerekir»miş. Bir sürü boş lâf.

Ancak, durum daha da kötüdür: kuramların bulunup dile getirilmelerine ahlâkî önyargılar bulaşmıştır. Bu iş, başka alanlarda tutucu önyargılara kapılmayan yazarlarda bile görülür. Ama tutucu öğretilerin en köklüsü cinsel öğreti olduğundan, buna hiç şaşmıyoruz.

Örneğin, kadınların cinsel soğukluğunun dölyolu duyarlığının tutukluğundan ileri geldiği, bu tutukluk yokedilir edilmez dölyolu duyarlığıyla bedensel boşalma gücünün yerine geldiği herkesçe bilinen bir olgudur: Oysa, Paul Krische, «*Neuland der Liebe - Soziologie des Geschlechslebens*» (Sevinin Yeni Yolları - Cinsel Yaşamın Toplumbilimi) adlı yapıtında bize şunları öğretiyor:

«Kadında biricik cinsel zevk ve uyarılma bölgesi, bir-takım bilgin ve hekimlerin hâlâ öne sürdüğü gibi, dölyolu ile dölyatağının iç kesimi değil, bızır'dır (clitoris'tir). Çünkü cinsel uyarılma, bızırda bulunan oyuk cisimciklerle Krause cisimciklerine bağlıdır. Ve işte bu yüzden, ayrıca çocuk doğurma yolları oldukları için, dölyatağıyla dölyolu cinsel duyumları beyne iletmezler... Doğa, doğumu dayanılmaz bir işkence haline getirmemek için, dölyolu boşluğu duygusuz kalsın diye, duyarlı kesimi bızıra indirgemiştir... Ama doğa, böylece, insanlık tarihi boyunca çözüme bağlayamadığı bir çatışkı yaratmıştır: doğum kolay olabilsin diye dölyolunu duygusuzlaştırmış, dolayısıyla kadının cinsel birleşmedeki haklı doyumunu engellemiştir» (s. 10).

Krische, daha sonra, Cermen ırkında, «kadınların en az % 60'ının cinsel birleşmede pek ender doyuma erdiğini ya da hiç eremediğini» söylüyor. (Bu durumda, doyuma eren % 40'ın doğa tarafından konan yasaklarla nasıl uzlaştıkları sorulabilir!) Bunu da, sözü geçen ırkta, bızırla, dölyolu arasındaki uzaklığın —sözümona— öbür ırklarınkinden fazla oluşuna bağlıyor. Ama daha ötede, tutucu ahlâk da hakkını alıyor :

«Gebelik için en elverişli çağ, yirmi ile yirmi beş yaş arasıdır. Böylece doğa, erken gebe kalmaları önlemek üzere, koruyucu önlem olarak, küçük yaştaki kızlara daha az uyarılganlık vermiştir.»

Doğa'nın, yumurtacık yapımını yirmi ya da yirmi beş yaşına dek geciktirmeme beceriksizliğine neden düştüğü söylenmiyor. Hattâ, «Doğa» denen şu yeni tanrıçanın neden, her şeye karşın cinsel uyarılma rahatsızlığı çeken genç kızların büyük çoğunluğunu bu dertten kurtarmadığını da sorabilirdik kendisine. Ayrıca, kızların değil on dört, üç dört yaşında kendilerini okşamaya başladıklarını, bebekleriyle oynadıklarını «doğa uygun yaşın yirmi ile yirmi beş arası olduğu»nu bildirse de, babalarından gebe kalmak istediklerini biliyoruz. Sakın bu «doğa», kadının bizim toplumdaki, cinsel «usluluk»la el ele vermiş, iktisadî durumu olmasın? On dört yaşındaki Zenci ya da Hırvat kızlarının durumu nedir acaba? Doğa onlarla ilgilenmeyi mi unutmuştur?

Nesnel açıdan bakıldığında, bu kuramların, bilimsel incelemeyi cinsel rahatsızlıkların gerçek toplumsal ve ruhsal nedenlerinin aranmasından vazgeçirme ereğini güden dolaplardan başka bir şey olmadıkları görülür: *Cinsel gereksinimi, öncelikle ve özellikle, çocuk doğurmanın hizmetindeki bir işlev olarak yorumlamak, tutucu cinselbilim tarafından kullanılan bastırma yöntemlerinden biridir.* Erekçi yani düşüncü (idealist) bir anlayıştır bu, çünkü ister istemez doğaüstü kökenli olması gereken bir ereği öngörmektedir. Bilimsel araştırmaya yeniden fizikötesi bir ilke sokmakta, dolayısıyla dinsel ya da gizemsel bir önyargıdan gelmektedir.

2 — HER TÜRLÜ CİNSEL DÜZELTİMİN BOĞULMA NEDENİ EVLİLİK AHLÂKI

a) *Helene Stöcker*

Önceki bölümde, her türlü geleneksel cinsel düzeltimi çıkmaza sokan şeyin evlilik kurumu ile onun doğal yapısına inanmak olduğunu göstermeye çalıştık; cinsel yoksulluk, mantık gereği, evlilik öğretisine indirgenir; buyurgan toplum, bu öğreti aracılığıyla, bütün cinsel etkinlikleri kesin biçimde etkilemektedir. Programları cinsel düzenlilik açısından insana uygun gelen uyanık ve ilerici düzeltimciler bile, bu noktada şapa oturmaktadırlar. Programları da işte bu yüzden kısır ve umutsuzdur.

Alman cinsel düzeltim hareketi ezilmiştir. Ancak, öbür ülkelerde, gençlerin cinsel yaşamının yadsınmasından doğan çelişkilerle yüklü olsa da, ilerlemektedir. Aşağıdaki tartışma, bütün özgürlükçü (liberal) cinsel düzeltim denemeleri için geçerlidir.

Helene Stöcker'in tinsel önderliğini yaptığı *Deutscher Bund für Mutterschutz und Sexualreform* (Alman Analığı ve Cinsel Düzeltimi Koruma Derneği), 1922'de hazırlanıp oylanan *«Program»*ını yayımladı. Önce, cinsel tutumbilim açısından geçerli ilkelere dayanan bu *«Program»*ı aktaralım.

ALMAN ANALIĞI VE CİNSEL DÜZELTİMİ KORUMA DERNEĞİ'NİN PROGRAMI

1. Hareketin yapısı ve ereği

«Bu hareket, insan yaşamının yüce değerine inanan, onu destekleyen, iyimser bir dünya görüşüne dayalıdır.

«Hareketimiz, bu ilkelerden yola çıkarak, erkeklerle kadınların, ana-babalarla çocukların, kısacası insanların ortak yaşamını elden geldiğince zengin ve verimli kılmak istemektedir.

«Dolayısıyla görevimiz gittikçe artan sayıda bireye, fahişeliği, cinsel hastalıkları, cinsel ikiyüzlülüğü ve zorlama perhizi hoşgören ve geliştiren toplumsal koşullarla ahlâk anlayışlarının tiksinçliğini göstermektedir.

«Bugünkü ahlâkî değerlerin karışıklığı, doğurdukları toplumsal kusur ve acılar, tez elden bu soruna çare aranmasını gerektirmektedir. Buysa, hastalık belirtilerinin kaldırılıp atılmasıyla değil, ancak kökteki nedenlerin yokedilmesiyle gerçekleşebilir.

«Ama hareketimizin tek amacı hastalıkların yokedilmesi değildir; aynı zamanda, kişinin toplumsal yaşamının sevinçle dolmasına olumlu biçimde katkıda bulunmak istiyoruz. Dolayısıyla, ereğimiz: 1) *Annenin sağlığını* güvenlik altına alarak, yaşamı daha kaynağında korumak; 2) Cinsel yaşamı yalnızca döl vermenin hizmetinde bırakmamak, bir *cinsel düzeltim* gerçekleştirerek bireyin gelişmesinde, yaşama sevincinin sağlanmasında kullanmaktır.

2. Ahlâk anlayışının genel ilkesi

«İnsan ilişkilerinin, özellikle de cinsel ilişkilerin esen-

liğe kavuşturulmasının birinci koşulu, zorunlu isteklerini
uyduruk doğaüstü buyruklara, dindışı keyfî çekidüzen ver-
melere ya da düpedüz geleneğe dayandıran ahlâk anlayış-
larının etki dışı bırakılmasıdır. Ahlâk da bilimin en son
buluşlarına dayanmalıdır. Tam bir sorumsuzlukla, eskiden
bir anlam taşıyan ve bazı sınıfların çıkarına çalışan bir
temel ahlâk kuralını sonsuza dek saklayamayız. Bizim için
«ahlâk»ın denektaşı, gerek bireysel, gerekse toplumsal açı-
dan, insanı daha zengin ve uyumlu bir yaşama kavuştu-
rup kavuşturamayacağıdır.

«Bundan ötürü, beden-ruh karşıtlığını kabul etmiyo-
ruz; cinslerin doğal olarak birbirini çekişine 'günah' dam-
gası vurulmasını, 'duyusal haz düşkünlüğü'nün aşağılık
ya da hayvanca bir şey sayılmasını, ahlâklılığın temel il-
kesinin 'beli sıkılık' olmasını istemiyoruz! Bizim için in-
sanoğlu parçalanmaz bir varlıktır, bedensel gereksinimle-
ri de, ruhsal gereksinimleri de aynı özen ve sağlığı bekler.

«Ahlâkî ilkeler, ancak dingin, yani bireylere eşit hak-
lar tanıyan, yeteneklerini geliştirebilmeleri için en iyi ko-
şulları sağlayan bir toplumsal yaşamın türlü durumların-
dan doğal olarak çıktıkları zaman bu adı taşımaya değer-
ler. Bizim için, belirli koşullar altında, bireyin kişiliğini ge-
liştirmesine ve daha iyi toplumsal yaşama biçimlerinin ge-
lişine katkıda bulunan ilke 'ahlâkî'dir.

3. Cinsel ahlâk

«Şimdiki ahlâk düşüncelerimiz ve toplumsal dizgemiz
cinsel ikiyüzlülüğü, dokusal hastalıkları ve daha başka
dertleri beslemektedir. Dolayısıyla amacımız, gittikçe ge-
nişleyen çevrelere, bu durumun ne denli dayanılmaz oldu-
ğunu ve bu düşüncelerdeki karışıklığı göstermek; ve bu dü-
şüncelerle durumlara var gücümüzle savaş açmaktır. Er-
dem'in 'cinsel perhiz'le bir tutulmasını da, biri erkeğe,
öbürü kadına uygulanan iki ayrı ahlâkın bulunmasını da
istemiyoruz.

«Cinsel ilişki, bu haliyle, ne ahlâklı, ne de ahlâksızdır.

Doğal bir gereksinimden doğan bu ilişki, dış durum ve koşulların araya girmesiyle ve bireylerin takındıkları tutumla ahlâklı ya da ahlâksız olur. Cinsel etkinliğin imlemi aslında başlıca sonucu olan döl vermede tükenmez.

«Tam tersine, bireyin gereksinimlerine karşılık veren cinsel etkinlik gerek iç, gerekse dış yaşamda kurulacak uyumun temel koşuludur. Yapısı gereği, başka birini kendine çekebilme olanağını gerektirir. Bu koşullarda, sevisel yaşam birtakım can alıcı deneylere girişebilme olanağı yönünden zenginleşir, insanın yaşamı anlama ve başkalarını tanıma yeteneğini derinleştirip inceltme yolunu açar, kişiyi *analık* ve *babalık*'ta gerçek yaratıcılığa götürür.»

Bu sözleri böyle uzun uzun alışımız, temelinde onlara katılışımızdandır; ama başka bir nedeni de, içlerindeki çelişkiyi gözler önüne sermektir.

«Hareketin yapısı ve ereği» bölümünde, cinsel yoksulluğun «kökündeki nedenlerin sökülüp atılması» gereğine parmak basılıyor; «ahlâk anlayışı»nın bazı sınıfların çıkarına çalıştığı, «bireyin gereksinimlerine karşılık veren bir cinsel yaşamın gerek iç, gerekse dış yaşamda kurulacak uyumun temel koşulu» olduğu söyleniyor, ki bunlar cinsel tutumbilimin buluşlarıyla tıpa tıp çakışmaktadır.

Ama bunun, insanı «analık ve babalıkta gerçek yaratıcılığa» götürecek biricik yol olduğunu ileri süren cümle, kanıtlanmamış, kanıtlanması olanaksız bir sav getirmekte, daha önce söylenenleri bir çırpıda hiçe indirgeyen bir yargıya öncülük etmektedir. Bu yargı, şimdiye dek cinsel yaşamın düzene konması denemelerinin hepsinin başarısızlığa uğradığı noktayla, yani gençlik ve evlilik sorunuyla ilgilidir:

«İki cinsten gençlerin kendilerini denetlemeye alışmasını, alıştırılmasını, karşı cinse görevi içersinde saygı duymasını, özellikle erkeklerin tez vakitte kadını insan yerine koymayı, onun ruhsal ve coşkusal yaşamını öğrenmesini kaçınılmaz bir koşul sayıyoruz. Dolayısıyla, bedensel ve coşkusal erginliğe varana dek *kesin perhizden yanayız.* Buna karşılık yetişkinlerin, ardından geleceklerin bilincinde olmaları ve başka bireylerin *haklarını* (örneğin eşe bağlılık hakkını) çiğnememeleri koşuluyla, gereksinimlerine uygun cinsel ilişki kurmalarını doğal bir hak sayıyoruz.»

Burada, yukarda söylenenlerle çelişen sözler buluyoruz :

1. Kadının «İnsan yerine konması». Şurası çok açık ki, bu lâf, öteden beri yinelenen beylik sözün temcit pilavı gibi önümüze getirilmesinden başka bir şey değil, çünkü hemen ardından :

2. *«Dolayısıyla* bedensel ve coşkusal erginliğe varana dek kesin perhizden yanayız» deniyor.

Hiç kimse kalkıp da kendi kendine, cinsel birleşmenin neden kadının «saygınlığı»na gölge düşürdüğünü, bunun mutlak ve soyut olarak mı, yoksa bugün ve bizim toplumda mı, ve hangi nedenle doğru olduğunu sormuyor. Ayrıca, gencin bedensel ve coşkusal erginliğinin *ne zaman* tamamlandığını da, ölçütlerini de belirtmiyorlar. Herkesin bildiği gibi, gençler bedensel erginliğe, yani döl verebilme yeteneğine 14 - 15 yaşında kavuşurlar. Ruhsal erginliğe gelince, bu daha değişkendir, gencin yaşadığı ortama bağlıdır. Sizin anlayacağınız, «bedensel ve coşkusal erginlik» gibi son derece genel bir kavramın ortaya çıkardığı bir sürü çelişki var karşımızda.

3. «Yetişkinlerin cinsel ilişki kurmalarını doğal bir hak saymak.» Peki, ne zaman yetişkin oluyor gençler? «Yeter ki bu ilişki başka bireylerin, örneğin eşe bağlılık gibi haklarını çiğnemesin.» Bunun anlamı, karının kocanın, kocanın da kadının bedeni üzerinde hakkı olduğudur. Ne hakkı bu? Başkası bulunmadığına göre, evliliğin verdiği hak. Buysa, *Program*'ı yazanların savaş açtıkları gerici yasalarla öğretinin görüş açısıdır.

Alın size bir çelişki daha :

«Evliliğin özünün ve 'ahlâka uygunluğu'nun birtakım biçimsel işlemlerin yerine getirilmesinde olduğu görüşünde değiliz. Şimdilik evlilik anlayışı, yasanın buyruğuna uyulduğu sürece, aile birliğinde rol oynayan gerekçeleri hiç hesaba katmamaktadır. Biçim yönünden geçerli her sevisel ilişkiye —ve yalnız bunlara— 'ahlâki' gözüyle bakılmaktadır. İç doğrulamaları, değerleri ya da sorumluluk istekleri ne olursa olsun, onların dışındakiler 'ahlâkdışı' sayılmaktadır. Sonuç olarak, bu anlayış uyarınca, bireyler, ortak yaşamlarının hiçbir anlam taşımadığını, sürmesi için hiçbir neden kalmadığını, işkence haline geldiğini hissettikleri, ya da hattâ kılgısal olarak bozulduğu zaman bile yasa tarafından evliliğin boyunduruğunda kalmaya zorlanmaktadırlar.»

Çok güzel. Ama dahası var :

«Tekeşli yasal evliliği, insanlar arasındaki cinsel ilişkilerin en yüce, en arzulanır biçimi sayıyoruz. Gerek cinsel ilişkileri sürekli biçimde düzene koyabilmek, gerekse ailenin sağlıklı gelişmesini ve insan toplumunun dengeliliğini sağlayabilmek için tekeşli evlilikten daha iyisi yoktur. Bununla birlikte, tekeşli evliliğin ancak pek az kimsenin yaklaşabileceği bir ülkü olageldiğini, olduğunu görmezlikten gelmiyoruz. Gerçekte, cinsel yaşamın büyük bir kesimi *evlilik öncesinde ve dışında* kalmaktadır. Ruhsal ve iktisadî nedenlerden ötürü, yasa tarafından sımsıkı bağlanan evlilik, bütün *yasal sevgi ilişkilerini* kapsamaktan uzaktır; başka bir deyişle, bu ilişkiler, sonunda, 'sürekli bir evlilik'e dönüşmeyecektir.»

Demek ki, «tekeşli evliliğin ancak pek az kimsenin yaklaşabileceği bir ülkü olageldiğini, olduğunu», cinsel yaşamın büyük kesiminin evlilik dışında kaldığını görmezlikten gelmemekle birlikte, bizim Program'cılar «yasal tekeşli evlilik»ten yanadırlar. İlke olarak evlilik kurumunu savunanlar onun tarihçesi ve toplumsal görevi konusunda bilgi edinmeyi akıllarından geçirmemektedirler. Oturdukları yerden evliliğin cinsel ilişkinin en iyi biçimi olduğu kararına varır, ama sonra bir solukta bunun tersini de saptarlar. Eh, o zaman giriştikleri düzeltimin şöyle budalaca sözlerle eriyip gitmesine şaşılmaz elbet :

«Onun için bizler şunları istiyoruz :

a) Gerçek bir kadın-erkek eşitliğine dayalı yasal tekeşli evlilik *sürdürülmeli;* iki cinsin birbirini 'anlaması'nı artıracak karma okul falan gibi yollarla, evliliği ve ana-babalığı konu alan eğitimle, bir yandan evliliğin *ruhsal,* öte yandan da *iktisadi* koşulları geliştirilmelidir;

b) İnsanları evlenmeye götüren durumlar ortadan kalktığı, ya da hattâ evlilik sürekli ortak yaşamanın amaçlarına karşılık vermediği zaman kolayca gerçekleşebilmesi için *boşanma* yasaları yumuşatılmalıdır (özellikle, boşanma nedeni olarak suçluluğun yerine uyuşamama geçirilmelidir);

c) Yasal biçime uyulmasa bile, karşılıklı sorumlulukların bilincine varılarak kurulmuş ilişkiler, ahlâkî ve hukukî açıdan tanınmalıdır;

d) Gerek sağlığı koruma önlemleriyle, gerekse temel nedenlerini ortadan kaldıracak ruhsal ve iktisadî araçlarla 'fahişeliğe' karşı savaş açılmalıdır.»

1. Buyurgan toplumda, *«kadınla erkeğin gerçek eşitliği»* allı pullu bir lâf olmaktan öteye gidemez. Gerçekten de, böyle bir eşitlik, demokratik bir iktisadî yaşamla bireylerin bedenlerini diledikleri gibi kullanabilme hakkını elde etmelerini gerektirir. Oysa, bu durumlar gerçekleştiği an, evlilik de bugünkü biçimiyle ortadan kalkar.

2. *«Evliliğin iktisadî koşullarının geliştirilmesi»* de bugünkü üretim koşulları içinde cicili bicili bir söz olmaktan öteye geçemez. Kim gerçekleştirecek bu gelişmeyi? Şimdiki üretim biçiminin sürmesinde çıkarı olan toplum mu?

3. *«Evlilik konusundaki eğitim»*e gelince, o çocukluktan başlayarak veriliyor zaten. «Dernek» de aslında bu eğitimin sonuçlarıyla savaşmak için kurulmuştur. Cinsel içgüdünün bastırılmasına dayalı bir kurum, eğer bu deyimlere bir içerik kazandırmak niyetindeysek, daha başından «karma öğretim»e de, cinslerin «birbirlerini daha iyi anlamaları»na da karşıttır.

4. *«Boşanma yasalarının yumuşatılması»* kendi başına pek bir şey değildir: ya kadının ve çocukların iktisadî durumu boşanmayı engeller ve yasaların yumuşatılması hiçbir işe yaramaz; ya da üretim koşulları kadına iktisadî ba-

ğımsızlık sağlayacak, çocukların bakımını topluma yükleyecek biçimde değişir ve o zaman, hiç değilse varsayım olarak, bir evliliğin bozulması için dış engel kalmaz.

5. *«Fahişeliğin temel nedenleriyle savaş»*, onu doğuran nedenler kadınların iş dünyasında çok az kullanılması ve «iyi aile» kızlarına verilen iffetlilik öğretisi olduğundan, sağlığı koruyucu önlemlerden çok daha başka şeyler ister. Hem sonra kim alacak bu önlemleri? İş dünyasını düzene koyma gücünden yoksun, yapısı gereği iffetlilik öğretisine bağlı gerici toplum mu?

Cinsel yoksulluk bu önlemlerin hiçbiriyle ortadan kaldırılamaz: şimdiki toplumsal yapının ayrılmaz bir parçasıdır çünkü.

b) *August Forel*

Toplumcu eğilimli hiçbir cinselbilimci, cinsel işlevin ticarileştirilmesinin insan sağlığında doğurduğu zararları August Forel kadar açık seçik ortaya koymamıştır; o, buyurgan yaşama biçiminin derinliklerine kök salmış bütün temel cinsel güçlükleri görmeyi başarmış, ama cinsel yoksulluğun iktisadî nedenlerini anlayamamıştır. Dolayısıyla, gözlemleri kılgısal girişimlerle değil, bitmez tükenmez yakınmalarla sonuçlanmış, cinsel yoksulluğun bugünkü toplum yapısına ne denli sıkı bağlı bulunduğunu açıklayacak yerde akıllı uslu öğütler vermekle yetinmiştir. Önceden kestirileceği üzere, kuramsal önyargısı, görüşlerinin çelişkilerinde dile gelmiştir. Forel, genel düzlemde kaldığı sürece, *Sexuelle Ethik*'te dile getirdiği gibi «gerek erkekte, gerekse kadında cinsel içgüdünün doyurulmasının ahlâkla ilgisi bulunmadığı»na inanmaktaydı. Şunları yazar bu konuda :

«Gözümüzü budaktan sakınmayarak şunu ileri sürüyoruz ki, eşlerden birine, üçüncü bir kişiye ya da ilerde doğabilecek bir çocuğa zararı dokunmayan cinsel ilişki ahlâka aykırı olamaz... İnsanın çalışma coşkusu ve zevki çoğu kez doğaya uygun içgüdüsel doyuma bağlı bulunduğundan, bu ilişkiler, suç alanına girmedikleri sürece hoşgörüyle karşılanmalıdır» (s. 20).

Yazıldıkları çağ gözönüne getirilirse, harika cümleler. Ama insanın «yapısı gereği genel olarak çokeşli» olduğunu saptadıktan sonra (ki bu, olguların gözlemlenmesini çarpıtan iki yönlü ahlâkın etkisidir), Forel aşağıdaki öğüdü vermek durumunda kalır :

«*Cinsel alanda ahlâki ülkü, karşılıklı ve sürekli sevgi ve bağlılığa, analıkla babalığın vereceği mutluluğa dayalı tekeşli evliliktir...* Bu, çağdaş karamsarlarımızın öne sürdüğü kadar ender değilse de, pek öyle yaygın da değildir; ama tekeşli evliliğin olabileceği, olması gereken şey olabilmesi için, kesinlikle özgür kılınması gerekir; yani eşler tam anlamıyla eşit olmalıdır; çocukların sorumluluğu gibi, evliliği dışardan güçlendiren bir zorlama bulunmamalıdır. Buysa, her şeyden önce, eşlerin mallarının ayrılmasını ve kadınla erkeğin yerine getirecekleri her türlü işin doğru olarak saptanmasını gerektirir.» *(A.g.y.)*

İyi ama, bu son konut (postulat) dayandığı temeli, yani kadının iktisadî ezilişini yokettiği an evlilik de kendiliğinden ortadan kalkar. Nitekim, bakın uygulamada nasıl oluyor :

«Uzun süredir bir kadına tutkunum ve bu tutkuyla savaşmaya uğraşıyorum», diye yazıyor öğüt isteyen bir hasta. «Eşlerin en iyisiyle otuz iki yıldır evli olduğum için, böyle bir ilişkinin ne anlamı ne de özürü bulunduğunu çok iyi görüyorum. Ancak, gün geçtikçe bu tutkuya direnebilme gücümün zayıfladığını hissediyorum.»

«İlk ağızda anıştırmayı denemeli. *Böyle durumlarda öğüt vermek güçtür*», diye karşılık veriyor Forel. Tutucu toplumda yaşayan bireylerin kafasında hep başka bir kadınla ilişki kurmanın «ne anlamı ne de özürü bulunduğu» düşüncesi varsa, öğüt vermek elbette güçtür.

c) *Dünya Cinsel Düzeltim Birliği'nin Sonu*

1920'lerin sonlarına doğru, özgürlük yanlısı toplumcu

ve insancı Magnus Hirschfeld çalışmasını *Dünya Cinsel Düzeltim Birliği (Weltliga für Sexualreform,* W.L.S.R.) adlı örgütte toplamıştı. Bu örgüt dünyanın en ilerici cinselbilim uzmanlarını ve düzeltimcilerini bir araya getiriyordu. Programı şöyleydi :

1. Kadının siyasal, cinsel ve iktisadî alanlarda erkeğe eşit kılınması;

2. Evliliğin (özellikle boşanmanın) Kilise ve Devlet'in koruyuculuğundan kurtarılması;

3. İsteyenin çocuk sahibi olmasını sağlayacak biçimde doğum denetimi;

4. Doğan çocuğun sağlığını güvenlik altına alacak insan dölünü iyileştirici önlemler;

5. Evlenmemiş analarla babasız çocukların korunması;

6. Cinsel etkinlik türlerinin, özellikle erkek ve kadın eşcinselliğinin (homoseksüelliğinin) doğru değerlendirilmesi;

7. Cinsel sapıklıkların suç, günah ya da kusur değil, hastalıklı görüngüler sayılması;

8. Fahişeliğin ve cinsel hastalıkların önlenmesi;

9. Yetişkin insanların karşılıklı onamayla giriştikleri cinsel etkinliklerin dışında, yalnız başkasının cinsel özgürlüğünü çiğneyen girişimlerin yasalarla cezalandırılması;

10. Örgütlü cinsel öğretim ve eğitim.

Birlik'in üç başkanından biri olan Danimarkalı cinsel tutumbilim uzmanı Dr. Leunbach, tam bir yetkiyle, bu programın hem değerli yanlarını göstermiş, hem de çelişkilerini eleştirmişti.[1]

Eleştirilerinin özü, Birlik'in tasarladığı düzeltimi «siyaset dışı» yollardan gerçekleştirmeye kalkmasına; her ülkenin özel yasalarının hesaba katılmasına izin verecek kadar ileri götürülen özgürlükçülüğe; çocuğun ve gencin cinsel yaşamına gösterilen ilgisizliğe; evlilik kurumunun tanınmasına yönelikti.

---

[1] *Von der bürgerlichen Sexualreform zur revolutionaren Sexual - Politik, Zeitschrift für politische Psychologie und Sexualoekonomie,* 2, 1935.

Hirschfeld'in ölümünden sonra. Norman Haire ile Leunbach aşağıdaki bildiriyi yayımladılar :

*«Dünya Cinsel Düzeltim Birliği'*nin bütün üye ve kollarına :

«Bizler, Birlik'in şu anda yaşayan başkanları, Londralı Dr. Norman Haire ile Kopenhaglı Dr. Leunbach, sizlere başkanımız Magnus Hirschfeld'in 14 Mayıs 1935'te Nis'te öldüğünü bildirirken son derece üzgünüz.

«Birlik'in geleceğini incelemek üzere bir toplantı düzenlemek isterdik. Ancak, 1932'de Brno'daki toplantıdan bu yana her türlü uluslararası toplantıyı yasaklayan nedenlerden ötürü böyle bir şey yapılamaz. Avrupa'nın iktisadî ve siyasal koşulları yalnız uluslararası toplantıları değil, Birlik'in bir sürü ülkedeki çalışmasını da yasaklamıştır. Birlik'in Fransız kolu dağılmıştır, İspanyol kolu, Hildegarth'ın ölümünden beri her türlü etkinliği kesmiştir, daha bir sürü kolun durumu aynıdır.

«Bildiğimiz kadarıyla, etkin bir biçimde işleyen yalnız İngiliz kolu kalmıştır.

«Uluslararası toplantının yapılamayışı karşısında, Birlik'in yaşayan iki başkanı, Dünya Cinsel Düzeltim Birliği' nin artık uluslararası bir örgüt halinde sürdürülmesinin olanaksızlığını kabul etmek zorunda kalmışlardır.

«Bu koşullarda, *Dünya Cinsel Düzeltim Birliği'*nin dağıldığını bildiriyoruz. Çeşitli ulusal kollar etkinliklerini bağımsız olarak mı sürdüreceklerine, yoksa dağılmaları mı gerektiğine kendileri karar vereceklerdir.

«Çeşitli kolların üyeleri arasında, Birlik'in ilk siyaset dışılığını sürdürüp sürdürmeme konusunda görüş ayrılıkları belirmiştir. Kimi üyeler, Birlik'in amaçlarına, aynı zamanda toplumcu bir devrim için savaşmadan varılamayacağı düşüncesindedirler.

«Dr. Haire, her türlü devrimci etkinliğin Birlik programından çıkarılmasında direnmektedir. Dr. Leunbach'sa, devrimci işçi hareketine katılmadığı, ayrıca istese de katılacak güce sahip bulunmadığı için, Birlik'in etkisiz kalmaya yazgılı olduğu görüşündedir. Dr. Leunbach'ın görüşü

Zeitschr. f. Polit. Psychol, u. Sexuealök, 2, 1935, numara 1'
de; Dr. Haire'in karşılığıysa numara 2'de yayımlanmıştır.
«*Dünya Cinsel Düzeltim Birliği*'nin dağılmasından son-
ra, çeşitli kolların üyeleri bu sorunları kendi başlarına çöz-
mekte özgür olacaklardır.»

NORMAN HAIRE, J. H. LEUNBACH

Cinsel yaşamı *gerici toplum çerçevesinde* özgür kılma-
ya kalkan bir örgütün sonuydu bu.

3 — CİNSEL EĞİTİM ÇIKMAZI

Genel olarak eğitimin, özel olarak da cinsel eğitimin bu-
günkü bunalımı, dikkatleri çocuklara cinsel bilgi verilip
verilmemesi konusu üzerinde toplamıştır; çocuklar insan
çıplaklığına, özellikle de cinsel organları görmeye alıştırıl-
malı mıdır, alıştırılmamalı mıdır? Hiç değilse doğrudan
doğruya Kilise'ye bağlı olmayan çevrelerde, genel kanı, cin-
sel alanda gizliliğin iyilikten çok kötülük yarattığıdır. Eği-
timin bugünkü üzücü haline son verme konusunda dürüst
ve kesin bir eğilim vardır elbet. Ama bunun yanında, eği-
tim düzeltimcileri arasında kör kör parmağım gözüne an-
laşmazlıklar da vardır ve bunların kökeni hem kişisel, hem
toplumsaldır. Ben burada yalnız çıplaklık ve cinsel eğitim
söz konusu olduğunda ortaya çıkan kimi güçlükleri tartı-
şacağım.

Çocuğun cinsel içtepileri arasından, özellikle üreme or-
ganlarının gözlenmesi ve gösterilmesi eğilimlerini herkes
bilir. Eğitimin bugünkü koşullarında, bu içtepiler çok kü-
çük yaşta baskı altına alınmakta, dolayısıyla çocukta iki
duygu gelişmektedir: birincisi, sözü edilen içtepilerin bir
yana itilmesine yol açan kesin yasağın doğurduğu suçlu-
luk duygusu; ikincisiyse, insanın türemesiyle ilgili konula-
rı örten perde ve «tabu»ların doğurduğu, cinsel şeyleri sa-
ran gizemli havadır; bu duygu, doğal içtepiyi, her şeye
şehvetli bir merakla bakmaya dönüştürür. Ve içtepinin bas-

tırılma derecesine göre, ya cinsel çekingenlik ya da şehvet düşkünlüğü daha çok gelişir; genellikle, ikisi bir arada yaşar, böylece ilk çatışkının yerini bir yenisi alır. Daha sonra iki çıkış yolu belirir: ya cinsel içgüdünün bastırılması sürer ve sinir bozuklukları ortaya çıkar, ya da bilinçaltına itilen arzu sapıklık, yani cinsel organlarını gösterme biçiminde dışa vurur. Eğitimin cinselliğe düşman oluşundan ötürü, bireyin öznel rahatını ve toplumsal yaşamını bozmayacak bir cinsel yapının geliştirilmesi rastlantıya ve bir sürü etkene bağlı kalır: bunlar, erginlik çağının yazgısı, ana-baba ve belli oranda toplumsal yetkeden kurtulma ve hepsinden önemlisi doğal kurallara uygun bir cinsel yaşam kurabilme olanağıdır. Öyleyse, üreme organlarının gözlemlenme ve gösterilmesini yasaklamanın hiçbir eğitimcinin arzulamayacağı sonuçlar doğurduğunu saptamak son derece kolaydır.

Geleneksel cinsel eğitimin tuttuğu yol, cinsel yaşamın olumsuz biçimde değerlendirilmesi ve bu konuda tıbbî değil, ahlâkî kanıtların öne sürülmesiydi; bunun sonucu sinir hastalıkları ve sapıklıklardır. Çıplaklığı kabul eden bir eğitime karşı çıkmak, cinsel etkinliğe düşman geleneksel eğitime izin vermek olur. Öte yandan, cinsel eğitimin amaçlarını oldukları gibi saklayarak çıplaklığı kabul etmekse, her türlü uygulama girişimini olanaksız kılan, çocuğu eskisinden daha tatsız duruma düşüren bir çelişkiye yol açar. Cinsel eğitim alanında ilericilikle gericiliği uzlaştıramazsınız, çünkü cinsel güdüler kendi iç yasalarını izler. Genel olarak cinsel eğitim sorununu ele almazdan önce, cinselliğe karşı mı ondan yana mı, yürürlükteki cinsel ahlâka karşı mı yoksa ondan yana mı olduğumuzu açık seçik belirtmemiz gerekir. Sorun konusunda herkesin açık seçik bilince varması, görüşlerin uyumunu belirler; bu olmadan cinsel sorunu tartışmak insanı daha başından başarısızlığa götürür. Biz de şimdi önceden var sayılan şeyleri gün ışığına çıkarmanın bizi nereye götürdüğünü göstereceğiz.

Biz, sağlığımız için yarattığı tehlikelerden ötürü, cinselliğe *düşman* eğitime karşı cinselliğe *dost* eğitimden yanayız. Kimileri bu sözümüze, tutumumuzun pek tehlikeli olmadığını, cinselliğin değerini kabul ettiklerini, yalnız «onun yüceltilmesi»ni istediklerini ileri sürerek karşılık verecektir. Oysa sorun bu değil; ele aldığımız konu, cinselliğin yüceltilip yüceltilmemesi değil, dişilerle erkeklerin birbirlerine cinsel organlarıyla vücutlarının daha başka heyecan uyandıran yerlerini gösterme korkusundan kurtulup kurtulamayacaklarıdır; asıl sorun, eğiticilerle öğrencilerin, ana-babalarla çocukların, oyun ve yıkanma sırasında birbirlerinin karşısına çıplak mı yoksa donla mı çıkacakları; sözün kısası, çıplaklığın doğal sayılıp sayılmamasıdır. Çıplaklık koşulsuz kabul edilirse —koşullu kabule ancak, çıplaklığın perhiz alıştırması haline getirildiği çıplaklar kampında rastlarız—, toplumsal ahlâk okyanusunun şurasında burasında boygösteren adacıklar için değil de, doğal cinsel etkinliğe yönelmiş köklü bir düzeltim için savaşılacaksa, genel olarak cinsellikle çıplaklık arasındaki ilinti incelenmeli ve girişimin —ki biz işte bu girişimi ele alacağız— saptanan amaçlara uyup uymadığı araştırılmalıdır.

Hekimlik yaşantısı, cinsel arzunun bilinçaltına itilmesinin hastalığa, sapıklığa ve şehvet düşkünlüğüne yol açtığını göstermiştir. Biz şimdi, cinselliği olumlayan bir eğitimin koşul ve sonuçlarını dile getirmeye çalışalım. Çocuğun karşısına çıplak çıkmaktan utanmazsak, onda cinsel korku ve şehvet düşkünlüğü gelişmez; ama hiç kuşkusuz cinsel merakını gidermek ister: bu arzuya karşı durmak güçtür ve başarılabilse bile, ancak çocuk için çok daha çetin bir çatışkı, örneğin cinsel sapıklık yaratarak yapılabilir. Bunu kabul ettikten sonra, çocuğun kendi kendini okşamasına karşı çıkmak olanaksızlaşır ve ona döl verme sürecini açıklamak gerekir elbet. Çocuğun cinsel ilişki sırasında ana-babanın yanında bulunma isteği de geri çevrilebilir; ama böyle bir davranış, cinsel yaşamın doğal sayılmasını kısıtlar. Çünkü o zaman, çocuğun neden sevişmeye katılmadığını, ruhçözümsel deneyin de gösterdiği gibi, nasıl olsa bu işe kulaklarıyla tanıklık ettiğini söyleyecek köpeksi bir ahlâkçıya ne karşılık verebiliriz? İkiyüzlü ahlâkçı, ayrıca, çocuğun hayvanların sevişmesini gördüğünü de söyleyebilir. Eee, neden anayla babanınkini seyretmesin? Bu sorular, bizim ahlâkçının durumunu güçlendirmekten başka işe yaramayacak ahlâkî yanıtların dışında karşılık veremeyeceğimizi gözler önüne serer. O zaman, olanca yiğitliğimizi toplayıp çocuğun sevişmemizi seyretmesine izin vermeyişimizin onun çıkarından çok, sevişirken rahatsız edilmeme isteğimize bağlı olduğunu kabul edebiliriz. Dolayısıyla, ya yeniden cinsel ahlâka başvurmak —ki bu ahlâk özü gereği cinsel etkinliğe karşıdır—, ya da son derece nazik bir konuyu, cinsel ilişki karşısındaki tutumumuzu gözden geçirmek zorunda kalırız. İkinci varsayımda, yaptığımız işi Sayın Savcı'nın öğrenmediğinden emin olmamız gerekir, yoksa halkın yüzünü kızartacak davranışlardan cezayı yeriz.

İşi büyüttüğümüzü sanan okura, çıplaklığın ve cinsel eğitimin onaylanmasının —bunlar akılsal yoldan ve tastamam gerçekleştirilse bile— gerek eğitimciyi, gerek öğrenciyi kodese tıktırabileceğine inanabilmek için bizi azıcık izlemesini söyleyeceğiz.[1]

Kendi çıkarımız uğrunda, çocuğun cinsel ilişkiyi görme arzusunu kandırmacayla geçiştirdiğimizi kabul edelim. Kısa bir süre sonra içinden çıkılmaz çelişkilere düşer, çocuğun bu işi kendisinin ne zaman yapabileceği konusundaki sorusuna doğru karşılık vermezsek, kandırmacalarımızın başarısızlığa uğradığını görürüz. Çocuk, yavrunun ana karnında oluştuğunu ve bunun için anayla babanın cinsel etkinlikte bulunması gerektiğini öğrenmiştir. Ana baba yürekliyseler, çocuğa, cinsel organıyla oynamak kendisi için ne denli zevk vericiyse, sevişmenin de kendileri için o denli hoş olduğunu öğretirler. Ancak, bunu öğren-

---

[1] İlkin 1927'de *Zeitschr. f. psychoan. Pädagogik*'te çıkan bu kesimi yayımlayan Danimarka ortaklaşmacı *Plan* gazetesi yazı işleri yönetmeni, alabildiğine özgürlükçü bir Hükümet tarafından kırk gün hapis cezasına çarptırılmıştır.

dikten sonra, çocuğun isteği daha fazla ertelenemez. Erginlik çağında, cinsel organlar yeniden kıpırdandığı, uyurken boşalmalar başladığı zaman, çocuğun cinsel ilişki kurmasını geciktirmeye kalktık mı, bizim ahlâkçı —ne denli gülünç gözükürse gözüksün— mantıklı bir davranışla, çocuğun sevişmesine izin vermemizi engelleyen şeyleri sorar! İşçi ve köylü dünyasında, cinsel yaşamın doğal kurallar gereği erginlik çağında, yani on beş on altı yaşında başladığının kabul edildiğini söyler. Oğullarımızla kızlarımızın doğal cinsel ilişki kurma tasarılarını on beş on altı yaşında, hattâ daha erken gerçekleştirmeye kalkmalarının aklımızı başımızdan alacağına kuşku yoktur. O zaman, biraz duraksadıktan sonra, birtakım kanıtlar arar, gencin zihinsel gelişmesinin sıkı perhize bağlı olduğunu öne süren «kültürel yüceltme» kanıtına sarılırız; o güne dek cinsel kısıtlamasız yetiştirilmiş gençlere, kendi çıkarları için, «şimdilik» cinsel ilişki kurmaktan kaçınmalarını salık veririz. Ama bizim bilgili, iblis ahlâkçı, kesin iki kanıt gösterir. Bir kere, der, tam bir perhiz yoktur: cinselbilimcilerle ruhçözümcüler gençlerin hemen hemen % 100'ünün kendi kendilerini doyurduklarını, bununla sevişme arasında pek bir ayrım bulunmadığını söylemekteler. Ayrıca, kendi kendini doyurma cinsel gerilimin azalması yönünden doğal sevişmeden daha az etkili olmak bir yana, daha yoğun ruhsal çatışkılara bağlıdır, bundan ötürü daha zararlıdır. İkinci olarak, diyecektir ahlâkçı, kendi kendini doyurma böylesine yaygın olduğuna göre, cinsel perhiz savı doğru olamaz. Duyduğuna göre, çocukta ve ergin gençte, kendi kendini doyurmak değil, doyurmamak hastalık belirtisidir; perhizde yaşayan gençlerin sonradan daha etkin yetişkinler olduklarını gösteren bir kanıt yoktur elimizde; tam tersine, böyleleri daha edilgin olmaktadır. İşler bu noktaya gelince, Freud'un, kadınların genel zihinsel geriliklerini onların daha büyük bir cinsel baskı altında oluşlarına bağladığını ve bireyin cinsel yaşamının toplumsal erginliğinin aynası olduğunu öne sürdüğünü anımsatabiliriz. Sonradan kültürel gereklilikle cinsel baskıyı öne sürerek çelişkiye düştüğü doğrudur. Doygun cinsel yaşamla doyurulmamış cinsel yaşam arasında ayırım yapmadı Freud; bunlardan birincisi kafa eğitiminin gerçekleştirilmesini kolaylaştırır, ikincisiyse engeller. Sıkı perhiz dönemlerinde yazılmış birtakım kötü şiirler kanıtlayıcı değildir.

Böylece, düşünsel açıdan aydınlatılmış olduk; şimdi, bu ipe sapa gelmez kanıtlamamızın gerekçelerini bulmaya çalışalım; bunu yaparken, ilerici amaçlarımızla uyuşmayan, hiç de hoşa gitmeyecek, ilginç eğilimler buluruz kendimizde. Zihinsel gelişmeyle ilgili kanıtımız, cinsel yaşamın kendi yolunu izlemesine izin vermeyişimizi akıl çerçevesine oturtma çabamızı gösterir. Ama bütün bunları bizim ahlâkçıdan büyük bir özenle saklarız; büyük bir içtenlikle, kanıtlarımızın iler tutar yanı bulunmadığını kabul eder, ama hemen ardından daha ciddî kendi ürünümüz olan bir kanıt öne süreriz; peki, onları yetiştirebilmek için elde iktisadî olanak bulunmadığına göre, bu ilk birleşmelerden doğan çocuklar n'olacak? Karşımızdaki ahlâkçı, büyük bir şaşkınlıkla, erginlik çağına gelen öğrencilere neden gebelikten korunma çarelerini öğretmediğimizi soracaktır. Ahlâksızlığı önleyen yasaları düşünmek ayağımızı toplumsal gerçekliğin sağlam toprağına bastırır. Öyle bir şeye kalkıştığımız an başımıza bin türlü dert açılabilir; çıplaklığı savunmakla, çiçeklerin değil, insanların döllenmesini anlatan cinsel eğitimimizle, tutucu ahlâk yapısının taşlarını birer birer çekip almaktayız; evlilikten önce kız oğlan kız kalma ülküsüyle de, uzlaşmaya dayanan evliliği yıkmaktayız. Çünkü aklı başında hiç kimse, ciddî, ödünsüz, bilimin verilerine dayalı bir cinsel eğitimden geçmiş bireylerin, yürürlükteki zorlayıcı törelerle ahlâka uyacaklarını savunamaz.

Bizi istediği noktaya çeken ahlâkçımız, büyük bir çalımla, dürüst bir cinsel eğitimin gerçekleştirilebilmesi için öne sürdüğümüz isteklerden bir tekinin bugünkü toplumsal koşullarda gerçekleştirilebileceğine içtenlikle inanıp inanmadığımızı soracaktır. Bütün bunları dileyip dilemediğimizi soracaktır. Haklı olarak, eğer evlilikle ilgili de-

ğerlerin, iffetin, ailenin ve tutucu toplumun ayakta kalma-
sını istiyorsak, kendisinin yalnızca cinsel etkinliği yadsı-
yan eğitimin, sinir hastalıklarının, sapıklıkların, fahişeli-
ğin ve cinsel hastalıkların oldukları gibi kalmaları gerek-
tiğini kanıtlamaya çalıştığını söyleyecektir. Ve bir sürü
ateşli düzeltimci onun bu görüşüne katılacaktır; katılansa,
ilericilik duygusunu yitirmemek için, sözlerimizin abartıl-
mış olduğunu, cinsel bilginin insanları saydığımız aşırı so-
nuçlara götürmeyeceğini, ayrıca o kadar önemli de olma-
dığını öne sürecek kişiden daha dürüst, daha tutarlı, daha
bilinçli davranmış olacaktır Böyle ilericilere, şimdiki ça-
balarının ne işe yaradığı sorulabilir.

Ana-babalar çocuklarına tutarlı ve akılsal bir cinsel
eğitim sağladıkları an, sıradan ana-babaların büyük önem
verdikleri bir sürü amaçtan vazgeçmeleri gerekir: çocuk-
ların erginlikten yıllarca sonra da aileye bağlı kalmaları,
çocukların cinsel yaşamının «iyi eğitim»in şimdiki kural-
larına uygunluğu, yaşamın önemli kararlarında ana-baba-
ların yargısına boyuneğme, kızlar için evlilik öğretisine
uygun «gözünden vurulacak turnalar» ve daha başka de-
ğerler. Çocuklarını bu türlü yetiştirecek birkaç ana-baba-
nın hiçbir toplumsal etkisi olmaz. Bu gibiler, çocuklarını
sinir hastalıklarından korusalar bile, çok ciddi toplumsal
ve ahlâkî çatışmalara hazırladıklarını bilmelidirler. Ancak,
bugünkü toplumsal düzenden hoşlanmadığı için onu örne-
ğin okulda girişilecek bir yan etkinlikle değiştirebileceğini
sanan kişi, yaşama olanaklarının elinden alınması ya da
hapse atılmak, akıl sağlığı yurduna kapatılmak gibi yol-
larla kendisine toplumsal düzeni değiştirme yöntemini bi-
zimle tartışma olanağını bırakmayacağımızı kısa zamanda
anlayacaktır. Toplumsal düzenin sürmesinde maddî çıkar-
ları bulunanların sözünü ettiğimiz düzeltimci hareketlere
ancak hoşça vakit geçirme aracı olarak kaldıkları sürece
göz yumduklarını hattâ desteklediklerini, ellerindeki so-
mut üstünlüklerle bunların düşünsel karşılıkları olan de-
ğerleri tehlikeye düşüren her girişime tüm olanaklarıyla
ve en sert biçimde saldırdıklarını kanıtlamak gereksizdir.

Cinsel eğitim, düzeltimcilerin çoğunun sandığından daha önemli sorunlar getirir önümüze. İşte bu yüzden, cinsel araştırmanın bize sağladığı onca bilgi ve uygulayıma karşın, bu alanda göze görünür bir ilerleme olmamıştır.

Şimdilik edilgin bir direnme gösteren, ama ciddî bir girişimde bulunduğumuz an etkin direnmeye geçecek bir toplumsal aygıtla savaşmak durumundayız. Cinsel eğitimle ilgili sorunlardaki her kararsızlık ve sakınım, duraksama ya da uzlaşma, yalnız kendi cinsel arzularımızın bilinçaltına itilmesine değil, aynı zamanda —eğitici çabaların dürüstlüğü ne olursa olsun— tutucu toplumsal düzenle ciddî çatışmaya girmenin yarattığı korkuya da yüklenmelidir.

*
**

Aşağıdaki örnekler cinsel sağlık merkezlerinden alınmıştır ve bize, hekimlik bilincinin, kimi zaman, yalnız tutucu ahlâkçılıkla değil, şimdiki cinsel düzeltimlerle de çatışan çarelere başvurmak zorunda kaldığını gösterecektir.

Sağlam yapılı ve sağlıklı on altı yaşındaki bir kızla on yedi yaşındaki bir oğlan, ezile büzüle, utana sıkıla, cinsel sağlık merkezine akıl danışmaya geliyorlar. Epey yüreklendirmeden sonra, yirmi yaşından önce cinsel ilişki kurmanın söylendiği kadar zararlı olup olmadığını soruyorlar.

— Neden zararlı olduğuna inanıyorsun bu işin?

— Bizim Kızıl Kartallar'daki[1] küme başkanı öyle söylediği, cinsel konuya değinen herkes öyle dediği için.

— Kızıl Kartallarda bu konuları konuşuyor musunuz?

— Elbette. Hepimiz müthiş sıkıntı çekiyoruz, ama hiç kimse açıkça konuşma yürekliliğini gösteremiyor. Geçenlerde, bazı kızlarla oğlanlar, bizim başkanla anlaşamadıkları için, ayrı bir küme kurmak üzere ayrıldılar. Bizim başkan cinsel ilişkinin zararlı olduğunu söyleyip duruyor.

— Ne zamandan beri tanışıyorsunuz?

----

[1] *Viyana Toplumcu Gençler Örgütü.*

— Üç yıldır.

— Hiç cinsel ilişkide bulundunuz mu?

— Hayır, ama birbirimizi çok seviyoruz, yan yanayken müthiş heyecanlandığımız ve bundan ötürü acı çektiğimiz için, yakında ayrılmak zorunda kalacağız.

— O da ne demek?

— (Uzun bir sessizlik.) Şey, sizin anlayacağınız, öpüşüyoruz falan. Gençlerin çoğu aynı şeyi yapıyor. Ama sonunda hemen hemen çılgına dönüyoruz. İşin kötüsü, görevlerimiz dolayısıyla, hep birlikte çalışmak zorundayız. Sevgilim bugüne dek pek çok kez hüngür hüngür ağladı, bense okula gidemez, dersleri izleyemez oldum.

— Peki, sizce en iyi çözüm yolu nedir acaba?

— Ayrılmayı düşündük, ama o da olmuyor. Biz ayrılırsak bütün küme dağılır, bu da öbür kümelerin dağılmasına yol açabilir.

— Spor yapıyor musunuz?

— Evet, ama hiçbir işe yaramıyor. Yan yana gelince, başka bir şey düşünemiyoruz. Rica ederim, bu işin gerçekten zararlı olup olmadığını söyleyin bize.

— Hayır, zararlı değildir, ama çoğu kez insanı ana-babasıyla ve çevresiyle çatışmaya düşürür.

Onlara, erginlik çağının ve cinsel ilişkilerin bedensel yanını, toplumsal engelleri, gebe kalma tehlikesini, gebeliği önleme çarelerini anlattım, bu konuyu düşünmelerini, sonra gelip beni görmelerini söyledim. İki hafta sonra, gözlerinde iyilikbilirlik ve sevinç, canla başla çalışır buldum onları: iç ve dış bütün engelleri aşmışlardı. İki ay, zaman zaman bu iki genci görmeye devam ettim ve onları hastalıktan kurtardığım kanısına vardım. Onlarla görüşmenin başarıyla sonuçlanmasının doğurduğu hoşnutluk, basit öğütlerle elde edilmiş başarıların azlığından ötürü gölgeleniyordu, çünkü genellikle gençlerin sinirsel saplantıları verilen öğütleri yararsız kılmaktadır.

Anacağımız ikinci örnek, otuz beş yaşında, ama çok daha genç gösteren bir kadın olacak, kadının durumu şöyleydi: on sekiz yıldır evliydi, kocaman bir oğlu vardı ve kocasıyla dıştan bakınca mutlu gözüken bir birlik içinde yaşıyordu. Kocanın üç yıldır başka bir ilişkisi vardı; kadın, o kadar uzun bir evlilikten sonra, eş değiştirmenin istenebileceğini anladığından, bunu olağan karşılıyordu. Ancak, birkaç aydır zorlama perhizin yarattığı sıkıntıyı çekmekteydi, ama kocasından düzenli ilişkiler isteyemeyecek kadar gururluydu. Çok ciddi olarak çarpıntıdan, uykusuzluktan, sinirlilikten ve ruh çöküntüsünden rahatsızdı. Başka bir erkekle tanışmıştı, boş olduklarını bildiği halde, birtakım kuruntulardan ötürü onunla sevişemiyordu. Kocası hep bağlılığını övüyor, ama kadın kendisine tanıdığı hakkı ona tanımayacağını çok iyi biliyordu. Bu duruma daha fazla dayanamayacağı için, ne yapması gerektiğini soruyordu.

Şimdi çok iyi inceleyelim bu olayı. Kendini tutma uzadı mı kaçınılmaz bir biçimde sinir hastalığına yol açacaktı. Öte yandan iki neden kocanın ilişkisini bozmayı ve gönlünü yeniden çelmeyi engellemekteydi: bir kere, adam kolay kolay boyuneğmeyecek, artık kendisini arzulamadığını açık açık söylemekle yetinecekti; beri yandan, kadın da artık onu arzulamaz olmuştu. Geriye yalnızca sevdiği adamla kocasını aldatması kalmıştı. Güçlük, kadının iktisadî bağımlılığındaydı; koca, durumu öğrendiği an boşanma davası açardı.

Kadınla bu olanakları tartıştım ve düşünmesini istedim. Birkaç hafta sonra, dostuyla gizli ilişki kurmaya karar verdiğini öğrendim. Yaşamındaki durgunluk belirtileri hemen yokoldu. Ahlâkî kuruntularını dağıtmak için giriştiğim çabanın başarıyla sonuçlanması söz konusu kararı almasını sağlamıştı. Yasal açıdan suçluydum, oysa sinir hastalığına doğru doludizgin yol alan bir kadının cinsel doyuma ermesine olanak hazırlamıştım.

Hemen hemen aynı günlerde, bir akşam posta kutumda *Sexualerregung und Sexualbefriedigung* (Cinsel Uyarılma ve Doyum) adlı kitapçığımdan bir tane buldum, kapağında şu satırlar vardı: «Dikkat et! Çok ileri gitme, gençliği baştan çıkaran iblis! Bırak bu işi de Rusya'ya dön, serseri! Yoksa karışmam!»

Kendine özgü yolu izleyen hekimlik çalışmasına karşılık öldürme gözdağı, tutucu topluma yaraşan bir tepkidir. O zaman insan geleneksel cinsel düzeltimlerin sakınımını çok iyi anlıyor elbet.

V. BÖLÜM

EĞİTİM AYGITI OLARAK BUYURGAN AİLE

Tutuculuğun düşünsel havasını yaratan başlıca yer, buyurgan ailedir. En yaygın örneği üç kişilidir: baba, ana, çocuk. Tutucu kuramlar aileyi insan toplumunun temeli, «çekirdeği» sayarken, tarih boyunca uğradığı değişikliklerin ve sürekli toplumsal işlevlerinin incelenmesi onun belirli iktisadî kümelenmelerin *sonucu* olduğunu göstermektedir. Dolayısıyla biz aileyi toplumun orta direği ve temeli değil, iktisadî yapısının ürünü sayıyoruz (anaerkil aile, ataerkil aile, *Zadruga*,[1] çokeşli babalık. tekeşli babalık vb.). Tutucu cinselbilim, ahlâk ve hukuk aileyi «Devlet»in *temeli* saymaya devam ederken bir bakıma haklıdırlar, çünkü *buyurgan* aile gerçekten de *buyurgan* Devlet ile *buyurgan* toplumun ayrılmaz parçasıdır. Bu aile şu toplumsal anlamları taşır:

1. *İktisadî açıdan,* anamalcılığın doğuşunda, bugün köylüler ve küçük tüccarlar arasında görüldüğü üzere, iktisadî üretim birimiydi.

2. *Toplumsal açıdan,* buyurgan toplumdaki görevi, iktisadî ve cinsel haklardan yoksun kadınla, çocukları korumaktır.

---

[1] Özellikle Orta Çağ'da Güney Slavlarında beliren ve bugün de (1936) yaşayan ataerkil aile: topraklar bölünmez ve ortaklaşa işlenir.

3. *Siyasal açıdan:* anamalcılık öncesi evrede, yani ev üretiminin egemen olduğu dönemde ve anamalcılığın başlarında, (bugünkü küçük toprak işletmelerinde olduğu gibi) ailenin iktisadî görevi önde geliyordu; üretim güçlerinin gelişmesi ve üretimin kamulaştırılmasıyla birlikte *ailenin işlevi de değişti.* Kadın üretim sürecine katıldıkça ailenin iktisadî birliği önemini yitirdi. Buna bağlı olarak *siyasal işlevi* ortaya çıktı; tutucu bilimle hukuk işte bu temel işlevi sürdürüp savunmaktadır: bu, ailenin *buyurgan öğretiler* ve tutucu zihinsel yapılar *üretme* görevidir. O, içinde yaşadığımız toplumun her bireyinin soluk almaya başladığı andan bu yana geçmek zorunda bulunduğu eğitim aygıtıdır. Yalnız kendisinde kurumlaşmış yetkeyle değil, aynı zamanda özel yapısıyla çocuğu gerici öğretiye göre yetiştirmektedir, tutucu toplumun iktisadî yapısıyla düşünsel üstyapısı arasında iletim kayışı gibi çalışmaktadır; gerici havası ister istemez ve sökülüp atılmamacasına bütün üyelerini etkilemektedir. Kendine özgü biçimi ve dolaysız etkisiyle, tutucu fikirleri ve yürürlükteki toplumsal düzen karşısında takınılacak tutumları atadan oğula aktarır; ama ayrıca, varlığını borçlu bulunduğu ve sürüp gitmesine yardım ettiği biçimiyle, çocuğun cinsel yaşamına dolaysız bir tutucu etki yapar. Gencin yürürlükteki toplumsal düzene karşı ya da ondan yana oluşunun aileye karşı ya da yandaş oluşuyla atbaşı gitmesi rastlantı değildir. Tutucu ve gerici gençlik, genellikle, aileye sıkı sıkıya bağlıyken, devrimci gençliğin ilke olarak ondan kopuk ve karşıt oluşu da rastlantı değildir.

Bütün bunlar hem ailenin cinselliğe-karşıt hava ve yapısına, hem de aile üyelerinin en gizli saklı şeylerdeki ilişkilerine bağlıdır.

Bundan ötürü, ailenin eğitici görevini incelerken, ayrı ayrı iki dizi olguyu ele almamız gerekir: somut öğretilerin aile aracılığıyla gençlik üzerindeki etkisi, bir de «üçlü yapı»nın kendisinin dolaysız etkisi.

1 — TOPLUMSAL ÖĞRETİNİN ETKİSİ

Türlü toplumsal sınıflar arasındaki ayrımlar ne olursa olsun, cinsel açıdan aynı ahlâkçı havanın etkisinde olmak gibi önemli bir özellikleri ortaktır; bu etki, söz konusu cinsel ahlâkçılıkla barış içinde bir arada yaşayan ya da işbirliği eden sınıf ahlâkıyla çelişmez.

En yaygın aile türü, orta sınıfların alt katmanlarının ailesi bu sınıfın çok çok ötelerine uzanır; başka bir deyişle, «küçük-kentsoylu» aile yalnız küçük-kentsoylu sınıf için değil, aynı zamanda üst sınıflar, hatta işçi sınıfı için geçerlidir.

Orta sınıfların kurduğu ailenin temeli, babayla karısı ve çocukları arasındaki ataerkil ilişkidir. Baba, bir bakıma, Devlet yetkesinin aile içindeki simgesi ve sözcüsüdür. Üretimdeki astlık göreviyle aile içersindeki efendiliği arasındaki çelişki ona başkan yardımcılarına özgü belirgin niteliği kazandırır: üstlerine karşı köpeklik; egemen öğretiden etkilenir (öykünme eğilimini açıklayan da işte bu etkilenmedir), astlarına efendilik eder; siyasal ve toplumsal görüşlerini onlara aktarır, bu görüşlerin güçlenmelerine yardım eder.

Cinsel öğreti konusunda, küçük-kentsoylu ailenin evlilik kuramıyla genel aile düşüncesi, yani ömür boyu tekeşli birlik kuramı bir noktada birleşir. Eşlerin durumuyla ailenin kümelenmesi ne denli içler acısı ve umutsuz, acılı ve dayanılmaz olursa olsun, bireyler gerek aile içinde, gerek dışarıya karşı, bunları doğrulamak zorundadırlar. Bu tutumun toplumsal gerekliliği yoksulluğu gizlemeye, aileyle evliliği ülküleştirmeye götürür insanları; aynı zamanda, ailenin çocuklara sağladığı varsayılan «aile mutluluğu» «koruyucu yuva», «dinginlik ve mutluluk ocağı» gibi beylik lâflarıyla aile duyguculuğunun yayılmasına yol açar. Bizim toplumda, evliliğin ve ailenin dışında durumun daha da acıklı oluşu, cinsel yaşamın her türlü ahlâki, maddî ya da yasal dayanaktan yoksun kalışı, haksız yere, aile kurumunun *doğaya, yaşama uygun* sayılmasına yol açmıştır.

Gerek bu işlerin gerçek durumunun küçümsenmesi, gerekse şimdiki öğretisel havayı yaratmaya yarayan duygulu savsözler ruhsal açıdan son derece gereklidirler, çünkü insanın dayanılmaz aile durumuna yaslanmasına izin vermektedirler. İşte bu yüzden; sinir hastalıklarının giderilmesi, bütün yanılsamaları silip süpürdüğü ve türlü durumların ardındaki doğruyu ortaya çıkardığı için eşler ve aile bireyleri arasındaki bağı koparabilir.

Eğitimin ereği, ta başından, çocukları evliliğe ve aileye hazırlamaktır. Uğraş kazandırıcı eğitim çok sonra başlar. Cinselliği yadsıyan ve elinin tersiyle iten eğitim dizgesi yalnızca toplumsal havadan gelmez; aynı zamanda, yetişkinlerin cinsel arzularını bilinçaltına itmelerinin sonucudur. Çünkü son kertesine varmış bir cinsel boyuneğme olmadıkça, zorlayıcı aile çevresinde yaşamak olanaksızdır.

Örnek sayılacak tutucu ailede, cinselliğin oluşumu, «evlilik ve aile» anlayışının temelini meydana getiren belirli bir görünüş alır. Gerçekten de, çocuk, beslenme ve çişetme işlevlerine yönelen aşırı dikkatten ötürü, üretkenlik öncesi sevisel (erotik) evrelere çakılır kalır; cinsel etkinlikse şiddetle bilinçaltına itilir (kendi kendini okşama yasaklanır). Üretkenlik öncesine çakılıp kalma ve cinsel arzunun bilinçaltına itilmesi, cinsel ilgiyi eziyetseverliğe (sadizme) doğru kaydırır. Ayrıca, çocuğun cinsel merakı da etkin bir biçimde baskı altına alınır. Buysa, konut koşullarıyla, anababaların çocuklar önündeki cinsel davranışlarıyla ve aile çevresiyle çelişir; ailenin cinsel niteliğiyse kaçınılmaz bir biçimde ortadadır. İzlenimlerinin ve yorumlarının uyumsuzluğuna karşın, çocukların bütün bunları yakaladıklarını söylemek bile gereksizdir.

Cinsel içgüdünün kılgısal ve kuramsal açıdan baskı altına alınması yetişkinlerin en gizli saklı edimlerinin gözlemlenmesiyle birleşince, çocukta cinsel ikiyüzlülüğün temeli atılmış olur. Beslenme işlevlerinin daha az tumturaklı, cinsel etkinliğin daha belirgin ve daha az yasaklı olduğu işçi çevrelerinde bu görüngüye daha az rastlanır. İşçi ailelerinin çocuklarında çatışkı daha az, cinsel yaşama ge-

çiş daha engelsizdir. Bunun kökeni, emekçi ailenin iktisa-
dî durumudur. Emekçi, işçi soylu sınıfının üst basamakla-
rına doğru yükselirse, çocukları üzerinde tutucu ahlâk an-
layışının baskısı artar.

Tutucu ailede cinsel baskı şu ya da bu oranda uygu-
lanırken, çocukların daha az denetlendiği sanayi işçileri
çevresinde bir sürü engelle karşılaşır.

2 — ÜÇLÜ YAPI

Aile, çocuk üzerinde, toplumsal öğretiye uygun bir et-
ki yapar. Beri yandan, ailenin kümelenişi de, üçlü yapısıy-
la, yine toplumun tutucu eğilimleri yönünde özel bir etki
yaratır.

Freud, bu üçlü yapıyla karşılaştığımız her yerde, çocu-
ğun ana-babasına karşı hem sevecen, hem de tensel, belirli
cinsel bağlar geliştirdiğini bulmuştur; bu buluş, bireyin
cinsel gelişmesinin anlaşılmasında son derece önemlidir.
«Oidipus karmaşası» (kompleksi), art arda doğurdukları
sıkıntılarla, güçleri aile ve çevre tarafından belirlenen bu
ilişkilerin tümünü anlatır.

Çocuk ilk cinsel-sevisel içtepilerini en yakın çevresi-
ne, yani hemen her zaman ana-babasına yöneltir. Çocuk,
hemen hemen genel bir davranışla, ana-babasından karşı
cinsten olanı sever, kendi cinsinden olana nefretle bakar.
Bu nefret ve kıskançlık duyguları kısa zamanda korku ve
suçlulukla karmaşıklaşırlar. Karşı cinsten ana ya da baba-
ya beslenen cinsel duygulara daha başından korku karışır,
yakınına yönelik arzunun doyurulamayışından ötürü sü-
rüp gider ve bu arzunun bilinçaltına itilmesine yol açar.
Bu bilinçaltına itiş, daha sonraki cinsel yaşam bozukluk-
larının çoğuna beşiklik eder.

Bu çocukluk deneyinden başarıyla çıkabilmek için iki
temel olguya dikkat etmek gerekir. Her şeyden önce, bir
oğlan, anasına beslediği arzu yasaklansa bile, kendi kendi-
ni okşamasına ve yaşıtı kızlarla cinsel oyunlar oynaması-

na izin verilirse, içgüdüyü bilinçaltına itmeyecektir. İnsanlar cinsel oyunun («doktorculuk oyunu» falan gibi şeylerin) ancak çocuklar uzun süre yalnız bırakılırsa ortaya çıktığını kabule yanaşmazlar; bu oyunlar çevre tarafından ayıplandıkları için hep gizlidirler, dolayısıyla suçluluk duygusunu yanlarında taşır ve yaşam enerjisinin zararlı bir yöne saplanıp kalmalarına yol açarlar. Fırsat çıktığı zaman bu oyunlara girişemeyen çocuk ailenin eğitim taslağına uyduğunu kanıtlar, ama daha sonraki cinsel yaşamında mutlaka ciddî bozukluklar ortaya çıkar. Artık bu olguları bilmezlikten gelemeyeceğimiz gibi, sonuçlarından da kaçınamayız; ancak bu sonuçlar, iktisadî ve siyasal gerekçelerin aile eğitimini belirlediği buyurgan toplum çerçevesinde denetim altına alınamaz.

İlk cinsel içtepilerin bilinçaltına itilmesi, hem nitelik hem de nicelik açısından, ana-babanın düşünme ve duyma biçimleriyle, sertlik dereceleriyle, kendi kendini doyurma karşısındaki tutumlarıyla falan belirlenir.

Çocuğun cinsel yaşamını, son derece önemli olan dörtle altı yaş arasında, aile çevresinde geliştirmesi, onu bu soruna aile eğitimine uygun bir çözüm bulmaya götürür. Başka çocuklarla birarada, ana-babaya saplanıp kalmadan büyüyen çocuk cinselliğini çok daha başka türlü geliştirecektir. Çocuk günün birkaç saatini yuvada geçirse bile, aile eğitiminin toplu eğitime aykırı düştüğünü, onu engellediğini unutmamak gerekir. Gerçekte, aile eğitimi, çocuk bahçesini bu sonuncunun kendisini etkilediğinden daha fazla etkiler.

Çocuk, ana-babanın yetkesinden ve cinsel çekiminden kolay kolay kurtulamaz. Gerçekten de, ne denli ılımlı olursa olsun, sırf bedeninin küçüklüğünden ötürü, ana-baba yetkesi altında ezilir. Yetkenin çekiciliği, çok küçük yaşta, cinsel çekiciliği iter, bilinçaltında yaşamaya zorlar; daha sonraları cinsel ilgiler aile dışındaki dünyaya yönelmeye başladığı zaman, ana-baba yetkesine bağlanıp kalma cinsel ilgiyle gerçek dünya arasına umacı gibi dikilecek, cinsel arzuyu bilinçaltına itmekte güçlü bir etken olacaktır.

Ana-baba yetkesine bağlanıp kalma büyük ölçüde bilinçdışı olduğundan, bilinçli çözümlere açık değildir. Bu bilinçdışı bağlanmanın çoğu kez tersiyle, yani hastalıklı başkaldırıyla dile gelmesinin hiç önemi yoktur. Söz konusu başkaldırı, cinsellikle suçluluk duygusu arasında gerçekleştirilen hastalıklı bir uzlaştırma olan saldırgan cinsel eylemlerin dışında çözüm getirmez cinsel gerilimlere. Demek ki, *doğal kurallara uygun cinsel yaşamın ilk koşulu* ana-baba yetkesine bağlanıp kalmanın çözümüdür. Bugünkü durum ve koşullarda, pek az kişi bunu başarabilmektedir.

Ana-baba yetkesine bağlanıp kalma, gerek cinsel yönüyle, gerekse babanın yetkesine boyuneğme görünüşüyle, erginlik çağında cinsel ve toplumsal gerçekliğe yaklaşmayı güçleştirir, hattâ olanaksızlaştırır. Akıllı uslu oğlanla iyi ev kızının tutucu ülküsü, özgür ve bağımsız gençlik düşüncesine taban tabana terstir; böyleleri, büyüyüp adam olduktan sonra da, onulmaz şekilde, çocuksuluğun kurbanıdırlar.

Aile eğitiminin en belirgin özelliklerinden biri de, anayla babanın, hele dışarda çalışmıyorsa, ananın, çocuklarını —onların zararına— yaşamlarının *en büyük* zevki saymasıdır. Herkesin bildiği gibi, çocuklar istendiği zaman sevilecek, istendiği zaman dövülecek sevimli ev hayvanı yerine geçerler: ana-babanın duygusallıkları onların iyi birer eğitici olmalarını engeller.

Eşlerarası yoksulluk karı-koca çatışmalarında tükenmezse, çocukların tepesine çullanır. Bu onların cinsel yapısına ve özerkliğine yönelmiş yeni bir saldırıdır, ayrıca yeni bir çatışkıya yol açar: ana-babanın ortak yaşamının yoksulluğunun doğurduğu evliliğe düşmanlıkla, ilerki yıllarda iktisadî açıdan evlenmeye zorlanış çatışır. Erginlik çağında. çocukluktaki cinsel eğitimin batırdığı gemiden bin bir güçlükle kurtulan çocuklar aile zincirlerini sarsmaya çalıştıkları zaman bir sürü acıklı olay ortaya çıkar.

Sözün kısası, yetişkinlerin karı-koca ve aile yaşamına katlanabilmek için kendi kendilerine koydukları cinsel sınırların acısını çocuklar çeker. Daha sonra iktisadî gerekçeler onları da evlilik yaşamına gömeceğinden, cinsel sınırlandırma kuşaktan kuşağa aktarılır.

Zorlayıcı aile, iktisadî ve öğretisel açıdan buyurgan toplumun ayrılmaz parçası olduğundan, doğurduğu kötülükleri bu toplum çerçevesinde söküp atmayı ummak çocukluktur. Üstelik, bu kötülükler ailesel durumun kendisinde vardır ve güdüsel yapının bilinçdışı işleyişlerinden ötürü her bireye çıkmamacasına demir atmışlardır.

Böylece doğrudan doğruya ana-babaya bağlanıp kalmanın yarattığı cinsel arzunun bilinçaltına itilişine, aile yaşamı boyunca biriktirilen kinin büyüklüğünden gelen suçluluk duyguları eklenir.

Bu kin *bilinçli* kalırsa, bireysel alanda devrimci bir etken olabilir: kişiyi aile bağlarını koparmaya iter, bu kini doğuran koşullara karşı eyleme geçmesine yarayabilir.

Yoo, tam tersine bu kin *bilinçaltına itilirse*, körü körüne bağlılık ve çocukça söz dinleme gibi karşıt tutumlara yol açar. *Ve tabiî bu tutumlar özgürlükçü* (liberal) *bir harekette savaşmak isteyen kişi için çok elverişsiz durumlar yaratır; böyle biri hem eksiksiz özgürlükten yana olabilir, hem de çocuklarını pazarları kilise okuluna gönderebilir, ya da «yaşlı ana-babasını üzmemek için» kiliseye gitmeye devam edebilir; aileye bağlanıp kalmanın uzantıları olan kararsızlık ve bağımlılık belirtileri gösterir; özgürlük uğrunda gerçekten savaşamaz.*

Ama aynı ailesel durum, küçük-kentsoylu aydınlarda pek sık rastlanan «hastalıklı devrimci» kişiyi de üretebilir. *Devrimci duygulara bağlanan suçluluk duyguları onu devrimci harekette pek güvenilemeyecek bir savaşçı haline getirir.*

Ailenin verdiği cinsel eğitim bireyin cinsel yaşamını ister istemez bozar. Eğer şu ya da bu birey her şeye karşın sağlıklı bir cinsel yaşam kurabilirse, bunu aile bağlarını harcayarak yapar.

Cinsel gereksinimlerin bastırılması zihinsel uyuşukluğa ve genel coşkusal durgunluğa, özellikle de bağımsızlıktan, istemden (iradeden), eleştiri anlayışından yoksunlu-

ğa yol açar. Buyurgan toplum «ahlâkın kendisi»ne değil, ruhsal varlığın bozukluklarına bağlıdır; bu bozuklukların amacı, cinsel ahlâkı bireylerin beynine çakmaktır ve bütün buyurgan toplumların toplu ruhsal temelini oluşturan zihinsel yapıyı yaratırlar.[1] Köleliğe yatkın zihinsel yapı, cinsel güçsüzlük, hüzün, destek ve *Führer* özlemi, yetke korkusu, yaşam ve gizemcilik korkusu karışımıdır. Başkaldırıyla karışık sofuca bağlılık bunun en belirgin niteliğidir. Cinsel yaşamdan korkmak ve cinsel ikiyüzlülük «kentsoylu»yu ve çevresini belirler. *Böyle bir zihinsel yapıya sahip kişiler demokratik yaşama uyamazlar, gerçekten demokratik ilkelere göre yönetilen kurumlar yaratıp yaşatma çabalarını sıfıra indirirler.* Halk tarafından seçilmiş yöneticilerin buyurganlık ya da memur egemenliği kurma eğilimlerinin kolayca yeşerip gelişeceği ruhsal toprağı bunlar oluştururlar.

Sözün kısası, ailenin siyasal işlevi iki yönlüdür:

1. Bireyleri cinsel açıdan sakatlayarak kendi kendini çoğaltır. Ataerkil aile, kendini sürdürmekle, cinsel baskıyı ve onun doğurduğu her şeyi sürdürür: cinsel bozukluklar, sinir hastalıkları, çıldırmalar ve cinsel suçlar.

2. Kişiyi yaşamdan korkan, yetkeden çekinen biri yapar, dolayısıyla halk yığınlarını bir avuç yöneticinin sert baskısı altına sokma olanağını durmadan tazeler.

İşte bu yüzden, tutucu için aile, inandığı toplumsal düzenin yıkılmaz kalesidir. Bu açıdan bakıldığında, tutucu cinselbilimin aile kurumunu neden öyle canla başla savunduğu da anlaşılır. Aile, bu kavramların tutucu ve gerici anlamında «Devlet'in ve Toplum'un kalıcılığını güvenlik altına alır». Öyleyse, aileye verilen değer, her toplum düzeninin genel değerlendirilmesinde anahtar olmaktadır.

---

[1] Bu dediğimizin tarihsel kanıtını gösterdiğimiz *Cinsel Ahlâkın Boygöstermesi*'ne bakın.

VI. BÖLÜM

ERGİNLİK SORUNU[1]

Tutucu öğreti cinselbilimin hiçbir dalını gençliğin cinsel yaşamını etkilediği kadar etkilememiştir. A'dan Z'ye kadar bütün araştırmaların ereği, erginliğin her şeyden önce *cinsel olgunluk* anlamına geldiğinin saptanmasından, hop diye, gençlere yaraşan şeyin *sıkı perhiz* olduğu savına atlamaktır. Bu istek nasıl dile getirilmiş olursa olsun, ister (Gruber'in yaptığı gibi) «erginlik 24 yaşından önce tamamlanmaz» lâfı gibi dirimbilimsel kanıtlarla, ister ahlâkî, eğitsel ya da «sağlıkbilimsel» gerekçelerle akıl çerçevesine oturtulmuş bulunsun, bildiğimiz kadarıyla hiçbir yazarın *aklına gençliğin cinsel yoksulluğunun aslında toplumsal bir sorun olduğu, tutucu toplum tarafından zorla benimsetilen kendini tutma ilkesi ortadan kalktığı an çözüme bağlanacağı* gelmemiştir. Bu toplumsal ilkeyi dirimbilimsel, eğitsel ya da ahlâkî nedenlerle doğrulamaya kalkmak, onu savunanları şaşırtıcı çelişkilere düşürmektedir.

1 — ERGİNLİK ÇAĞINDAKİ ÇATIŞKI

Erginlik çağındaki bütün çatışkılı ve hastalıklı görüngülerin kökeni aynıdır: gencin on beş yaşına doğru erişti-

---

[1] *Der Sexuelle Kampf der Jugend* (Gençlerin Cinsel Kavgası) adlı yapıtımıza bakın. *Geleceğin Çocukları* kitabında.

ği, ardından bedensel sevişme gereksinimiyle döl verebilme yetisini de getiren olgunluk ile, toplumun cinsel etkinlik için zorunlu kıldığı yasal durumu, yani evliliği maddî ve ruhsal açıdan gerçekleştirebilme olanaksızlığı arasındaki çatışkı. Temel güçlük budur; buna, bizi genel tutucu cinsel düzenle yüz yüze getiren, çocuğa verilen cinsel etkinliğe aykırı eğitim gibi ikinci dereceden güçlükler eklenir. İlkel anaerkil toplumlarda gençlik cinsel yoksulluk çekmezdi; tam tersine, elimizdeki bütün yapıtlar erginlik törenlerinin genci olgunlaşır olgunlaşmaz doğal yasalara uygun cinsel yaşama başlattığını, bu törenlerin son derece önemli toplumsal olaylar olduklarını, bu toplumların çoğunda cinsel mutluluğun özenle geliştirildiğini, gençlerin cinsel yaşamının baskı altına alınmak şöyle dursun, örneğin erginlik çağına gelir gelmez taşındıkları gençlikevi gibi şeylerle desteklendiğini doğrulamaktadır.[1] Kesin tekeşli evliliğin bulunduğu ilkel toplumlarda bile gençlerin elinde, erginlik çağıyla evlilik arasında, tam bir cinsel özgürlük vardır. Sözünü ettiğimiz anlatıların hiçbiri ilerki yaşlarda karşılaşılan bir cinsel yoksulluğa ya da gençlerin sevda yarasıyla canlarına kıymalarına değinmez. Bu toplumlarda cinsel olgunlukla doyuma erememe arasında çatışkı yoktur. İlkel toplumla buyurgan toplum arasındaki en büyük ayrım budur. Buyurgan toplumda da erginlik törenleri vardır gerçi (örneğin, kutsamanın pekiştirilmesi falan), ama bunların gerçek anlamları bütünüyle gizlen-

---

[1] «Bu halklar, bizim saygısızlık, edepsizlik sayacağımız, oralardaki yetişkinlerinse 'oyun' saydıkları bir özgürlükle çocuklarının yeni uyanmış cinsel içgüdülerini doyurmalarına izin vermektedirler... Pek çok ilkel toplumda, oğlanlarla kızlar, dünyanın en temiz sevgisiyle bir arada yaşarlar» (Ploss - Bartels, *Das Weib*, 1902, Bl. I, s. 449. Ayrıca: Havelock - Ellis, *Geschlecht und Gesellschaft.* 1923. s. 355, 368. Mayer, *Das sexualleben bei den Wahehe und Wessangu Geschlecht und Gesellschaft,* XIV, Jahr., H. 10. s. 455). En güzel betimlemeyse Malinowski'nin *La vie sexuelle des sauvages* (Vahşîlerin Cinsel Yaşamı) adlı yapıtındadır.

miştir, hattâ ilkel toplumların tersine, gençleri cinsel yaşamdan koparma ereğini güderler.[1]

Gencin çektiği cinsel yoksulluğun en kesin belirtisi *kendi kendini doyurmadır.* Hastalıklı durumlar bir yana, bu olmayan cinsel ilişkinin vekilinden başka bir şey değildir. Bu son derece basit saptamaya hiçbir cinsel incelemede rastlayamadım. Gerçi yazılan bütün denemeleri okumadım. Ama şu açık gerçeğin göze çarpmayacak biçimde gizlendiğini farketmek bu yargıya varmamıza yeter. Cinselbilim yapıtlarında erginlik çağındaki çatışkı, *cinsel olgunluk*'la *cinsel ilişki kuramama* arasında değil, cinsel *olgunluk*'la *evlenememe* arasındaymış gibi gösterilir. Kendi kendini doyurma gerek Kilise, gerekse cinselbilim konusunda kara cahil, kafaları ahlâkî önyargılarla dolu hekimler tarafından düzenli olarak kötülenip yasaklanır. Son yıllarda kendi kendini doyurmaya açılan savaşın, suçluluk duygularını artırdığı için, cinsel yoksulluğu ciddîleştirdiği sık sık öne sürüldü elbet; ama Max Hodann'ınkiler gibi halka seslenen yapıtların dışında, bu düşünce, bilimsel incelemelerde gömülü kaldı; gençler bu tartışmayı duyamadılar.

---

[1] Erginliğin özünün *erginlik,* yani cinsel aygıtın olgunlaşması ve bunu izleyen ruhsal değişiklikler olmadığını, erginlik çağında beliren çatışkıların temelinde gencin önüne çıkan «yeni görevler» ile gencin bunları yerine getirmeye hazır olmadığını hissedişinin yattığını göstermek üzere alabildiğine karmaşık bir kanıtlamaya girişen koskoca bir bilim dalı vardır. Bu, Adler'in ruhbilimidir. Bu kurama göre, erginlik çağının en önemli dönemini okulda geçiren genç (eski Yunan'ı saymazsak, orada yeni görevler bulunmadığından), bu çağa özgü çatışkıları yaşamazmış. Bireysel ruhbilim öğrencilerin çalışmalarının on dört yaşına doğru aksadığını da, emekçi sınıfından bir yığın gencin —olgunluğa erer ermez cinsel ilişki kuran işçi kızlarla oğlanların— cinsel gereksinimden habersiz olmadıklarını da hesaba katmaz. Yalnız bu ilişki, gebeliği önleme çarelerini bilemeyişlerinin ve sevişmenin sağlıklı bir biçimde yapılabileceği konut yokluğunun izin verdiği ölçüdedir elbet. Genç emekçi de on dört yaşına doğru yeni görevlerle yüz yüze gelir. Ama cinsel arzular doyurulduğu sürece, Adler'in dediği anlamda bir etkisi olmaz bu «yeni görevler»in!

Erginlik çağındaki çatışkının bilinçaltı görünüşlerinin ruhçözümsel araştırılması, söz konusu çatışkının çocukluktan kalma ana-babaya dönük cinsel arzularla suçluluk duygularının yeniden etkinliğe geçmesinden doğduğunu göstermiştir; bu suçluluk duyguları kendini doyurma ediminin kendisine değil, bilinçaltındaki sanrılara (birsam-hallucination) bağlıdır. Gerçekten de, bedensel boşalmayla ilgili araştırmalar ruhçözümsel verilerde birtakım düzeltmelere yol açmıştır: kendi kendini doyurmayı doğuran şey ana-babaya duyulan cinsel arzuyla ilgili sanrılar değil, üreme organlarındaki etkinliğin artışından gelen cinsel uyarılmadır. Bunun ardından gelen cinsel durukluk ana-babaya duyulan eski arzuların canlanmasına yol açar; demek ki bu sanrılar kendi kendini doyurmanın nedeni değil, ona eşlik eden ruhsal yaşantının biçim ve içeriğidirler. Daha önce ya da sonra değil de, tam erginlik çağında yeniden boygösteren ana-babayla cinsel ilişki kurma hayallerinin açıklaması işte burdadır.

Sözün kısası, erginlik çağındaki ruhsal çatışkı, yaşamın ilk yıllarından ve çocukluktan kalma cinsellik biçimleriyle cinsel nesnelere dönmektedir. Bu geriye dönüş çocukluk çağındaki hastalıklı bir saplanıp kalma sonucu değilse, o zaman, *erginlik döneminde cinsel edimle doyuma ermenin toplum tarafından yasaklanışına bağlıdır*. Bu durumda iki olasılık ortaya çıkar: olgunlaşan genç, daha önceki cinsel gelişmesinden ötürü, bir cinsel eş bulacak yetide değildir; ya da, toplumun cinsel doyumu yasaklayışı onu, bütün sanrılarıyla birlikte kendi kendini doyurmaya, ve aynı zamanda çocukluktan kalma hastalıklı çatışkıya iter.

Birinci de çocukluktaki cinsel baskının sonucu olduğundan, bu iki durum birbirinden pek o kadar ayrı değildir elbet. Tek ayrım, ilk durumda toplumun cinsel yaşama köstek vuruşu çocukluk dönemindeyken, ikinci durumda bu baskının yalnız erginlik çağında kendini göstermesidir. Bu iki yasaklamanın birbirlerini tamamladıklarını, birbirlerine eklendiklerini söylemek daha doğru olur, çünkü çocukluktaki yasaklama, daha sonraki toplumsal yasaklamadan ötürü ergin gencin yeniden döndüğü ana-babaya saplanıp kalmayı yaratır. Çocuğun cinsel yaşamına verilen zarar ne denli büyükse, gencin cinsel ilişkisine toplumun vurduğu köstek o denli etkili, dolayısıyla gencin doğal kurallara uygun bir cinsel yaşama geçebilme olasılığı da o oranda azdır.

Kendi kendini doyurmadan gelen suçluluk duygusu, içinde ana-babayla sevişme sanrıları bulunduğundan, cinsel ilişkiye eşlik eden suçluluk duygusundan çok daha yoğundur, çünkü ikili doyum hayal oyunlarını gereksiz kılar. Kişi çocukluktaki nesnelere çok bağlanıp kalmışsa, sevişmenin düzeni de bozulur ve suçluluk duyguları yoğunlukta kendi kendini doyurmadakinden aşağı kalmaz. Doyurucu cinsel ilişkilerin kişilerdeki suçluluk duygularını yokettiğini her an saptayabiliriz. Bütün öbür şeyler eşit olsa bile, kendi kendini doyurma cinsel ilişki kadar doyum getirmediğinden, suçluluk duygusu hep sevişmeninkinden fazladır. Ana-babaya bağlanıp kalmaktan kurtulup gerçek bir cinsel yaşama geçemeyecek genç aşırı örneğinden tutun da, bu adımı hiç güçlükle karşılaşmadan atana dek, bin türlü genç örneği vardır.

İlk örnek, ailesine bağlı, ana-babasıyla tutucu toplumun öbür temsilcilerinin istediklerini yerine getiren «uslu» çocuktur; gerici ölçülere göre iyi öğrenci sayılan, alçakgönüllü, özençsiz, kuzu gibi bir gençtir bu. Ondan çok iyi koca ve eyyamcı olur. Ayrıca, sinir hastalarının sayısını da artırır.

İkinci örnek, çoğunlukla topluma-aykırı sayılan genç, temelden başkaldırıcıdır, gözü yükseklerdedir, aile ocağına da, bu dar çevrenin isteklerine de düşmandır; işçi sınıfındansa, iyi devrimci olur. Orta sınıflarda, bunu ruh hastası, içtepilerine göre davranan gençler temsil ederler; böyleleri, kendi çevrelerinde çözülmez çatışkılar yaratmadan yaşayamayacakları için, bir toplumsal eyleme katılamazlarsa, toplum içersinde başarısızlığa uğrama tehlikesiyle karşı karşıyadırlar. Zekâları ortanın üstünde, duyarlıkla-

124 CİNSEL DEVRİM

rı yoğun olduğundan, «iyi» öğrencilerle, zekâları ortanın
altında çocukları çok iyi anlayan öğretmenleri bunları ne
yapacaklarını bilemezler, Bu gençler doğal cinsel işlevle-
rini yerine getirmekten başka bir şey yapmadıkları zaman
bile, büyükler ölçü olarak gerici «ahlâkı» alıp, onlara «ah-
lâk kurallarına uymayan kişiler» gözüyle bakarlar; ve
tabiî doğal cinsel işlevini yerine getirmek, bugünkü koşul-
larda hemen hemen suç sayıldığından, söz konusu genç-
ler, salt toplumsal nedenlerden ötürü «suçluluğa» aday-
dırlar. Şu satırların yazarı Lindsay'e yerden göğe kadar
hak veriyoruz:[1]

«Bence, birkaç türlü suçlu genç var. İlkin, enerjiden,
kendine güvenden, girişimden yoksun olanlar çıkıyor kar-
şımıza. Birtakım güçlükleri olan kızlarla oğlanların çoğun-
daki ortak özellik, işte bu nitelikleri taşımaları ve tez el-
den kurtarılmaya değmeleridir. Hep uslu ve dingin yaşa-
yan oğlan ya da kızın ille de enerji ve kişilikten yoksun
olduğu söylenemez elbet, ama öyle olabilir. Hele bir oğla-
nın okulda aldığı sürekli iyi notlar, yüreklilikten ve ener-
jiden, belki de sağlıktan yoksun olduğunu, elini kolunu
ahlâkın değil, *korku*'nun bağladığını gösterir; çünkü, eğer
genç, doğal yasalar uyarınca olması gereken şey, yani sağ-
lıklı ve genç bir memeli hayvansa, davranışlarında 'ah-
lâklılığa' yer yoktur. Tıpkı soluk alıp verişi ya da daha
başka yaşama işlevleri gibi, doğal kurallar uyarınca ru-
hunun da bilincinde değildir.»

(*Revolt*, s. 94.)

2 — TOPLUMSAL GEREKLİLİK İLE CİNSEL GERÇEKLİK

Gençlerin cinsel yaşamıyla ilgili üç sorunun açıklığa
kavuşturulması gerekir:

---

[1] *The Revolt of modern youth* (Çağdaş Gençliğin Başkaldırısı)
Yargıç Ben B. Lindsay ve Wainwright Evans, New York, Boni ve Li-
veright, 1925. Biz bu yapıtı *«Revolt»* adıyla anacağız.

1. Buyurgan toplum gencin önüne hangi gereklilikler-
le çıkmaktadır, bunların nedenleri nelerdir?

2. Gencin on dörtle on sekiz yaşlar arasındaki cinsel
yaşamının gerçek yüzü nedir?

3. a) Kendi kendini doyurmanın, b) sıkı perhizin, c)
gençlerin cinsel ilişkilerinin sonuçları konusunda kesin
bilgilerimiz nelerdir?

Gerici toplum, cinsel yaşam için «ahlâkî kurallar»
öne sürerek gençten evlilik öncesinde mutlak perhiz is-
temektedir; gerek cinsel ilişkiyi, gerekse kendi kendini
doyurmayı tu kaka ilân etmektedir (burada birtakım top-
lumdan uzak yazarlardan değil, genel öğretisel havadan
söz ediyoruz). Bilim, gerici öğretinin bilinçsiz olarak et-
kisinde kaldığı için, bu öğretiye sağlam bilimsel temeller
sağlayacak savlar ortaya atmaktadır. Çoğu kez işi o ka-
dar ileri götürmeyip insanın ünlü «ahlâkî yapısı»na baş-
vurmakla yetinmektedir. Bunu yaparken, kuramsal kar-
şıtlarının karşısına çıkarmaktan geri durmadığı kendi gö-
rüş açısını unutmaktadır: buna göre, bilimin töreye uy-
gun görevi olguları yorumsuz aktarmak ve onların ne-
denlerini açıklamaktır. Bilim, toplumsal gereklilikleri ah-
lâkî fikirlere sığınmanın dışında bir yoldan doğrulamak
istediği zaman, nesnel açıdan çok daha tehlikeli bir yön-
tem kullanmakta, ahlâkî görüşleri sözümona bilimsel sav-
ların ardına gizlemektedir. Böylece, ahlâklılık «bilimsel
olarak» akla uygun kılınmaktadır.

İşte böyle uyduruk bir bilimsellikle *gençlerin cinsel
içgüdülerine gem vurmalarının toplumsal ve zihinsel et-
kinliğin vazgeçilmez koşulu olduğu* öne sürülmektedir. Bu
önerme, Freud'un «yüceltme» adıyla bilinen kuramına da-
yanmaktadır: insanın toplumsal ve zihinsel verimliliğinin
kaynağı, ilk ereğinden saptırılıp daha «yüce» amaca yö-
neltilen cinsel enerjidir. Bu kuram, cinsel doyumla cin-
sel enerjinin yüceltilmesi arasında mutlak bir çatışkıyı
varsayarak çok kötü yorumlanmıştır. Soruyu en somut
biçimde ortaya koymak gerekir: *hangi* cinsel etkinlikle
doyum, *hangi cinsel güdüler* yüceltilebilir, yüceltilmelidir?

En basit gözlem bile perhizin toplumsal ilerlemeye gerekli olduğu kanıtını yıkmaya yeter. Gençlerin cinsel etkinliğinin çalışmalarını azaltacağı öne sürülüyor. İyi ama bütün gençler kendi kendilerini doyurmakta — ve cinselbilimciler bu konuda görüş birliğindedirler: bu da öne sürülen kanıtı silip süpürmeye yetmektedir; çünkü, kendi kendini doyurmanın değil de, cinsel ilişkinin çalışmaya aykırı olduğu savunulamaz. Kendi kendini doyurmayla cinsel ilişki arasında *temel* bir ayrım var mıdır? Yoksa, ruhsal çatışkılarla yüklü kendi kendini doyurma, düzenli bir cinsel yaşama göre çok daha fazla zararlıdır. Kanıt diye önümüze getirilen şeyin içler acısı karışıklığına bakın! Doyurucu cinsel yaşamla doyurucu olmayanı birbirinden ayıramadan bunların toplumsal yapıtla ve yüceltmeyle ilintilerini göremeyiz. Cinsel yaşam kuramındaki bu boşluğun nedeni nedir acaba? Çok açık: söz konusu boşluğu doldurmak, gerici düşünsel yapının taşlarının gümbür gümbür yıkılmasına yol açar.

Gençlerin cinsel perhizde yaşamalarını doğrulayan bu temel kanıtın değersizliği resmen kabul edilse, akıllarına birtakım tehlikeli düşünceler gelir, sağlığa ve toplumsal yaşama değil, ama buyurgan aileye ve zorlama evliliğe zarar verebilecek etkinliklere girişebilirler. Şimdi biz, gençliğin perhizde yaşaması isteğiyle evlilik ahlâkı arasındaki bağı göstereceğiz.

Gencin cinsel yaşamının gerçek görünüşü nedir? Hiç kuşkusuz ahlâklılığın beklediği şey değil. Ne yazık ki elimizde iyi sayılamalar (istatistikler) yok; bununla birlikte, soruşturmalar, cinsel sağlık bakımevlerinde elde edilen deneyler, cinsel konulu toplantılar sırasında gençlere sorulan sorular, cinsel tutumbilim alanındaki genel araştırmalar kesin perhize, yani her türlü cinsel etkinlikten vazgeçmeye delikanlılarda hiçbir zaman rastlanmadığını göstermektedir; genç kızlardaysa, elimizdeki verilere güvenirsek, cinsel perhiz daha yaygındır. Şuna kuşku yok ki, *perhiz adını verebileceğimiz cinsel davranış öylesine enderdir ki, bu olguyu hiç hesaba katmayabiliriz.*

Gerçekte, bütün cinsel kılgılar iffet görünüşü altında uygulanmaktadır. Erkekler de, kadınlar da, yıllar boyu bilinçsizce kendilerini okşamışlardır: kadınlarda bunun en belirgin örneği, butların sıkıştırılmasıdır; her iki cinsin bisiklet ve motosiklete binmesi de bir kendini doyurma örneğidir; uyanıkken kurulan cinsel düşler, kendi kendini doyurmanın eksiksiz ruhsal yanını, başka bir deyişle zararlı yanını oluştururlar; ama uyanık düş kuranlardan kendi kendilerini okşamayanlar iffetli olduklarını öne sürdüklerinde cinsel *doyum* açısından haklı, cinsel *uyarılma* açısından haksız olacaklardır.

a) *Emekçi gençlik*

İşçi örgütleri yöneticileriyle cinsel sorunları konuşmaya kalktınız mı, gençler müthiş utanıp sıkılırlar. Gençlerin kendi aralarında bile bu konuyu ciddî olarak tartışmayı göze alamamaları çok anlamlıdır. Buna karşılık, cinsellik kaba şakalar ve açık saçık konuşmalar biçiminde yaşamın her anında vardır; gençliğin genel havası baştan aşağı cinsellik kokar. Küfürlerin çoğu, her şeyi cinsel görünüş içersinde dile getirmeye yarar.

İşçi örgütlerince cinsel eğitim vermek üzere düzenlenen akşam toplantıları çok kez gençlerin perhizini pekiştirmekten başka işe yaramaz. Bu toplantılarda açık seçik bir cinsel siyaset önerene, sorunu en doğru biçimde ortaya koyana pek ender rastlanır. Soruna yaklaşma biçimi belirleyicidir: konuşmacının, her şeyden önce, hiçbir utanıp sıkılma ya da cinselliğe aykırı önyargı belirtisi göstermemesi gerekir, ikinci olarak, dolaysız konuşmalıdır; son olarak da, sorular yazılı sorulabilmelidir, çünkü deneyler göstermiştir ki, insanlar ancak o zaman bütün içtenlikleriyle konuya ve konuşmacıya ilgi duymaktadırlar; bu koşullarda, konuşmadan sonra, her gencin sorulacak şeyleri vardır.

Sözünü ettiğimiz sakıncalara karşın, köylü gençler on

üç, işçi gençlerse on beş yaşında sürekli cinsel ilişki kurmaya başlamaktadırlar.

Köylü gençler arasında, genç kız, bir dans salonunun kapısında oğlanın gelip kendisini dansa çağırmasını bekler; tensel haz düşkünlüğünün alabildiğine ortaya vurulduğu danstan sonra, delikanlı kızı çalılıklara götürür, orada sevişirler. Gebeliği önleme çareleri bilinmez, onun yerine *yarıda kesilen sevişme*'ye başvurulur, ya da çocuklar kocakarılara aldırılır.

Kentlerdeki işçi gençlik gebeliği önleme yöntemlerini yeterince bilir, ama bu bilgisini pek az kullanır. Almanya ve Avusturya'da faşizm öncesi dönemde gençlik örgütleriyle siyasal partiler doğumun önlenmesi sorunuyla hiç mi hiç ilgilenmediler, hattâ buna karşıydılar.

Dolayısıyla, gençlerin ve siyasal örgütlerdeki ülkü savaşçılarının çoğu soruna kendileri el attı, bu konuda toplantı ve konuşmalar düzenlediler. Bu yolda karşılarına çıkan başlıca engel analarla babalardı. Siyasal örgütlere üye analarla babaların bile, çocuklarının, «öyle şeyler» konuşulan toplantılara gitmelerine engel olmaları son derece anlamlıdır. Gençlerarası toplantılarda, hattâ çocuklar on sekiz yaşında bile olsalar, salt dostça ilişkilerin kurulduğunu sezdikleri zaman da tepkileri aynıydı. Ancak, yaşantı, en sıkı kuralcı ana-babaların bile gençler elbirliğiyle kafa tutarlarsa tutumlarını değiştirdiklerini göstermektedir.

Gençlik örgütleri çoğu kez kıskançlık gösterileri ve sövgülü dövüşlerle yıkıldı. Sorumlu gençler arasında iki türe rastlanıyordu: harama el uzatmayanlar ile doğal kurallara uygun cinsel etkinlikte bulunanlar. Birincilerin, cinsel bir eş buldukları an, ülkü savaşçılıklarının tavsadığı görülüyordu. Hattâ, bir sürü genç, örgüte cinsel eş bulmak için giriyor, bulduğu an çekip gidiyordu.

Oğlanlarla kızlar, çoğu zaman, «önlerine fırsat çıkmadığı için», uzun süre cinsel ilişki kurmadan «arkadaşlık etmektedirler». Bunun başka bir nedeni de iç yasaklama, örneğin güçsüzlük korkusudur. Genç kızlarda cinsel ilişki korkusu kişiliğin ayrılmaz bir parçası haline gelmiştir: oğlanlar sevişmek ister, kızları buna iteler, berikilerse her türlü cinsel oyuna izin verir, doğal kurallara uygun birleşmeye yanaşmazlar; dolayısıyla, her Tanrı'nın günü sinir nöbetleri, hüngür hüngür ağlamalar görülür.

Sinir bozuklukları, özellikle genç kızlar için, çok önemli bir sorun yaratır. Çünkü spor yapan gençlerde cinsel içgüdünün bilinçaltına itilmesi daha belirgindir ve spor çoğu zaman cinsel yaşamı kösteklemek için yapılır.

Çocuklar için açılan yaz kamplarıyla dinlenme yerlerinde de şu iki belirgin görüngüye rastlanır: bir yanda geniş bir cinsel özgürlük, öte yandaysa, çoğunlukla bütün topluluğun altını üstüne getiren patlamalara yol açan çatışkılar.

Kızlar, çoğunlukla, erkek arkadaşlarını ya da herhangi bir erkeği acı acı arzuladıklarını, ama ne yazık ki, sevişme anı gelip çattığında, dayatıcı olduklarını gördüklerini söylerler. Düşsel yaşamdan gerçek cinsel etkinliğe geçememektedirler.

Oğlanlar ya tek başlarına, ya da topluca, düzenli olarak kendi kendilerini doyururlar; bu iş toplu yapıldığı zaman, arasıra toplu çılgınlıklara yol açar. Kendi kendini doyurma erkeklerde kızlardakinden daha yaygındır.

Dans ve benzeri toplu eğlenceler, gevşemeye yol açmaksızın, cinsel gerilimi artırmaktadır.

Cinsel ilişki kurmaya karar vererek sorunlarını çözen gençler yer yokluğundan yakınırlar. Yazın kırlarda sevişirler, kışınsa, yer bulup biraraya gelememek en büyük dertleridir. Otele gidecek paraları yoktur; bir gencin tek başına oda tutması kırk yılda bir görülen şeydir; üstüne üstlük, analar babalar gençlerin evde buluşmalarına karşı çıkarlar. Bu da çok ciddî çatışkılara, cinsel ilişkinin (koridor, köşe bucak gibi) sağlığa aykırı yerlerde kurulmasına neden olur.

En büyük güçlük, *genç emekçilerin yaşadıkları ortamın baştan aşağı cinsel gerilimle dolu oluşuna karşılık, gençlerin çoğunun hem sevisel açıdan kafalarını bin bir yasakla doldurmuş, hem de maddi açıdan bir çıkış yolu bulamayacak kadar çok kösteklenmiş olmalarından gelir. Analar babalar, parti yöneticileri ve toplumsal öğretinin tümü gençlere karşıdır, oysa görece de olsa toplumsallaştırılmış yaşamları onları geleneksel cinsel engelleri aşmaya itelemektedir.*

Yakın ilişki kurduğum bir bölük Berlinli genç emekçi bize bu konuda bir yığın örnek sağlayabilir. Sayıları altmışa yakın, yaşları on dörtle on sekiz arasındaydı, oğlanlar çoğunluktaydı. Bu gençler arasında da cinselliğin büyük önemi vardı, özellikle cinsel ilişkileri, kimi zaman da kendi kendini doyurmayı içeren şakalar biçiminde dışa vurmaktaydı. Oğlanın birini bir kızla «giderken» gördüler mi, alay ediyorlardı. Sözünü ettiğim gençlerin çoğu cinsel ilişki kurmuştu ve sık sık eş değiştiriyordu. Cinsel ilişki ciddiye alınmıyordu ve yumruklaşmaya dönüşen bazı kıskançlık nöbetlerinin dışında, önemli bir çatışkı yoktu. Hiçbir zaman aşırılığa kaçılmıyor, toplu «yiyip içip sevişme şölenleri» yapılmıyordu. Sevişmeler çoğunlukla gece, kimi zaman da gündüz gezintileri sırasında oluyordu; bir kızla bir oğlan birara «ortadan yokoldu» mu, kimsecikler kaygılanmıyordu. Kendi kendini doyurmaktan ya da eşcinsellikten pek az söz ediliyordu. Ama oğlanlar —kızlara oranla— gönül serüvenlerini daha çok anlatıyorlardı. Bu gençler topluluğunda sorumluluk yüklenmiş kızlardan birine cinsel yaşamın neden ciddiye alınmadığını, niçin bu konuyla dalga geçildiğini sorduğumda şu karşılığı vermişti: «Başka nasıl olabilir ki? Aldığımız eğitim bütün bunların kötü olduğunu öğretiyor; oysa insan her şeye karşın bu konuyu konuşmak istiyor, o zaman işi şakaya boğuyoruz.»

Diyafram pek az bilinip kullanılıyordu. Gebe kalmayı önlemekteki en yaygın yöntem tam boşalırken geri çekilme ya da erkeğe koruyucu takmaktı. Ancak, bu koruyucu da, o günün parasıyla bir servete (30 - 50 feniğe) mal oluyordu.

Parti çalışmaları, cinsel çatışkılarla sık sık bozuluyordu. Zaman zaman gençleri partiye kız ya da erkek arkadaşlarıyla bir arada bulunmak için girmekle suçluyorlardı; hele kızlara, erkek arkadaşları örgüt üyesi olduğu için göz yumuluyordu. Yönetici kızlardan biri, bunun nedeninin, gençlerin cinsel yaşamları konusunda kesin bir düşünceye sahip bulunmayışları olduğunu söylüyordu; cinsel yaşamı bilinçaltına itmek çok daha kötü sonuçlar doğurur, diyordu bu yönetici hanım, en iyisi eğitimi değiştirmek, bu sorunları açıkça ve ciddî olarak ele almaktır; o zaman gençlerin kafasını daha az uğraştırırlar. Kışın, diyordu genç kadın, sevişilecek yer eksikliği gençler için ciddî bir sorun ve acı kaynağı oluyor.

Ben ancak Avusturya ve Alman işçi gençlik örgütlerini yakından tanıyorum. Ama yıllar boyu edindiğim görgü ve deney durumun hemen her yerde böylesine umutsuz, sağlığa zararlı, toplumsal sorumluluğun gelişmesine aykırı olduğunu söylememe izin veriyor. 1934'te, ulusaltoplumcu hükümet iki ayrı cinsten gençlerin geceleri birlikte sokağa çıkmalarını, uzun süre yan yana kalmalarını yasakladı. Hiç kimse bu saçma yasağa karşı çıkmayı, gençliğin çıkarını kurtarmayı göze alamadı.

İngiltere, Macaristan, Amerika Birleşik Devletleri gibi ülkelerden gelen durum bildirilerinin de doğruladığı üzere, bütün tutucu ülkelerdeki cinsel yaşam koşullarının açıklılığı konusunda en küçük bir kuşkum yok.

Gençliğin çektiği en büyük yoksulluk, ruhsal açıdan hazır olsalar bile onları cinsel ilişki kuramaz hale getiren, küçük kentlerle kasabaları dolduran evde kalmış kızlarla kadınlı erkekli doyumsuzlar alayının gizli dedikodularından gelmektedir. Kişilerin sonu gelmez can sıkıntısı, görülmemiş bir şehvet merakına ve kötülüğe yol açmakta, bu da sayısız gencin kendini öldürmesine neden olmaktadır. Gençliğin önümüze serdiği görünüm içler acısıdır. Malmö'de sürgünde yaşadığım yıllarda, şöyle bir bakıp geçmenin ötesinde ilgilendim bu görünümle. Kent gençliği, her akşam, 8'le 11 arasında, ana caddeyi arşınlıyordu.

Oğlanlarla kızlar, üçer dörder kişilik kümeler halinde, ayrı ayrı geziniyorlardı. Oğlanlar kızlara takılıyor, hem heyecanlı, hem sıkılgan gözüküyorlardı; kızlar, kendi aralarında, alık alık gülüşüyorlardı. Zaman zaman, koridorların birinde ufak bir kaçamak yapılıyordu. Uygarlık mı dediniz? Can sıkıntısıyla cinsel kokuşma ulusal-toylumcu mızıka takımıyla buluştuğu an, faşist dünya görüşü için, uçup giden bir kafa ürünü kabarcığıdır uygarlık. Ancak, bu durumu düzeltmeye girişecek örgüt yoktur şu anda yeryüzünde.

b) *Kentsoylu gençlik*

Şimdi, Lindsay'in Amerikan kentsoylu gençliği konusundaki sözlerine kulak verelim. Okullarda cinsel yaşamın boygöstermesi, yetkililerin işe el atmasına yol açacak görünüşler almış.

«Aynı biçimde, diye yazıyor Lindsay, üst düzeyli *Phillips Academy* —ki yalnız erkek çocukları eğitir—, getirdiği başıbozukluktan ötürü, okulda dansı yasaklamak zorunda kaldı. Bu olay da basına geniş biçimde yansıdı. Phillips Academy'nin başkanı Alfred E. Stearns, *Boston Globe*'daki yazısında, geçende alınan kararlar arasında, aşağıdaki görevlerle yükümlü, öğretmen ve öğrencilerden oluşan kurulların kurulmasının da bulunduğunu açıklıyordu:

1. Düzeni sağlamak, yakışık almaz biçimde dansoden çiftleri uyarmak, hattâ oyun yerinden çıkarmak.

2. Kişiliği insana güven vermeyen kızların toplantılara katılmasını önlemek.

3. Her iki cinse de, dans salonunda ya da dışarda içkiyi yasaklamak.

4. Hafifçe sarhoş olanların bile salona girmelerini önlemek ya da dışarı atmak.

5. Aşırı ve edepsiz kılıkları, içkiyi, açık saçık konuşmaları önlemek üzere kızların vestiyerini denetlemek.

6. Dansa çağrılan kızların yanında bir büyüğün bulun-

masına dikkat etmek; dans sırasında arabayla 'kaçamak' yapılmasını yasaklamak.

7. Otomobille gelenlerin arabalarını dans salonu yakınına bırakmamalarına dikkat etmek.

8. Salonun dışında, danstan başka kümelenmeleri önlemek.

9. Genç kızların danstan sonra hemen odalarına dönmelerine göz kulak olmak.

«Öğrencilerinin niteliği yönünden en iyi okullarımızdan birinin ne durumda bulunduğunu çok iyi anlattığı için yasaklar listesini olduğu gibi aktardım.

«Bu okul, öncelikle Doğu bölgesinin en iyi gelenek ve eğitimle yetiştirilmiş, son derece varlıklı ve bilgili ailelerin çocuklarını almaktadır.»

(Revolt, s. 52)

Bu işin «Doğu bölgesinin en varlıklı ve bilgili ailelerinin» çocuklarının başına gelmesine şaşacak, bundan ötürü hop oturup hop kalkacak yerde, söz konusu sonucun dış dünyadaki katı ilkeciliğe ve cinselliğe düşman eğitime karşın doğduğunu anlamak gerekir; çünkü sıralanan şeyler ancak dış görünüşleriyle aykırıdırlar cinsel yaşama düşman ahlâka.

Burada bizi ilgilendiren, ahlâkî zorunluluklara karşın, bastırılan cinsel etkinliğin su yüzüne çıkması değil; bu ister istemez olur. Biz, *cinsel ahlâkın cinsel etkinlik biçimleri üzerindeki etkisi*'yle ilgileniyoruz. Bu biçimlerin ahlâkî gerekliliğe de, cinsel tutumbilime de uymadıklarını hemen göreceğiz: söz konusu etkinlikler, ne birine ne de ötekine tam anlamıyla karşılık verebilen bir orta yoldurlar.

«Sözünü ettiğimiz öğrencilerin dediklerinden çıkan ilk sonuç, diyor Lindsay, gençlerin % 90'ının, dans sırasında birbirlerini öpüp okşadıklarını, arabayla uzun uzun dolaşıp seviştiklerini ortaya koymuştur. Bu, her kızın *önüne gelen oğlana* kendisini öptürüp okşattığını göstermez, ama içlerinden biriyle *öpüşüp koklaşmaktadır* işte. Geri kalan % 10'sa, gençliğimizin en önde gelen temsilcilerini doğal

134 CİNSEL DEVRİM

içgüdülerini bu türlü eğlencelerle gidermeye iten toplumsal gereksinimle bedensel enerjiden yoksundur. Başka bir deyişle, birincileri çatışkıya düşüren şey, daha akıllıca kullanılması çok daha iyi olacak olan bir güç ve canlılık fazlalığıdır.

«Verdiğim yüzdelerde hemen herkes görüş birliğindedir; eğer bu oran doğruysa, gençlerin, cinsel deneyin bu kadarına toplumun göz yumduğu sonucuna vardıkları ortaya çıkmaktadır. Dolayısıyla, gençlerin büyük bir bölümü, bu aldatıcı sevişme biçiminin belli sınırlarını aşmadan, birbirlerini öpüp okşamaktadır.

«Kızların kimisi gezip dolaştıkları delikanlılardan bunları beklemekte, bu zararsız oyunlar konusunda en az oğlanlar kadar girişken davranmaktadırlar.

«Son derece güzel ve canlı bir kızın, yeterince girişken olmadığı için oğlanlardan biriyle gezmekten vazgeçtiğini anlatıp, arkasından da, 'insanı adam gibi sevmesini bilmiyordu' diye belirttiğini anımsıyorum.

«Bugün bütün delikanlılar yapıyor mu bu işi? diye sormuştum.

«'Elbette,' demişti, 'yoksa, doğal ölçülere aykırı bir yanları var demektir'» (s. 56).

Lindsay, «güç ve canlılık fazlalığı»ndan söz ederken, bu yoğun canlılık bir bakıma gençlikte çok daha fazla olduğu, öte yandan da kılgısal cinsel etkinlikle çeliştiği için, haklıdır. Yazarın ağzından, gençlerin öpüşme ve birbirini okşamayı, yani en basit cinsel etkinlikleri toplumca «kabul edilebilir» saydıklarını işitiyoruz; ama beri yandan, «bazı belli sınırları da aşmamaları» gerekmektedir. Bunu daha açık bir dille anlatabiliriz: gençler cinsel arzuları kışkırtan bütün eylemlere girişebilmekte, ama hemen hepsi cinsel edimden kaçınmaktadır. Asıl sevişmenin dışında kalan her şeyi neden rahatça yapıyorlar acaba; Resmî ahlâkın cinsel ilişkiyi en kötü etkinlik saydığını biliyorsak, bu soruya vereceğimiz karşılık açıktır. Delikanlı, sevgilisini okşayarak birtakım baskılardan kurtulduğunu göstermekte; onunla yatmaktan kaçınaraksa, tutucu ahlâka boyuneğdiğini kanıtlamaktadır. Burada, kızların «evlenebilirliği»ni de hesaba katmak gerekir, çünkü el değmemişlik evlilik için her zaman iyi bir kozdur.

Bununla birlikte, Lindsay'in de belirttiği gibi:

«İşe öpüşüp koklaşmakla başlayanların en az % 50'si o noktada kalmamakta, kendi aralarında sözleşmeler açısından bakıldığı zaman bile son derece uygunsuz kaçan aşırılıklara varmaktadır» (s. 59).

Gençlerin ancak % 15'i işi yatmaya vardırmaktadır. Lindsay, 1920 - 1921 yıllarında, cinsel suç işlemiş, yaşları on dörtle on sekiz arasında, 769 genç kız yargılamış; çalıştığı yargı kurulunun yetisi o kadar zayıf olmasaydı, bu sayı epey artardı. Lindsay'e göre, oğlanların % 90'ı okulu bitirmeden, yani on sekiz yaşından önce cinsel deney geçirmektedir. Kızlar, çekingenliklerinin bir bölümünü kaldırıp atmıştır.

«Geçenlerde konuştuğum bir orta okul öğrencisi, yarısı hâlâ okula giden, kendi yaşıtı on beş kızla cinsel ilişki kurduğunu açıkladı. Delikanlı bu kızları 'kolay elde edilebilen' kadınlarla yosmalara yeğlemişti. Bu itirafı doğrulayabildim, sözünü ettiği kızların hemen hepsiyle konuştum, hepsinin orta halli, iyi aile kızları olduklarını gördüm. Delikanlı, kızların her biriyle ancak bir kez ilişki kurmuştu. Kızların birkaç tanesi ayrık tutulursa, geri kalanlar kızlı-erkekli sevişme oyunlarına katılmamıştı ve pek çoğunun sonradan doğru yola döndüklerini sanıyorum.

«Denver'de bir 'kapalı evler' mahallesi bulunsaydı, söz konusu genç kızlar böyle deneylerden kurtulacak, ama ne delikanlı, ne de herkes gibi kurtarılmayı hak eden yosmalar kurtulabilecekti.

«Bence, genelevlerin kaldırılmasından bu yana, eskisine oranla çok daha fazla 'iyi aile' kızı cinsel deneylere girişmişti. Ancak, ne gariptir ki, 'adını lekeleyen' ya da 'kötü' yola düşen' kız sayısı yine de azdır» (s. 70).

Lindsay, burada, belki de farkında olmadan fahişeliğin temel gizini ve cinsel bunalımın zorla insanlara büldurduğu çözümü ortaya koyuyor: *dişi gençliğin cinsel ya-şama girişiyle fahişeliğin sona ermesi.*

«Genç kızların bu etkin ve girişken tutumu son yıllar-da epey yaygınlaştı; kırk yılda bir rastlanır olmaktan çık-tı. Üstüne üstlük, gittikçe daha az gizleniyor. Bunun ne-deni, iktisadî ve toplumsal durumların söz konusu genç kızları erkeğe eşit kılmasıdır. Kızların çoğunun para du-rumu, okulu bıraktıktan sonra gezip dolaştıkları oğlanla-rınkinden iyi. Dolayısıyla, bir sürü delikanlı, yaptığı seç-me sırasında, kibirli genç kız tarafından sıkı bir sınava sokulmaktadır» (s. 121).

«Elimde, ortaya çıkan bir cinsel suça karşılık, birço-ğunun gizli kaldığını gösteren rakamlar var. Örneğin, —hepsi okula gitmemekle birlikte— okuma çağında, deli-kanlılarla cinsel yaşantıları olmuş 495 kızın ancak 25 ta-nesi gebe kalmıştır; başka bir deyişle % 5'i, yirmide biri. Öbürleri, kimisi talih sonucu, kimisiyse az çok etkili ko-runma çarelerini bildikleri için (bu arada şunu da belir-teyim ki, bu çareleri sanıldığından daha çok bildiklerini gördüm) gebelikten kurtulmuştu.

«Sözü şuraya getirmek istiyorum: bir kere, bu 500'e yakın genç kızın dörtte üçü, şu ya da bu nedenle, bana kendiliklerinden gelmiştir. Kimisi gebeydi, kimisi hasta, kimisi pişmanlık içersinde, kimisi de kendisine yol göste-rilmesini istiyordu; ikinci olarak, hepsinin ortak yanı, ba-na gelmelerine yol açan dürtü, şöyle ya da böyle, birinden yardım görmek istemeleriydi. Bu gereksinim olmasa, gel-mezlerdi. Yardım aramaya gelen her kıza karşılık, yar-dım beklemedikleri, kararlarını kendileri verdikleri için gelmeyen bir sürü genç —asıl büyük çoğunluk— vardı ge-ride.

«Başka bir deyişle, iki yıldan az bir süre içersinde ele alınan bu 500 kız, iyi olanakları bulunmayanlar arasında, türlü toplumsal kökenli, küçük bir küme oluşturmaktay-dı ve başları şu ya da bu biçimde derde girdi; ama elle-rinde gerekli olanakları bulunmadığı halde önüme gelme-yenlerin sayısı mutlaka çok daha yüksekti. Gebe kaldığı ya da hastalandığı için beni görmeye gelen bir kıza karşılık, ya bu işin sonuçlarından kurtulduğu, ya da durum ve koşullar kendi dertlerinin çaresine bakmaya izin verdiğinden tanıyamadığım bir sürü kız var sanıyorum. Örneğin, yüzlercesi çocuk düşürten kişilere başvurmakta; tahmin etmiyor, biliyorum öyle olduğunu» (s. 64).

Peki, Lindsay tutucu ahlâkın yüz karası gözlemlerinden ne sonuç çıkarıyor acaba?

«Bunun zor ve tehlikeli bir sorun olduğunu söylemem bile gereksiz. Sorunu hafiyelik ya da sıkı gözetim altında tutmayla değil, gençlerin kendilerinin onaylayacağı ve benimseyeceği gerçek iç denetim yasalarından oluşmuş ahlâkî bir kuralla çözebiliriz ancak. Böyle bir kuralsa, yalnız, alabildiğine içten ve eksiksiz bir eğitim aracılığıyla özgür ve dolaysız bir biçimde yürürlüğe konabilir» (s. 59).

Nedir bu ahlâkî kural? Bunu derken neyi düşünmektedir Lindsay? Nasıl gerçekleştirilir şu «gerçek iç denetimler?» Evin, okulun ve Kilise'nin gençliğin kafasına soktuğu bilinçaltına itmelerden daha «gerçek» şey mi olur? Doğa «ahlâkî yasa» diye bir şey tanımadığına göre, çevreden gelenin dışında bir yasaklama yoktur. Ve bilmem kaç yüzyıldır gençliğe uygulanan cinsel baskının sonucu nedir? Lindsay'in anlattığından başkası değil.

Lindsay, çözülmesi olanaksız çelişkilere varıyor. Bir yandan, gençler arasında tutucu ahlâk anlayışının hapı yuttuğunu gösteren olgular saptıyor. Öte yandansa, hem de üstelik bu olgulardan yola çıkarak, çöküşünü kendi ağzıyla saptadığı, yarı yarıya onayladığı bu ahlâk anlayışının yeniden karşımıza çıkarılmasından başka bir anlama gelmeyen birtakım isteklerde bulunuyor.

Sözün kısası, Lindsay *zorlama tekeşli evlilik kuramından ve genç kızların el değmemiş olmaları arzusundan* kendisini kurtaramamakta ve şunları yazmaktadır:

«Birkaç yıl önce, on yedi yaşında bir kızın sorumluluğu bana verilmişti; tanışmamızdan beş yıl önce, bir sürü öğrenciyle ilişki kurmuştu. Kız ahlâksız mıydı? Kötü müydü acaba? Hepsi boş lâf bunların. Kız düpedüz bilgisizdi.

Benimle konuştuktan sonra her şey düzene girdi; Denver' in en iyi hanımlarından biri oldu. Hiçbir çapkın karşısına çıkma yiğitliğini gösteremedi ondan sonra. Son derece güzel, görür görmez farkedilecek kadar zekiydi, geçenlerde, sanırım bu niteliklerine lâyık bir erkekle evlendi» (s. 116).

Bütün bunlar, tutucu ahlâkın görüşünü yumuşatmaktan başka bir şey yapmadığını anlatıyor; *bu ahlâka karşı* çıkmıyor; bir sürü başarısızlığını saptadıktan sonra, tutucu ahlâkın şapa oturduğu ve kesinlikle çürüdüğü sonucuna varmıyor. Babalarımız olsa, kızın «ahlâksız, kötü» olduğunu söylerlerdi; Lindsay yalnızca «bilgisiz» olduğunu söylüyor. Bense kızın bilgisiz olduğundan kuşkuluyum; ne yaptığını çok iyi biliyordu; tutucu toplumdaki kural uyarınca, bütün kızlar gibi, ister istemez beylik evlilik limanına yanaştırdı gemisini. Böyle davranmakla, salt cinsel bilgi açısından ele alırsak, hiç de daha «bilgili» olmuyordu; tutucu cinsel törelere uymamanın ilerde başına neler getirebileceğini ona Lindsay «öğretiyordu».

Sizin anlayacağınız, Lindsay'in saptadıkları şunlar :
1. Toplumsal kurallar değişmektedir :

«Sözünü ettiğimiz olguların geçici bir çılgınlık, savaş sonrasında ortaya çıkan ve sona ermekte olan bir azgınlık nöbeti olduğunu öne sürmek sersemliktir. Durum artık herkesçe bilindiğinden, devekuşu gibi başını kuma gömme gittikçe yaygınlaşmakta; ancak bu ülkenin yetişkin insanları yüzeydeki görece dinginliğin altta hiçbir şey geçmediği anlamına geldiğini sanıyorlarsa, tatlı bir cennet çılgınlığı içersinde yaşıyorlar demektir. Gençlik, büyüklerine karşı eskisinden daha kurnaz, daha akıllı, daha küçümseyici ve kendi yolunda yürümeye her zamankinden daha kararlı. Bu, söz konusu yolun ille de kötü olduğunu göstermez, gençlerimizin kendi elleriyle yıkımlarını hazırladıklarını da. Bu, yalnızca, toplumsal kuralları değiştirdiklerini anlatır; ve bana sorarsanız, eğer bizimle birlikte olmazsa, bizsiz yengiye ulaşacaklardır.»

(*Revolt*, s. 53.)

2. İktisadî engeller, özellikle kadınlar açısından, etkilerini yitirmektedir :

«Eskiden son derece güçlü olan dış zorunluluklar, iktisadî zorunluluklar bir daha geri gelmemecesine yokoluyor; *şimdi bütün iş, insanları doğru yola yöneltebilecek biricik kural olan iç ölçülülüğe ne zaman ve ne oranda yerlerini bırakacaklarını kestirebilmektedir.* Ben, bu sürecin gözümüzün önünde gerçekleştiği inancındayım. Genç kuşağın bir porselen dükkânına kapatılmış kör gözlü boğa olduğuna inanmıyorum» (s. 54).

3. Günün gençliği, «o güne dek gelmiş geçmiş gençliklerin en sağlıklısı, doğal kurallara en uygunu»dur (s. 54).

4. Delikanlıların, genelevin yerine kendi çevrelerinden kızları koymaları çok daha ahlâklı, kesinlikle yeğlenecek bir şeydir.

«Çünkü eskiden, 'kapalı evli' mahallelerdeki düşmüş kızlarla gezip tozmalarına karşın, hiç aksatmadan gelerek bu evleri yaşatan delikanlılar yine de iyi birer yurttaş, koca ve baba olma talihine sahiptirler; yeryüzünde yaşayan kız yurttaşlarımız için durum aynı değildi. Yeni durum, genç kızlar arasında cinsel yaşantının yaygınlaşmasına karşın, 'genelev' dönemine kıyasla, kadın cinsi için eski düzenden daha az yıkıcı gözükmektedir; çok daha sıkı koşullarıyla, korkunç cezalarıyla ve ikiyüzlü 'ahlâklılık' ilkesiyle kadınların canına okuyan eski düzenden. Yeni düzenin de birtakım düzeltmeler gerektirmediğini söylemiyorum elbet; yalnız, gerçek ahlâkın bunda daha çok rolü olduğunu söylüyorum; ve şom ağızlılar gücenmesin ama, toplum olarak hiç *gerilemedik*» (s. 72).

5. Bugünkü kızlar «erkeği tanımaktadır».

«Eskiden, 'iyi aile' kızı bu türlü girişimleri kendine hakaret sayardı. Bugünse, erkeğin arkadaşlık önerisini reddetse bile, hiç mi hiç alınmayacaktır. Bu konuda yeterince uyanmıştır, içtepisinin doğal yasalara uygun olduğunu bilecek kadar iyi tanımaktadır erkeği. Kızlarla oğlanlar arasındaki bu içtenliğin iyiye doğru bir ilerleme olup olmadığını tartışacak değilim şimdi. Ancak, söz konusu içtenlik, gençlerin aka ak, karaya kara demekteki kararlılıklarının bir bölümüdür; biz büyüklerse, hoşumuza gitsin gitmesin, bunu göz önünde bulundurmak zorundayız» (s. 67).

6. «Tıpkı besine duyulan açlık gibi, cinsel etkinlik de yaşamla ilgili bir veridir. Besine açlık duyma gibi, ne yasalara uygun, ne aykırı, ne ahlâklı, ne de ahlâksızdır» (s. 127).

Lindsay, vardığı sonuçlarda gençliğin giriştiği cinsel devrimin *başarısızlığını* doğuran nedenlerle hiç uğraşmamakta, bunu ahlâkî açıdan yargılamakla yetinmektedir:

«Gençlerin giriştiği cinsel devrim, eski kurallardan uzaklaşmakla, hiç kuşkusuz bir ilerlemeyi gerçekleştirmiştir, ama bu devrime katılan bireyler bir kölelikten kurtulup öbürüne tutsak oldular. Başıboşluk bir köleliktir çünkü: *özgürlük, gençlerimizin sandığının tersine, insan yasalarından daha zorlayıcı, kişiye daha çok şey yükleyen, güçlü yasalara kendi istemiyle uymaktır.* Elinde kendi ışığından başka kaynak bulunmayan gençlik, çoğu kez, bu ikisini birbirine karıştırır» (s. 102).

«Kişiye daha çok şey yükleyen» bu yasaların ardında tutucu toplumun baskı yollarıyla istekleri sırıtmaktadır: zorlayıcı oluşları, gençliğin cinsel tutumbilime uygun yaşayabilmesine izin verecek toplumsal temelin eksikliğini, toplumun gençliği kölelik fabrikasının, yani buyurgan ailenin boyunduruğundan kurtulmaya bırakmamakta kararlı olduğunu göstermektedir. Ve tabiî tutucu gençliğin elinde «kendi ışık kaynakları» bulunamaz, tutucu gençliğin kendisi buna izin vermez, çünkü o da yürürlükteki toplumsal düzene maddî açıdan bağlıdır, hem de cinsel yaşamındaki bütün güçlükleri doğuran bu düzen olduğu halde.

Şimdi kalkıp belki de kendi kendinize, iyi ama, Lindsay gibi gençliğin şaşırtıcı ve yürekli önderi olan biri neden gözlemlerinden çıkan zorunlu sonucu dile getirmiyor diye soracaksınız. Nasıl oluyor da, gençlik uğrunda giriştiği kavgayı kösteklyen ahlâkî bir önyargıdan kurtaramıyor kendini? Başarısızlık kör kör parmağım gözüne ortada olduğu halde, tutucu toplumun çilecilik konusundaki uzlaşmaz tutumunu yakalarız belki şimdi. Lindsay, evlenmezden önce hareketli bir yaşam süren genç kızdan söz ederken şöyle diyor :

«Kız, düğünden sonra, sevgilisiyle 'günah içersinde' yaşamaya devam edebilir ve her şey tam bir düzen içinde olabilirdi. Peki, nereden geliyor gençlerin mantığı? *Bu ilişki onu gerçekten kirletiyor muydu, yoksa yalnızca toplumsal kuralları çiğnediği için mi suçluydu?* Bu ayırım son derece önemlidir. Evlenmeden bir erkekle düşüp kalktığı için kusurlu olduğunu kabul edebiliriz, ama kusur, ilkel kavimlik döneminden kalma bir boş inanla ele güne duyurduğumuz giz dolu 'leke'de değil, bir toplumsal sözleşmenin bozulmasındadır» (s. 118).

Demek ki, Lindsay genç kızın evlilik öncesi cinsel etkinliğinden ötürü değil, «toplumsal kuralları çiğnediği» için «lekelendiğine» inanıyor. Genç kızın evlilikten önce el değmemiş olarak kalması zorunluluğu bundan daha açıkça dile getirilemezdi: kız, evlilik öncesi ilişkilerinde «kusur» işlemiştir. Mutlak mıdır bu kusur? Yoo, hayır, *tutucu toplum, kuramsal ve iktisadi nedenlerden ötürü, zorlama evliliği ve onun öğretisini yıkmamak için, evlilik öncesi ilişkileri resmen kabul edemeyeceğinden* kusurdur. Nitekim, Lindsay'in kendisi, başkaldıran genç Mary konusunda şunları söylüyor :

«Bununla birlikte, evliliğin tam bir başarısızlık olduğu, kaldırılıp ıskartaya çıkarılması, onun yerine Özgür Aşk'ın ya da başka bir toplumsal örneğin getirilmesi gerektiği sonucuna varamayız. Evlilik kurumu ne denli eksik gedik olursa olsun, *ondan vazgeçemeyiz.* Kurallarda yapacağımız akıllıca, sakınımlı değişiklik oyunlarıyla mutlaka kurtarılmalıdır...» (s. 140).

Eh, kuşkuya yer yok: gençliğin cinsel özgürlüğü demek, evliliğin (zorlama evliliğin) yıkılması demektir; cinsel baskının amacı, gençleri bu evliliğe hazırlamaktır. Görüldüğü gibi, evliliğin «eğitsel» anlamı ve gençlerin «ahlâklılığı» konusunda çekilen söylevlerin hepsi, sonunda, dönüp dolaşıp buna indirgeniyor. Ve işte yine bu nedenle, *evlilik sorunu gençliğin cinsel yaşamı sorunundan ayrılamaz.* Bunlar, tutucu öğreti zincirinin iki halkasıdır. Onları birleştiren bağ azıcık gevşedi mi, gençlik çözümü olanaksız sorunlarla, çatışkılarla karşı karşıya kalmaktadır, çünkü cinsel sorun evlilik sorunundan ayrı çözüme bağlanamayacağı gibi, evlilik sorunu da kadının iktisadî özgürlüğüne kavuşması ile son derece güç eğitim ve iktisadî yaşam sorunlarından ayrı çözülemez.

Ancak, böyle sakınımlı davranmasına karşın, Lindsay'i tam anlamıyla benzettiler. Yargıçlık görevinden oldu.

Bu satırlar, 1928 yazında, elinizdeki kitabın ilk basımının yayımlanmasından aşağı yukarı iki yıl önce yazıldı. Burada, evlilik ahlâkıyla gençliğin sıkı perhizde yaşaması zorunluluğu arasındaki toplumsal bağların incelenmesinin sonuçlarını dile getiriyordum. Bir yıl sonra, Moskova Cinsel Hastalıklar Enstitüsü hekimlerinden B. Baraş' ın bir yazısında, vardığım sonuçların sayılarla doğrulandığını görme talihine erdim («Moskovalı İşçilerin Cinsel Yaşamı», *Journal of Social Hygiene,* Mayıs 1926).

Bu yazıda, eşler arası bağlılıkla cinsel ilişkilerin başladığı yaş arasındaki ilintiye ilişkin sayılar veriyordu. Cinsel ilişki kurmaya on yedi yaşından önce başlayanların % 61,6'sı evlilikte eşini aldatıyordu; on yediyle yirmi bir yaşları arasında başlayanların % 47,6'sı eşine bağlı kalmıyor; yirmi bir yaşından sonra da iffetli kalanlarınsa yalnız % 17,2'si eşinden başka biriyle ilişki kuruyordu.

Şöyle diyor yazar:

«Cinsel ilişki ne kadar genç yaşta başlamışsa, evlilik dışında gelip geçici ilişki kurma eğilimi o denli büyük, eşine bağlılıksa o kadar az olmaktadır... Erken yaşta cinsel yaşama girenlerin ondan sonraki cinsel yaşamları düzensiz sürmektedir.»

Eğer gençliğin perhizde yaşama zorunluluğu toplumsal açıdan doğrudan doğruya evlilik kurumuyla, dolaylı yoldansa resmî cinsel düzeltimin bağlı bulunduğu iktisadî çıkarlarla belirleniyorsa; üstüne üstlük, eldeki rakamlara göre *erken başlayan cinsel ilişkiler insanları evliliğe uyamaz hale getiriyorsa* (evlilik derken, ömür boyu tek eşle sürdürülecek tutucu evlilikten söz ediyoruz), uçkuruna düğüm atarak yaşama zorunluluğunun anlamı, *bireyde onu zorlama evliliğe yatkın, kuzu gibi uslu bir yurttaş kılacak cinsel yapının yaratılmasıdır.*

İlerki sayfalarda bu cinsel yapıyı, onun gençler üzerindeki etkilerini ve evliliğe getirdiği çelişkileri inceleyeceğiz.

3 — GENÇLİĞİN CİNSEL YAŞAMI KONUSUNDA AHLÂKDIŞI HEKİMLİK GÖRÜŞLERİ

Gencin önünde üç olanak vardır: *sıkı perhiz, kendi kendini doyurma* (karşı cinsten gelen kışkırtmayla birleştirilen eşcinsel etkinlik bunun içindedir) ya da *cinsel ilişki.* Ama sorunu hangi açıdan ele aldığımızı açıkça bilmemiz gerekir. Bakış açısı da üçtür: ahlâkî bakış açısı, cinsel düzenlilik kuramına uygun bakış açısı, toplumbilimsel bakış açısı. Ahlâk, ele alacağımız soruna yaklaşmaya da, onu çözmeye de yaramaz. Sorun, somut olarak, bireysel cinsel yaşamın düzenliliğine ve toplumun üyelerinden beklediği çıkara bağlanır.

Buyurgan toplumun gençliğin cinsel yaşamının bastırılmasına büyük önem verdiğini gördük. Buyurgan evlilikle ailenin sürüp gidebilmesi de, köleliğe yatkın kişiliğin ayakta kalabilmesi de bu baskıyı zorunlu kılmaktadır. *Gerici* toplumla *insani* toplumu birbirine karıştıran gerici ahlâkçı, gençlik cinsel yaşamını «özgür kıldığı» an insanlığın tehlikeye düşeceğini sanır. Oysa sorun budur işte. Somut olarak, cinsel tutumbilimle çatışan toplumsal çıkarların ne olduğunu, başka bir deyişle, birinin çıkarlarını korumak için öbürününkileri harcamak gerekip gerekmediğini bilmek zorundayız. Sorunu gençliğin çıkarı açısından da ele alabilir, perhizin, kendi kendini doyurmanın ve cinsel ilişkilerin ona ne gibi üstünlük ya da sakıncalar getirdiğini araştırabiliriz.

a) *Erginlik çağında sıkı perhiz*

Bu bölümde, *kesin* perhizin türlü görünüşlerini inceleyeceğiz, çünkü bunun dışında kalanlar, en geniş anlamıyla, kendi kendini doyurmaya girer.

On dört yaşına doğru, artan dokualtı etkinliğinin ve üreme organlarındaki olgunlaşmanın etkisiyle, cinsel yaşamın yoğun bir etkinliğe girdiğine kuşku yoktur. Cinsel gereksinim, *doğal kurallar uyarınca*, cinsel ilişkiye yönelir.

Bu koşullarda, bir yığın genç cinsel ilişkiyi *bilinçli olarak* arzulamıyorsa, bu, yanlış yere sanıldığı gibi, bedensel olgunluğa erememekten değil, böyle bir etkinliğin düşüncesini bile bilinçaltına iten *eğitimin etkisi*'yledir. Her şeyi, buyurgan toplumla Kilise'nin dilediği gibi değil de, olduğu gibi görmek istiyorsak, bunu çok iyi anlamamız gerekir. Sözünü ettiğimiz bilinçaltına itmeden kurtulmuş gençler, istedikleri şeyin cinsel ilişki olduğunu pek iyi bilmektedir. *Cinsel düşüncelerin, özellikle cinsel ilişki düşüncesinin bilinçaltına itilmesi, perhizin vazgeçilmez koşuludur.* Çoğu kez, cinsel edim düşüncesi bilinçaltına itilmediği halde, ya ruhsal yararından arıtılmakta, ya da korku ve tiksinti düşünceleriyle öylesine iç içe girmektedir ki, kılgısal önemi kalmamaktadır. Ancak, sıkı perhizi gerçekleştirebilmek için daha fazlası gereklidir: *cinsel uyarılmanın bilinçaltına itilmesi.* Bu gerçekleştirilmişse, hiç değilse belli bir süre için dinginliğe kavuşulmuş demektir, ve genç hem kendi kendini doyurmanın dayanılmaz çatışkısından, hem de çevreyle arasında doğacak tehlikeli çatışmadan kurtulur; ama genç cinsel ilişkiyi bilinçli, dolayısıyla karşı konmaz bir biçimde arzuluyorsa, çevresiyle çatışması kaçınılmazdır.

Erginliğin ilk belirtilerinden sonra, gençlerin çoğunun cinsel etkinlik karşısındaki tutumu değişir. On altı, on yedi yaşlarında cinsel yaşama çok daha fazla düşmandırlar.

Bu davranışın ruhsal çözümlemesi, *zevke ulaşma kavgasının yerini zevkten korkmaya bıraktığını* göstermektedir. Gençler, bu yaşlarda, bir *zevk sıkıntısı*'na düşmüşlerdir. Bu zevk sıkıntısı ya da tatlı uyarılmalardan korkma, en yoğun biçimiyle iğdiş edilme korkusunda dile gelen cinsel etkinliklerinden ötürü cezalandırılma korkusundan çok ayrıdır. Cinsel etkinlik karşısında var gücüyle kendini savunmaya geçişin kökleri işte bu zevk sıkıntısındadır. Süreç şöyledir: sürekli yasaklama sonucu, cinsel uyarılmanın niteliği bile değişir; hekimlik deneylerimiz göstermiştir ki, zevkin bastırılması üreme organlarında tatsız, hattâ acı veren bir uyarılmanın doğmasına yol açmaktadır; böylece, tatlı uyarılma bir hoşnutsuzluk nedeni haline gelmekte, bu da genci cinsel yaşamını baskı altına almaya ya da onunla savaşmaya itmektedir. Cinselbilim alanında azıcık görgüsü bulunan hekim, gençlerin cinsel organın dikilmesini engellediklerini bilir; engellerler, çünkü ardından doyum gelmiyorsa, dikilme insana dayanılmaz acılar çektiren bir şeydir. Kızlardaysa uyarılma korkusu daha belirgindir, çünkü onlarda cinsel uyarılma tehlikeyi dile getirir. Cinsel etkinlikten ötürü duyulan, kökeni dışarda cezalandırılma korkusu, işte bu zevk sıkıntısı üzerinde kök salar. Böylece, gencin kendisi, cinsel yasakların savunucusu kesilir.

Doyumsuz cinsel uyarılmaya hiçbir zaman uzun süre dayanılamaz. İki çıkış yolu vardır: ya *bastırılma,* ya da *doyurulma.* Birincisi insanı hep dokusal ve ruhsal rahatsızlıklara, ikincisiyse, içinde yaşadığımız düzende, toplumsal çatışkılara götürür.

Perhiz, sağlığa zararlı ve tehlikelidir. Bastırılan cinsel enerji türlü yollardan dışarı uğrar. Ya kısa bir süre sonra bir sinir bozukluğu ortaya çıkar, ya da genç, işini büyük ölçüde aksatan, yarı tatlı, yarı acı cinsel kuruntulara kaptırır kendini. Cinsel uyarılmayla sinir bozuklukları arasındaki ilintiyi görmek istemeyenler perhizin zararlı olmadığını ya da hemen herkesçe uygulanabileceğini söyleyebilirler elbet: böyleleri için, gençlerin cinsel perhizde yaşadıklarını görmek, bu işin olabileceğini öne sürmeye yeter. Oysa gencin, sinir bozukluğu ya da benzeri güçlükler pahasına bu işi başarabildiği göz önüne alınmaz. Sinir hastalığının «sinirsel yapıya» ya da «güçlü olma istemine» bağlı olduğu da söylenebilir tabiî; böylece, gençliğin cinsel yaşamı ve toplumsal düzen sorunu daha başından yok sayılmış olur.

Şimdi, cinsel arzularını dizginleyerek yaşayan bütün gençlerin sinir bozukluğuna düşmediği söylenecektir. Doğrudur, ama bu, sinir hastalığının ilerde, birey «yasal» cinsel etkinliğin zorunluluklarıyla yüz yüze geldiği zaman ortaya çıkmasına engel olamaz. Cinsel tutumbilimle ilgili hekimlik deneylerimiz, en elverişsiz sonucun hiçbir zaman kendi kendilerini okşama yürekliliğini gösterememiş hastalarda görüldüğünü ortaya koymuştur. Böyleleri cinsel yaşamlarını o anda başarıyla bastırmış, cinsel işlevlerinin önünü almışlardır; toplumun onayıyla cinsel etkinliğe başlayabilecekleri yaşa gelince, cinsel aygıtları, pas tutmuş gibi, bir türlü işlemez. Bunları bilsek de gençlere söylemekten titizlikle kaçınırız; ondan sonra perhizi savunmamıza izin verecek hangi gerekçe kalırdı elimizde? Hattâ, cinsel yoksulluğa çözüm bulmak üzere, spordan bile yardım bekleyemezdik artık.

Kendi kendini doyurma sorunuyla ilgili sayısız tartışma sırasında, *cinsel enerjinin spora kaydırılması*'ndan söz edildiğini işittim. Buna, sporun cinsel gereksinimi hiçe indirgemekte müthiş bir yol olduğunu, öyle ki, bir sürü sporcunun sonradan cinsel yaşam diye bir şey tanımaz hale geldiklerini söyleyerek karşılık vermek zorunda kaldım. Çakı gibi sağlam pek çok sporcunun ciddî cinsel bozukluklar gösterdiğine tanık olmak epey şaşırtıcıdır. Spor alanındaki etkinlikleri belli oranda cinselliklerine karşıttı; ama cinsel enerjilerinin tümünü spora yatıramadıklarından, sonunda, bütün sonuçlarıyla birlikte bastırmaya başvurmak zorunda kalmışlardı. Sporun cinsel uyarılmayı azaltmaya yarayan bir yol olduğu doğrudur, ama gençliğin cinsel sorununu çözmekte, cinsel uyarılmayı kapı dışarı etmeye çalışan bütün çareler gibi, yetersizdir. Bir insanın, doğacak sonuçları bilerek cinsel yaşamını öldürmek istemesine kimsecikler bir şey diyemez! Hiç kimseyi, doyumlu bir cinsel yaşama zorlamak niyetinde değiliz, biz yalnızca şunu diyoruz: bir kimse, sinir hastalığına tutulma, işini ve mutluluğunu köstekleme pahasına perhizde yaşamak istiyorsa, yaşasın! Ama öbür insanlar da, cinsel gereksinim ayraç içine alınamaz duruma geldiği andan sonra, düzenli ve doyurucu bir cinsel yaşama kavuşmayı deneyebilsinler! Bizim görevimiz, gençlerin cinsel perhizde yaşamasının, çocukluk döneminden kalma sapık etkinliklere dönmeyle ve doğurduğu sinir bozuklukları aracılığıyla cinsel yaşamın körelmesine yol açtığını belirtmektir. Hastaların, otuz beş, kırk, elli, hattâ altmış yaşında, sinirleri bozulmuş, kezzaplaşmış, yapayalnız, yaşamaktan yorulmuş bir halde karşımıza gelip yardım istediklerini görmek son derece acıklıdır. Bu hastalar, genellikle, hiçbir zaman «aşırılıklara kaçmadıklarını», başka bir deyişle kendi kendilerini okşamaktan ve küçük yaşta cinsel ilişki kurmaktan kaçındıklarını söyleyerek övünmektedirler.

Cinsel perhizin tehlikeleri, başka alanlarda son derece uyanık yazarlarca bile çoğu kez hafife alınmaktadır, iki nedeni vardır bunun: bir kere, perhizle, çok sonraları ortaya çıkan cinsel bozukluk arasındaki ilintiyi bilmezler; ikinci olarak da, her Tanrı'nın günü bir sürü hastada sinir bozukluklarıyla cinsel perhiz arasındaki ilintiyi saptayan ruh hekiminin ya da cinsel sağlık uzmanının görgüsünden yoksundurlar. Nitekim, Fritz Brupbacher, 1925'te, geri kalan yanları son derece güzel bir kitapçıkta şunları yazıyordu: «Bir sürü yayında cinsel perhizin zararlılığı ve yararsızlığı üzerinde boş lâflar edilmekte. Cinsel perhizi isteyen uygulasın; hiçbir zararı dokunmaz... Ne açıdan ele alırsak alalım, perhiz cinsel organ hastalığına yeğdir.» *(Kindersegen, Fruchtverhütung, Fruchtabrteibung, s. 18.)*

Brupbacher sonradan bu görüşünden vazgeçti. Uzun süren perhizin de, bilinçli cinsel arzunun hemen hemen bütünüyle bastırıldığını gösteren bir hastalık belirtisi olduğunu hesaba katmamıştı. Cinsel perhiz, er geç sevisel yaşama zarar vermekte, işteki verimi düşürmektedir. *Deneyle saptanmış bir olgudur bu.* Gençlere perhizi salık vermek, özünde, günün birinde ortaya çıkacak sinir hastalığına, ya da hiç değilse yaşama sevincinin ve çalışmanın azalmasına yol açacak toprağı hazırlamaktır. Bu arada şunu da belirtelim ki, ruhsal yaşamın düzenliliği açısından, cinsel perhizin cinsel hastalığa yeğ olduğu epey su götürür. Gerçekten de, uygun bakım ve ilâçlarla cinsel organ hastalığından kurtulunabilir; buna karşılık insanın kişiliğindeki hastalıkları büsbütün geçirmek güçtür. Ayrıca elimizde, uzun süren cinsel perhizin doğurduğu kötülükleri yoketmeye yarayacak yeterli ruhsal ilâç yok. Cinsel organ hastalıklarının yarattığı tehlikeyi de küçümsememek gerekir elbet, ama genellikle, cinsel arzuların bilinçaltına itilmesini güçlendirmeye yarayan bir korkuluktur bu. Sözün kısası, cinsel perhizle üreme organı hastalıkları arasında seçme *yapılmaz,* çünkü yosmalarla değil de, iyi tanıdığımız ve sevdiğimiz eşlerle ilişki kurarak bu hastalıklardan korunabiliriz.

Gençlerin cinsel perhizi derken, on beşle on sekiz yaş arasındaki gençleri düşünüyoruz. Yaşadıkları günün kurallarına körü körüne uyanlar, perhizin «kemik uçları kaynayana dek», yani aşağı yukarı yirmi dört yaşına kadar sürmesini istiyorlar. Viyana'da yayımlanan *Morgen* gazetesinde gençlere akıl hocalığı yapan bir ruhbilimcinin, okurlar köşesinde sorulara verdiği karşılıklardan biri şöyle (18 Mart 1929) :

«G. Sch. — Sorunuz, dirimbilimciler arasında sık sık tartışılan 'cinsel kılgı'nın başlangıcı sorununa değiniyor. Romalı yazar Tacitus, kadınlara yirmi dördünden önce yaklaşmayan eski Cermenleri över. *Bu hepimiz için kural olmalı aslında.* İnsan yaşamının en güçlü eğilimlerinden biri olan cinsel güdüye vaktinden önce uygulama *izni ve-*

rilmemelidir ve cinsel alanda *hakkınıza düşmeyen (!)* rahatlamayı sporda aramakla çok iyi ediyorsunuz. Sizden daha genç arkadaşlarınız başka türlü davranıyorsa, cinsel sağlık yasalarına *aykırı* hareket etmiş oluyorlar. Cinsel sağlık konusunun büyük yetkesi Prof. Dr. Max von Gruber öteden beri tutkuyla perhizi ve zararsızlığını savunmaktadır.»

Gruber'le eski Cermenleri anmak yeterli bir kanıt mıdır? Sözü edilen Gruber, cinsel perhizin zararsız olduğunu savunmakla kalmamış, dışarı atılmayan yumurtacığın vücut tarafından özümlendiğini, bedene protein kazandırdığını öne sürecek kadar ileri gitmiştir. Bense, protein almanın çok daha basit ve hoş bir yolunu biliyorum: et yemek.

Viyana'da, gençlere akıl hocalığı edenler arasında bir de papaz vardı. Genç kızlardan biri, kâğıda geçirip saklama özenini gösterdiği şu öğüdü almıştı papazdan:

«Söze başlarken, kendisine, danışma merkezinin adresini bir gazeteden öğrendiğimi ve sıfırı tüketmek üzere olduğumu söyledim. Dr. P. açık konuşmaya çağırdı beni.

«Erkek arkadaşımla birbirimizi çok sevdiğimizi, bir süredir aramızdaki gerilimin arttığını, ne yapacağımı şaşırdığımı söyledim. Dinle avunmaya çalıştığımı, ama işe yaramadığını ekledim.

«Bunun üzerine, Dr. P. bana birtakım sorular sordu: yaşım kaçtı (yirmi iki), arkadaşımı kaç yıldır tanıyordum (dört yıl); o kaç yaşındaydı (yirmi dört). Ve soruma, sekiz dokuz yıldır arkadaşlık ettikleri halde birbirlerine el sürmemiş gençler tanıdığını söyleyerek karşılık verdi. El sürmemiş olmakla neyi anlatmak istediğini kesinlikle belirtmedi, ama iki gencin birbirlerini ölesiye sevdikleri halde cinsel arzular beslemeden kalabileceklerini ekledi.

«Nişanlımın tutumunu sordu. Onun da, doğal olarak, bu durumun sıkıntısını çektiğini ve onu böyle acı çeker görmeye dayanamayacağımı söyledim. Aile içindeki durumu sordu, o yandan bir yardım beklemediğimi bildirdim.

«Dr. P. annemle konuşmamı, olanaklar elverir elvermez evlenmemi öğütledi. Sonra, Kilise buyruklarının, o arada özellikle iffeti zorunlu kılan buyruğun çok derin anlamlar taşıdığını ekledi; gerçekten de, dedi, böyle bir ilişkinin sonunda bir çocuk dünyaya gelse kendisini sevecek aile bulamaz.

«Maddî açıdan evlenecek duruma gelene kadar yılların geçeceğini, o güne dek dayanacak gücü bulamayacağımı söyleyince, Dr. P. bir yıl sonra olacakları değil, o günü düşünmemi ve sıkı durmamı salık verdi. Erkek arkadaşımla buluşup buluşmadığımı, bunu ailemin bilip bilmediğini sordu. Olumlu karşılık verince, tatsız durumların doğmasını ve ikimizin de acı çekmesini önlemek üzere, dostumla başbaşa kalmaktan kaçınmamı öğütledi.

«Dr. P., daha sonra beni bir daha yüreklendirdi, her şeyin benim güvenime ve gücüme bağlı olduğunu belirtti. En kısa zamanda evlenme öğüdünü yineledi, Tanrı sizi korusun! diyerek yanımdan ayrıldı.[1]»

Üfürükçülere varana dek herkes cinsel akıl hocalığıyla uğraşır. Gündüzleri, durup dururken boşalan on yedi yaşında bir delikanlının, verdiğim bir konferanstan sonra bana iletilen reçetesi şöyle :

«Günde üç kez, güllaç içinde bir tutam cantiyane tozu yutun. Sonra, yarım litre sütle, otuz gram kenevir tozunu pişirin; günde üç dört kez, bir çorba kaşığı için. Ayrıca, iki günde bir, kalem kamışı eriyiğinde yirmi dakika oturun. Ayrıca, her akşam, şu karışımla belkemiğinizi bir güzel ovdurun: doksan gram öküzgözü ruhu; dörder gram lavanta ve nane ruhu; birer gram biberli nane ruhu ve kekik. Bütün bunlar iyice karıştırılmalı.»

İlâçlarının etkililiğine inansın inanmasın, cinsel perhizin hiçbir işe yaramayacağına aklı yatsın yatmasın, genç-

---

[1] Tanrı'ya ve gerici ahlâka hizmet eden bu dinadamı, gençlere öğüt verecek birilerinin bulunması gerektiğini, bunlarınsa dinadamından başkası olamayacağını söyleyen bir «Toplumcu» tarafından savunuldu. Bu hoşgörü gerçekten duygulandırıcıdır; ama ne yazık ki, gençlerin yıkımına yol açmaktadır.

liğe akıl hocalığı eden kişinin güçsüzlüğünü dile getirmekten başka işe yaramaz böyle «reçeteler». Kendi kişisel yasaklamalarını hesaba katmasak bile, tutucu cinsel düzenin kör gözlü savunucusu, insanları buyurgan toplumun kölesi olmaya, evliliğe ayak uydurmaya hazırlayan öğretmendir.

Az sonra göreceğimiz gibi doğruyu öğrenmek akıl hocasının durumunu düzeltmemekte tam tersine kötüleştirmektedir.

b) *Kendi kendini doyurma*

Kendi kendini doyurma, cinsel perhizin zararını pek az giderebilir. Cinsel yaşamın düzenliliğini, ancak çok ciddî suçluluk duygularını ve boşalma sırasındaki birtakım bozuklukları yanında getirmiyorsa, yani cinsel eşin yokluğu pek fazla duyulmuyorsa sağlayabilir. Sağlıklı kişilerin, erginlik çağının ilk fırtınalarını atlatmalarına yardım edebilir elbet. Yalnız, daha önceki cinsel gelişmeden ötürü, erginlik çağına pek zedelenmeden gelen genç sayısı az olduğundan, çok ender kişiler için böyle bir rol oynayabilir. Suçluluk duygularına kapılmadan kendi kendini doyurabilecek kadar eğitimin ahlâkçılığından kurtulmuş genç kırk yılda bir görülür. Genellikle, kendi kendini doyurma dürtüsüne az çok başarıyla direnirler. Bu içtepiyi bastıramazlarsa, kendi kendini doyurma, fışkırmanın tutulması gibi, çok ciddî yasaklama ve zararlı uygulamalarla sakatlanır. Elde edilecek en iyi sonuç, sinir bozukluğu olur. Kendi kendini doyurma içtepisini bastırabilirlerse, bu sefer de, o yolla kurtulmaya çalıştıkları perhize düşerler yeniden. Ama o zaman durum çok daha beterdir, çünkü cinsel uyarılma ve yanında getirdiği düşsel görüntüler perhizi dayanılmaz hale sokar. Bu gençlerin ancak birkaçı cinsel tutumbilime uygun çözümü, yani cinsel ilişkiyi bulabilir.

Yakın zamana dek, kendi kendini doyurma yaygın bir korkulu düştü. Ama son zamanlarda, cinsel perhiz zorlamasının daha fazla sürdürülemeyeceği ve kendi kendini doyurmanın cinsel ilişkiden daha zararsız olduğu kabul edilince, kendini okşamayı son derece doğal ve zararsız sayma modası yayıldı. Bu, ancak bazı koşullar altında doğrudur. Kendi kendini doyurma hiç kuşkusuz perhizden iyidir. Ama zamanla insanı doyurmayan, tatsız bir şey haline gelir, çünkü sevilecek nesne yokluğu katlanılmaz bir durum alır; ondan sonra da, kendi kendini doyurma kişide tiksinti ve suçluluk duyguları yaratır. Cinsel uyarılma ile suçluluk duygularının ortaklaşa eyleminin yarattığı bu koşullarda, kendi kendini doyurma zorlanıma (Zwang'a) dönüşür. Ayrıca en iyi koşullarda bile, zamanla, düşsel etkinliği bir ara bırakılmış olan hastalıklı ve çocuksu yollara iter; buysa, hemen yeni bilinçaltına itmelerin doğmasını gerektirir. Bu durumda, kendi kendini doyurma süresinin uzamasıyla orantılı olarak, sinir hastalığı tehlikesi de artar.

Cinsel yaşama karşı, gençlerin çoğunun çekingen, yapay bir tutum takındıklarını saptarız. Canlı ve her şeye hazır olanlarsa, kendi kendini doyurmayla cinsel edim arasındaki eşiği şöyle ya da böyle geçebilmeyi başarmış gençlerdir. Kendi kendini doyurma, sonunda, gerçeklikle bağlantıyı zayıflatır; doyumun kolayca elde edilmesi, kişiye uygun bir eşin gönlünü çelme girişimine yatkınlığı yokeder.

Bütün bu dediklerimizden, gençlerin kendi kendilerini doyurmaları karşısındaki geleneksel tutumun değiştiği sonucunu çıkarabiliriz. Eskiden, gencin cinsel ilişki kurması olasılığının yarattığı umacı, perhizin zararsız, hattâ yararlı olduğu uydurmacasını doğurmuştu; yakın zamanlardaysa, kendi kendini doyurma'nın son derece zararsız doğal bir şey olduğu, erginlik dönemi sorununa çözüm getirdiği kandırmacasını yaratmıştır. Bu iki çözüm de, alabildiğine dikenli bir sorunu daha ele almadan konudışı bırakmanın kurnazca biçimidir:

c) Gençlerin cinsel ilişkileri

Bu sorunu gerek ilkeler açısından, gerekse somut eğit-bilimsel ve iktisadî görünüşleriyle yeniden ele almamız gerek. Şimdiye dek, yazılı çalışmalarda, arada sessiz bir anlaşma varmış gibi, es geçilmiştir.

Gençliğin cinsel yaşamını sınırlayanın da, bunun sonucunda onu cinsel yoksulluğa düşürenin de, aile ve evlilik kurumu aracılığıyla dediğini yaptıran buyurgan toplumun çıkarları olduğunu gördük. Bu sınırlandırma, içinde yaşadığımız toplumsal dizgenin ayrılmaz parçasıdır; ortaya çıkan cinsel yoksulluksa, beklenmedik bir üstlük. Bu durumda, cinsel tutumbilime uygun bir çözümün şu toplumda gerçekleşemeyeceği açıktır. Gençlerimizin cinsel olgunluk evresine giriş koşullarını çözümlerken öyle olduğunu göreceğiz. Burada sınıflar arasındaki ayrımları bir yana bırakıp yalnız düşünsel havanın ve toplumsal kurumların eylemini inceleyeceğiz.

1. Genç, her şeyden önce, cinsel etkinliğe karşıt bir eğitimin kalıntıları olan bir sürü bilinçaltına itmeyi, yasağı aşmak zorundadır. Cinsel yaşamı, genel olarak ele alındığında, ya bütünüyle bilinçaltına itilmiştir (bu özellikle kızlar için doğrudur), ya da bozulmuş, eşcinselliğe doğru yön değiştirmiştir. Demek ki genç, salt iç yapısı açısından, karşı cinsten biriyle ilişki kuramayacak durumdadır.

2. Cinsel olgunluğu aynı zamanda sinirsel etkenlerle de gemlenmiş olabilir. Ya da, çoğu kez görüldüğü üzere, ruhsal çocuksuluk, ana-baba karşısında çocuksu tutumlara saplanıp kalma, ruhsal olgunlukla bedensel olgunluk arasında uyumsuzluğa yol açmıştır.

3. İşçi sınıfının en yoksul kesiminde, gençler kimi zaman bedensel olarak da geri kalmıştır. Bu cinsel olgunluk döneminde hem ruhsal, hem bedensel azgelişmişliği doğurur.

4. Gençliğin cinsel yaşamı üstüne karabasan gibi çöken katı yasağa, bir de, toplumsal yardım yokluğunun dı-

şında, sevişmeyi önleyecek türlü engeller eklenir. Örneğin:

a) Cinsel yaşam konusunda gençliğin *gerçek bir bilgiye kavuşturulmasına etkin olarak karşı çıkış.* «Cinsel eğitim» adıyla günün konusu haline gelen şey bir yarımçare'dir; hattâ daha da kötüdür, çünkü mantık açısından tutarlı birtakım öncüllerden yola çıkmakta, ama sonuçlar zincirini izlemeye yanaşmamaktadır. On dört yaşındaki bir kıza aybaşı rahatsızlığının yapısı açıklanmakta, ama cinsel uyarılmanınki titizlikle gizlenmektedir. Burada, daha önce söylediklerimizin, yani cinsel yaşamın salt bedensel açıdan açıklanmasının bir kandırmaca oluşunun doğrulandığını görüyoruz. Genç, kadından gelen yumurtacıkla erkekten gelen tohumun yeni bir canlı varlığın «gizemi»ni oluşturmak üzere nasıl birleştiklerini öğrenmeye pek o kadar meraklı değildir; buna karşılık, umutsuzca savaştığı cinsel uyarılmanın «gizleri»ne ateşli ve dirimsel bir ilgi duymaktadır. Ancak, gence cinsel ilişkiye bedensel açıdan hazır olduğu, bütün güçlüklerinin doyurulmamış cinsel yaşamından geldiği söylendiği an, onu sevişmekten alıkoymak için elimizde hangi mantıklı kanıtlar kalır? Doğruyu söyleyemedikçe de, «cinsel eğitim», gencin karşılaştığı güçlükleri artırmaktan başka bir işe yaramaz. Bu da, aslında, bizim toplumsal dizgeyle tam bir uyum içersindedir: gençlerin cinsel açıdan sakatlanması, çocuğun cinsel yaşamının sakatlanmasının mantıklı uzantısıdır.

b) *Konut ve gebeliğin önlenmesi* sorunları. Genel konut darlığından ötürü, emekçi sınıfının yetişkin insanları için bile rahatsız edilmeden buluşmak güçtür. Gençler içinse, bu sorun, korkunç bir yoksulluk kaynağıdır. Bizim düzeltimcilerin bu soruna hiç değinmemeleri son derece anlamlıdır. Gerçekten de, toplumun kendileriyle bu açıdan ilgilenmeyişinin nedenini soracak kadar yüzsüz bir gence ne karşılık verirlerdi sonra? Onların koridorlarda, otomobillerde, tahıl ambarlarında, duvarla çevrilmiş boş arsalarda, sürekli yakalanma korkusu içinde sevişmelerinin kendilerine yüklediği sorumluluğu unutup, gençlere «sorumluluklar»ından dem vururlar.

Ya gebeliği önleme çareleri sorusuna ne karşılık vermeli? Yine birtakım yüzsüz gençler, tam bir çocuksulukla, toplumun kendilerine neden bu korunma yollarını *öğretmediğini* ya da kullanma aksaklığından doğan dertlerine çare bulmadığını sorabilirler insana.

Evlilik-dışı cinsel ilişkileri tanımayan, hattâ yetişkinlerin cinsel sağlığıyla bile ilgilenmeyen bir toplumda bu gibi sorulara ne karşılık ne de çözüm getirilemeyeceği açıktır.

Ayrıca şurası da açıktır ki, çocuklara yepyeni bir cinsel eğitim vermeden, konut ve gebeliği önleme araçları gibi sorunlar çözüme bağlanmadan, gençlere toplumun birkaç adım ilersine gitmelerini ve cinsel ilişki kurmalarını salık vermek tutarsız, hattâ tehlikeli olur. Böyle bir davranış, karşıt-savı olan cinsel perhizi savunmaktan daha az zarar getirmez.

Bize düşen, bugünkü durumun çelişkilerini ve bu çelişkileri şimdiki koşullarda çözüme bağlamanın olanaksızlığını göstermekti. Bunu iyi kötü yaptığımı umuyorum. Ancak, eğer şarlatan ya da tabansız değilsek, gençliğin cinsel yaşamını ilke olarak kabul etmek, onlara elimizden geldiğince yardım etmek, özgürlüğe kavuşmaları için gerekeni yapmak görevimizdir. Okuyucu, bunun insana yüklediği ödevin genişliğini ve sorumlulukları kestirecektir sanırım.

Aynı zamanda, bugün ortalığı kırıp geçiren çekingenlikle cinsel eğitimin tutarsızlığını anlayacağını umarım. Bugünkü cinsel eğitimin başlıca niteliği şu: hep iş işten geçtikten sonra başlıyor, bir sürü gizle birlikte geliyor, işin özünü hep es geçiyor: cinsel *zevk*. Cinsel eğitime karşı çıkanlar, gerici görüşlerinde çok daha tutarlıdırlar. Doğruya ve bilimsel tutarlılığa karşı oldukları için savaşmalıyız onlarla, ama bir anlamda, öğretimlerinin bazı şeyleri değiştireceğine inanan şu düzeltimcilerden çok daha içtendir tutumları. Düzeltimcilerin gerçek ürünüyse, çözümü karanlığa boğmak, toplumsal değişiklik gerektiğini insanlardan gizlemektir.

Ama bu, yukarda sözünü ettiğimiz rahip P. gibi davranmak gerektiği anlamına gelmez elbet. Özel durumlarda, cinselbilimci, kendisine danışan ve bu işe hazır olan gence, içinde bulunduğu toplumsal, ruhsal ve iktisadî durumu titizlikle inceledikten sonra, sevişmeyi yasaklamak şöyle dursun, öncelikle salık verecektir. Kişisel yardımla toplumsal düzeltimi birbirinden ayırmak gerekir.

Toplumsal açıdan, her şey eskisi gibi yürüyüp gidiyor: çocuklar tam bir keşiş gibi, gençler de kafa eğitiminin cinsel perhizi gerektirdiği, ya da kendi kendini doyurmanın insanın evlenene kadar sabretmesine izin verdiği düşüncesiyle yetiştiriliyor hâlâ.

Yaşamın günden güne artan kamulaştırılmasıyla cinselliği yadsıyan toplumsal hava arasındaki çelişki, buyurgan toplumda çözüme bağlanamayacak bir cinsel bunalıma sürükleyecektir elbet gençleri. Gençlik aileye bütünüyle bağlı kaldığı, pek az uyarılan genç kızlar besleyici kocayı beklemekle yetindiği, delikanlılar sıkı perhizde yaşadığı, kendi kendilerini doyurduğu ya da yosmalarla düşüp kalktığı sürece, sessizce çekilen acı, sinir hastalığı ya da cinsel kabalık vardı. Bugünkü koşullardaysa, dile gelmek isteyen cinsel gereksinimler hem eğitimin doğurduğu yasaklamalarla, hem de gerici toplumun direnmesiyle engellenmektedir. Bunların hiçbiri cinsel yaşam düzeltimcilerinin tumturaklı söylevleriyle, «sporla ya da sağlıklı kitaplarla avunma», «katı yerde yatma» ve «etsiz beslenme» gibi çileci öğütlerle düzelmemiştir.

Ben, bugünkü gençliğin, örnekse, XX. yüzyıl başındaki gençlikten çok daha çetin günler yaşadığını öne sürüyorum. O zamanlar, cinsel arzuları tümüyle bilinçaltına iterek yaşanabiliyordu. Bugünse, gençliğin yaşam kaynakları kendilerine bazı yollar açmıştır, ama gençliğin elinde bu yollardan yararlanmalarına izin verecek ruhsal elverişlilik bulunmadığı gibi, toplumun desteğinden de yoksundurlar. Ancak, gençliğin giriştiği hareketi başka bir yöne çevirmek olanaksızdır artık.

Gençliğin düştüğü cinsel bunalım, buyurgan (otoriter) toplum düzeninin geçirdiği genel bunalımın bir yanıdır. Dolayısıyla, bu çerçeve içinde çözülemez.

VII. BÖLÜM

ZORLAMA EVLİLİK VE SÜREKLİ CİNSEL İLİŞKİLER

*[«Evlilik» ve «aile» kavramları konusunda akılalmaz bir kargaşalık sürüp gitmektedir. Dolayısıyla, kişisel yaşamla ilgili öğütler istenen hekim, *biçimsel* evlilik kavramıyla burun buruna gelmektedir. İnsana öyle geliyor ki, cinsel yaşamdan korkan kişilerin bilinçaltı için, evlenme cüzdanı *cinsel ilişki kurabilme izninden başka bir şey değil.* Bu dediğim, özellikle, «savaş evlilikleri» adı verilen şeyde açıkça görülmekte: erkeğin savaşa gitmesinden önce sarılıp yatmayı denemek isteyen çiftler, resmî evlilik belgesi almak üzere belediyelere hücum etmektedirler. Derken, uzun yıllar birbirinden ayrı kalınca, eşlerini unuturlar... Gençseler, başka eşler bulacak, aklı başında hiç kimse de bundan ötürü onları kınayamayacaktır. Ancak, salt biçimde kaldığı halde, nikah kişileri zorlamaya devam eder. Uzun süreli ve sonu nereye varacağı belirsiz bir ayrılıktan önce birbirlerini mutlu kılmaya çalışan gençler, birden kendilerini çıkılmaz bir ağda bulurlar. Özellikle Amerika Birleşik Devletleri'nde, bu «evlilikler»in doğurduğu yoksulluk konusunda bir sürü şey yazıldı. Ama hiç kimse sorunun dibine yani sevgi denemesinin yasallaştırılması gerekliliğine kadar götürmedi işi. Bununla birlik-

---

(*) Köşeli ayraç içindeki bölüm 1944 basımına eklenmiştir.

te, herkes biliyor ki: «Biz *evlenmek istiyoruz,*» lâfı, gerçekte: «Biz birbirimizi cinsel açıdan tanımak istiyoruz» anlamına gelmektedir.

Başka bir karışıklık ve yoksulluk kaynağı da, «evlilik» kavramının yasal (dinsel) içeriğiyle gerçek içeriği, yasa adamına anlattığı şeyle ruh hekimine anlattığı şey arasındaki çatışkıdan doğmaktadır. Yasa adamı için, evlilik resmi bir belgeyle iki ayrı cinsten insanın birleşmesidir; ruh hekimi içinse genellikle ana-baba olma arzusunu da yanında getiren, cinsel birliğe dayalı bir sevgi bağıdır. Ruh hekimi için, eşlerin elinde birtakım belgeler olduğu halde birlikte yaşamadıkları an, evlilik yoktur. *Evlenme işi (nikâhlanma) kendi başına evlilik değildir.* Ruh hekimine göre, ayrı cinsten iki birey birbirlerini sevdikleri, ilgilendikleri, birarada yaşadıkları ve bir yavru yaratarak bu birliği aileye dönüştürdükleri zaman evlilik söz konusudur. Ruh hekimi için, *ileride nüfus kütüğüne yazılıp yazılmayacağına bakmaksızın,* cinsel temelli, gerçek ve kılgısal (fiili) bir birliktir evlilik. Ruh hekimi için evlilik, *eşler tarafından* kararlaştırılan, girişilen ve yaşanan bir cinsel ilişkinin yetkililerce doğrulanmasıdır yalnızca; onun inancına göre, bir evliliği evlilik yapan yasa temsilcileri değil, eşlerdir.

İnsanın cinsel yapısı, zorlayıcı ahlâk anlayışının etkisiyle yozlaşmıştır; bu koşullarda evlenme erkeğin ilerde yapabileceği bir sorumsuzluğa karşı kadının korunmasıdır. Evlilik işte *bu ölçü,* ama *yalnız bu ölçü içersinde* bir işlevi yerine getirmektedir. Yasal işlemden geçmemiş *doğal* evliliklerin *gerçekliği'ni* herkes biliyor. Gerek Amerika Birleşik Devletleri'nde gerekse Fransa'da, İskandinav ülkelerinde ya da başka yerlerde, yasa içi değilse bile, «töre içi bir evlilik» vardır. Amerika'da devletlerin çoğu bu evliliği tanımaktadır; tanımadığı yerlerde, cinsel yaşamları suçluluk duygusuyla kösteklenmiş bir yığın insanın sandığı gibi, *kılgısal* evlilik yasaklanmış değildir; belgesiz doğal evliliği yasaklayan yasa yoktur.

Akla uygun akıl sağlığı açısından, sürekli cinsel ilişki örneğinin biçimsel değil, gerçek evlilik olduğunu söylemek bile gereksizdir. Akla uygun akıl sağlığı bilimi, dışardan zorla benimsetilene değil, insanın *içinden gelen* sorumluluğa bakar; bu dış kökenli pekiştirmeyi, başlı başına bir erek değil, topluma aykırı eylemleri önlemeye yönelmiş bir çare sayar.

Ahlâkî özerkliğin gelip yerleşmesi, coşkusal vebanın[1] bu alandaki etkilerine, yani coşkusal vebaya yakalanmış, şu son derece yüce ahlâklı toplumsal davranışı anlama, hele hele uygulama yetisinden yoksun kişilerin nikâhlı olmayan çiftlere çaldıkları karaya karşı amansız bir savaşa girişmeyi, hattâ sert yasalar çıkarmayı gerektirir; ahlâka aykırı, hastalıklı gizli hafiyelikle, zorlayıcı ahlâk anlayışı üzerine oturtulmuş evlilik yasalarının olanak verdiği malî sömürüyle; salt biçimde kalan, mutsuz evliliklerin bozulmasıyla ortaya çıkan şehvet düşkünlüğüyle; ilişkileri nefretle, ikiyüzlülükle dolu insanları «evli» saymaya devam etmenin saçmalığıyla kıyasıya savaşmak gerekir.

Bu alanda her şey karanlıktır, Augias'ın otuz yıl hiç temizlenmemiş inek ahırına benzeyen bu alana açıklık getirmek gereklidir. Her şeyden önce, sevisel ilişkilerin iktisadî çıkarlardan kesinlikle korunması gerekir, *çok sert yasalar, doğal ve dürüst sevisel ilişkilere ve bunlardan doğan çocuklara sürülen karayı şiddetle cezalandırmalı; suçluluk duygularının yokedilmesi ve dış zorlamaya dayanan ahlâk anlayışının yerine içten gelen sorumluluğun geçirilmesi için çaba harcanmalıdır.* Bütün bunların zamanı gelmiştir. Akıl sağlığı açısından yıkıcı ve modası geçmiş cinsel yasalardan iktisadî çıkar sağlayan çevrelerin dışında, her yerde, yasaların tepeden tırnağa düzeltilmesi gerektiği kabul edilmektedir.]

Evlilik, bugünkü biçimiyle, evlilik kurumunun genel

---

[1] Sinir hastası insanların, büyük topluluklar halindeki hastalıklı davranışlarına verilen ad. *(Kişilik Çözümlemesi,* XII. Bl.)

tarihi içersindeki bir evredir yalnız; iktisadî çıkarlarla cinsel çıkarlar arasında sağlanmış uzlaştırmanın sonucudur. Birçok tutucu cinselbilimcinin çağrısına uyarak, bu cinsel çıkarların ömür boyu değişmeyecek bir eşle kurulacak cinsel ilişkilere ve üremeye indirgendiğini sanmamak gerekir. Evlilik sorununun iktisadî ve cinsel yanlarını ayrı ayrı inceleyeceğiz. Dolayısıyla, cinsel gereksinimler üzerine oturtulmuş ve sürebilecek ilişki biçimiyle, iktisadî çıkara, kadının ve çocukların toplumsal durumuna dayalı ilişki biçimini birbirinden ayıracağız.

Birinciye sürekli cinsel bağlanma, ikinciyeyse (zorlamaya dayanan) evlilik adını vereceğiz.

1 — SÜREKLİ CİNSEL BAĞLILIK

Sürekli cinsel ilişkinin temel koşulları, kadının iktisadî bağımsızlığı, çocukların toplum tarafından eğitilmesi, iktisadî çıkarların işe karışmamasıdır. Böyle bir ilişki, zaman zaman, salt tensel ilişkilerle yarışmak zorunda kalacaktır. Cinsel tutumbilim açısından, geçici ilişkinin sürekliye oranla birtakım sakıncaları vardır; bu sakıncaları bizim toplumda incelemek son derece kolaydır. Çünkü, başka hiçbir toplumda hoş görülmeyen ilişkiler, içinde bulunduğumuz şu tekeşlilik öğretisinin egemen olduğu çağdaki kadar yaygınlaşmamıştır; üstüne üstlük, bu karman çorman ilişkiler coşkusal temelden yoksundur ve iktisadî çıkara dayalı oluşlarından ötürü, cinsel düzenlilik açısından beş para etmezler.

En aşırı biçimiyle bir saatlik ya da bir gecelik ilişkiye indirgenen geçici ilişki, sürekli bağlılıktan, sevişilen eşe sevgi gösterilmeyişle ayrılır. Eşe gösterilen sevgi birkaç gerekçeye bağlı olabilir:

1. *Birlikte geçirilen tensel deneylerin doğurduğu bir cinsel bağlanma.* Bu, özünde, geçmişte tadılan zevkin yarattığı cinsel *gönül borcu* ile gelecekte tadılacak zevkin sonucu olan (ve hastalıklı bağlanmayla karıştırılmaması ge-

reken) cinsel *bağlanma*'dır. Bu iki etken, doğal sevgi ilişkisinin temelini oluşturur.

2. *Bilinçaltına itilmiş bir nefretin etkisiyle eşe bağlanma, yani tepkisel sevgi.* İlerde, zorlama evlilikten söz ederken bu konuya değineceğiz. Böyle bir bağlanma, cinsel doyumu tümden yok eder.

3. Tensel *doyumsuzluğun* doğurduğu bağlanma. Bu, duyusal bir bilinçaltına itmeyle belli bir cinsel doyum bekleyişten oluşur ve eşin olduğundan daha değerli görülmesiyle dışa vurur. Kolayca nefrete dönüşebilir.

Bir cinsel ilişkinin uzun süre sevgiden yoksun kalması, duyusal zevki azaltır, onunla birlikte cinsel doyum da azalır. Ama bütün bunlar, belli bir yaştan sonra, erginlik çağının fırtınaları atlatıldığı ve cinsel coşkularda belli bir dengeye varıldığı zaman söz konusudur. *Duyusal zevklere düşkünlük hastalıklı bir biçimde bilinçaltına itilmemişse, sevgisel elverişlilik ancak cinsel gereksinimler yeterli ölçüde doyurulmuşsa gerçekleşebilir.* Sevgisel elverişlilikler, anneyi canlandıran en kusursuz dişi ülküsü ardında koşan gençlerin düzmece ve çocuksu sevecenliğiyle karıştırılmamalıdır; böyleleri, aynı zamanda, suçluluk duygularıyla duyusal zevklere düşkünlüklerini bastırırlar. Gençliğimizin bazı katmanlarında görülen gevşek, kısa süreli cinsel bağlılıklar, bence, gençlik çağındaki cinsel deneylerin doğal ve sağlıklı biçimleridirler. Bunlar, ilkel toplumlardaki gençlerin cinsel yaşamına yakındırlar. Çok yüksek dereceli sevgiden yoksun değildirler elbet, ama bu sevgi ilişkiyi sürekli bağlanmaya dönüştürmeye yeterli değildir. Sözünü ettiğimiz şey, özellikle varlıklı yetişkinler arasında görülen çokeşliliğin hastalıklı biçimlerinde kendini gösteren cinsel uyarıcıların yarattığı şehvet arzusu da değildir; bu, cinsel olgunluğa erer ermez beliren ve karşısına çıkan her uygun nesneye yönelen bir duyusal hazlara düşkünlüğün taşmasıdır. Genç memeli hayvanın canlılığına benzer ve yaşla ters orantılı olarak azalır. Gencin sağlıklı cinsel canlılığı isterik-aşırı canlılık gibi hastalıklı görüngülerden kolayca ayrılır.

Olgunluk çağında, bu kısa cinsel bağlanmalar ille de hastalıklı değildir. Ayrıca, edindiğimiz cinselbilim yaşantımızdan ahlâkî önyargılara kapılmaksızın, dürüst sonuçlar çıkaracak olursak, böyle bir ilişki kurma yüreklilik ya da gücünü gösterememiş kız ya da oğlanın akıldışı, hastalıklı bir suçluluk duygusunun baskısı altında olduğunu kabul etmemiz gerekir. Öte yandan, hekimlik deneylerimiz kesinlikle göstermiştir ki, sürekli bağlılık kuramayanlar aynı zamanda sevisel yaşamlarında çocukluktan kalma bir anaya ya da babaya saplanıp kalmanın, yani bir cinsel bozukluğun sıkıntısını çekmektedirler. Bu durumda, sevgi atılımları ya eşcinsel (homoseksüel) bir bağlanmaya çakılıp kalmakta (buna, örneğin sporcularda, öğrencilerde ve uğraşı askerlik olanlarda rastlarız), ya da düşsel bir örnek bütün gerçek cinsel nesnelerin değerini düşürmektedir. Çoğu kez, sürekli ve doyumsuz kadın-erkek kaynaşmasının bilinçsiz arka planında belli bir nesneye bağlanma korkusu vardır, çünkü böyle bir bağlanma hısımla ilişki kurma anlamı taşımakta, dolayısıyla kişiyi ürkütmektedir. Sürekli bağlılık kuramamanın en yaygın belirtisi, bedensel boşalma gücü bozukluğudur: her yeni cinsel edimin (sevişmenin) getirdiği düş kırıklığı, eşe sevgiyle bağlanmayı önler.

Geçici bağlılığın en büyük sakıncası, cinsel düzenlilik kuramı açısından, eşlere sürekli bağlılığın sağladığı cinsel uyuşma, dolayısıyla tam anlamıyla doyuma erme olanağını sağlayamayışıdır. Cinsel tutumbilim açısından, geçici bağlılığa yöneltilecek en ciddî eleştiri, sürekli bağlılık hesabına öne sürülecek en iyi kanıt budur. Evlilik savunuculuğunu kimseciklere bırakmayanlar burada, tekeşli ahlâk anlayışını arka kapıdan hileyle içeri alabileceklerini sanarak derin bir oh çekeceklerdir. Ama onları yeniden düş kırıklığına uğratmak zorundayız: sürekli bağlılıktan söz ederken, bir zaman sınırı çizmiyoruz; cinsel tutumbilim açısından bu bağlılık birkaç hafta, birkaç ay, iki ya da on yıl sürebilir; ayrıca, bu ilişkinin tekeşli olması gerektiğini, gerekeceğini de söylemiyoruz; hiçbir kural koymuyoruz çünkü.

Başka bir incelemede[1] gösterdiğimiz gibi, kız oğlan kız bir hanımla ilk sevişmenin daha doyurucu ya da balayının cinsel yaşamın en tatlı ayı olduğu düşüncesi tepeden tırnağa yanlıştır. Bu düşünce hekimlik deneyine dayanamaz. El değmemiş kıza duyulan şehvetli arzuyla tekeşli evliliğin doğurduğu cinsel boşluk ve uyuşukluk arasındaki çelişkinin sonucudur bu düşünce. Doyurucu cinsel bağlılık, eşlerin cinsel hızlarını birbirlerine uydurmayı başarmış, birbirlerinin pek ender olarak bilincine varılan, ama çok önemli özel cinsel gereksinimlerini öğrenmiş bulunmalarını gerektirir: cinsel tutumbilim açısından, cinsel yaşam ancak böyle sağlıklı olabilir. Cinsel açıdan birbirini tanımadan evlenmek cinsel sağlığa pek az uyduğu gibi, genellikle hep acıklı biter.

Sürekli ve doyurucu cinsel bağlılığın başka bir üstünlüğü de, durmadan iyi bir eş aramayı gereksiz kılışı, böylece toplumsal etkinliğe zaman ve güç bırakmasıdır.

Dolayısıyla, kalıcı cinsel bağlılığa elverişlilik şunları gerektirir :

— *tam bir bedensel boşalma gücü,* yani *sevgiye dayanan cinsel yaşamla duyusal hazlara düşkünlük arasında hiçbir uyumsuzluğun bulunmaması;*

— *yakınlarına saplanıp kalmanın aşılması,* çocukluktan gelen cinsel korkunun yenilmesi;

— eşcinsel ya da cinsellikdışı olsalar da, *yüceltilmemiş güdülerin bilinçaltına itilmesi*'nin bulunmaması;

— *cinselliğin ve yaşama sevincinin koşulsuz kabul edilmesi;*

— *cinsel ahlâk anlayışının temel öğelerinin aşılması; eşle zihinsel arkadaşlığa elverişlilik.*

Bu önvarsayımlarla günümüzün toplumsal koşullarını karşılaştırırsak, kimi bireylerin dışında, buyurgan toplumda bunların *hiçbiri*'nin gerçekleştirilemeyeceğini kabul

---

[1] *Bedensel Boşalmanın İşlevi.*

etmek zorunda kalırız. Cinsel arzuları yadsıma ve bastırma buyurgan toplumun ayrılmaz parçaları olduğundan, cinsel eğitimi de ister istemez bunlar belirler. Gerçekten de, aile eğitimi çocuğun cinsel dikkatinin ana-babaya saplanıp kalmasını önleyecek yerde, buna çanak açar; çocuğun cinsel yaşamının kösteklenmesi sevisel cinsel yaşamla duyusal zevkleri birbirinden ayırır; böylece, üretkenlik öncesi döneme ilişkin ya da eşcinsel eğilimler yaratır; bunların bilinçaltına itilmeleri gerektiğinden, cinsel yaşam zayıflar. *Ayrıca, erkeği üstün sayan eğitim, kadınla arkadaşlığı olanaksızlaştırır.*

Bütün öbür sürekli ilişkiler gibi, sürekli cinsel ilişkide de bir sürü çatışkı tohumu gizlidir. Biz burada genel insanî güçlüklerden değil, bunlara eklenen özel cinsel güçlüklerden söz ediyoruz. Bu güçlüklerin en önemlisi, *eşe duyulan cinsel arzunun (geçici olarak ya da uyanmamacasına) sönmesiyle sevecenliğin artması arasındaki çatışkıdır.*

Gerçekten de, her cinsel ilişkide, er geç, sık ya da ender olarak, cinsel çekiciliğin azaldığı, hattâ yokolduğu dönemler ortaya çıkar. Bu, deneyle saptanmış bir olgudur, hiçbir ahlâkî kanıt bunu değiştiremez; cinsel ilgi ısmarlanmaz. Eşler, duyusal hazlara düşkünlük ve sevecenlik ilintisi içinde birbirlerine ne kadar çok uyabilmişlerse, bu dönemler o kadar seyrek ve aşılması kolay olur. Bununla birlikte, her cinsel ilişki aşınır. Buna aşağıdaki durumlar eklenmese, pek önemli olmazdı :

1. Cinsel arzunun zayıflaması eşlerden *yalnız birinde* ortaya çıkabilir.

2. Bugünkü cinsel bağlılıkların çoğunda *iktisadî* bağlar vardır (kadının ve çocukların iktisadî bağımlılıkları).

3. Bu dış güçlüklerden ayrı olarak, cinsel uyumun bozulması halinde başvurulacak biricik mantıklı çözümü: ayrılıp başka bir eş aramayı karmaşıklaştıran bir de iç güçlük vardır.

Herkes, sürekli olarak, o günkü cinsel eşinden başka kimselerden gelen cinsel uyarmalarla karşı karşıyadır.

Bağlılığın altın çağında bu uyarmalar etkisizdir. Ama onları kökünden söküp atmak olanaksızdır, bu yöndeki bütün girişimler, Kilise'nin edepli giyinme ve benzeri ahlâkî ya da çileci önlemleri tam ters etki yaratmaktan başka bir işe yaramaz, çünkü cinsel gereksinimlerin bastırılması onları daha da şiddetlendirir. Çileci cinsel ahlâk anlayışının acıklı —ya da gülünç— yanı, bu olguyu hesaba katmamasıdır. Göz önündeki cinsel uyarıcılar, her sağlıklı bireyde, başka cinsel nesneleri arzulamaya yol açar. Başlangıçta, bu arzular kurulmuş bulunan bağlılığın getirdiği doyumla büyük ölçüde silinir. Birey ne kadar sağlıklıysa, bu arzular o kadar bilinçlidir (yani bilinçaltına itilmemiştir), dolayısıyla denetlenmeleri de o denli kolaydır. Hiç kuşkusuz, söz konusu denetleme ahlâkî kaygılarla belirlenmiyor da, cinsel tutumbilime uyuyorsa, çok daha az zararlıdır.

Ama başka cinsel nesnelere duyulan arzuların baskısı arttıkça, kurulu bağlılığı etkiler, özellikle eşe duyulan arzuyu aşındırırlar. Bu aşınmanın en kesin belirtileri şunlardır: sevişmeden önce arzunun azalması, sevişmenin verdiği zevkin zayıflaması. Eşten alınan zevkin azalmasıyla başka cinsel nesnelerin arzulanması birbirine eklenir, birbirini güçlendirir. İnsan bu durumdan iyiniyetlerle ya da «sevişme oyunları»yla kurtulamaz. İşte bu anda son derece tehlikeli olan eşe sinirlenme dönemi başlar; bu sinirlenme, kişinin mizacına ve aldığı eğitime göre, ya dışa vurulur, ya da içe atılır. Şöyle ya da böyle, benzer durumların çözümlenmesinin de gösterdiği üzere, eşe duyulan nefret gittikçe artar; eşin başka cinsel nesnelere duyulan arzuyu engellemesi bu artışın gerekçesidir. Bu bilinçsiz nefret, eşin sevimliliği ve hoşgörürlülüğü oranında artar, çünkü dediğimiz çelişik görünse de, böyle bir eşe karşı insanın hiçbir yakınma ve kin besleme nedeni yoktur; ama o, kendisine beslenen sevgiyle, başkalarına yönelmeyi önleyen bir engeldir. Nefret, aşırı bir sevgi gösterisiyle dengelenir ve gizlenir. Nefretten ve onun yarattığı suçluluk duygularından doğan bu tepkisel sevgi, «yapışkan» bağlanmanın özel öğeleridirler; işte bu yüzden, evli olmasalar bile, birbirlerine söyleyecek, hele verecek bir şeyleri kalmadığı, bağlılık her iki yan için de işkenceye dönüştüğü halde, ayrılamayan insanlara pek sık rastlarız.

Bununla birlikte, söz konusu arzu zayıflaması kesin olmayabilir. Eşler birbirlerine duydukları nefretin bilincine varamıyorlarsa, başka nesnelere besledikleri cinsel arzuları yakışıksız ve ahlâkdışı sayıyorlarsa, geçicilikten kolayca sürekliliğe dönüşebilir; bunun sonucu olarak, genellikle, bütün içtepilerin bilinçaltına itilmesi ortaya çıkar; ve tabiî onunla birlikte de, güçlü içtepilerin bilinçaltına atılmasının iki cins arasındaki ilişkilerde ister istemez yaratacağı yoksulluk boygösterir.

Buna karşılık, söz konusu olgular ahlâkçı önyargılardan uzak, içtenlikle ele alınabilirse, çatışkının yayılması önlenir, bir çıkış yolu bulunur; ama bunun için doğal yasalara uygun kıskançlığın karşısındaki insana mal gibi sahip çıkma isteklerine dönüşmemesi, başkalarına duyulan cinsel arzunun doğal ve haklı sayılması gerekir. Bir insanın yıllarca aynı giysiyle dolaşmak istememesini ya da her gün aynı yemeği yemekten bıkmasını kınamak kimsenin aklına gelmez. Sahipliğin tekelde bulunması yalnız cinsel alanda büyük bir sevgi belirtisi sayılmıştır; bunun nedeniyse, doğal kıskançlığa mülkiyet hakkı boyutlarını kazandıran, cinsel ilişkilerle iktisadî çıkarların iç içe geçmişliğidir. Aklı başında, olgun bir sürü insan bana, bu çatışkıya düşüp onu aştıktan sonra, eşlerinin başkalarıyla geçici cinsel ilişkiler kurması düşüncesinin ürkütücülüğünü yitirdiğini, eski «bağlılığa aykırı davranma» olanaksızlığının kendilerine gülünç geldiğini itiraf etmiştir. *Ahlâkî bilince dayalı bağlılığın* bir ilişkiyi yavaş yavaş aşındırdığını gösteren yığınla örnek vardır. Öte yandan, yine yığınla örnek, başka bir eşle kurulan geçici ilişkinin, zorlayıcı evlilik biçimini almakta olan sürekli bağlılığa yarar sağladığını göstermiştir. İktisadî bağımlılığa dayanmayan sürekli birlikte, böyle geçici bağlanmalar için iki çıkış yolu vardır. Üçüncü kişiyle kurulan ilişki geçicidir, o zaman, bundan ancak güçlenerek çıkan asıl bağlılıkla yarışamayacağı kendiliğinden kanıtlanmış olur; kadın, birtakım yasaklarla sınırlandığı ya da başka bir erkekle ilişki kurmayacağı duygusuna kapılmaz. Ya da, yeni ilişki eskisinden daha yoğun hale gelir, daha çok tat ve arkadaşlık getirir ve tabiî eski bağ koparılır.

Peki, bu durumda, sevgisi aynı kalmış olan eşe ne olur? Onun hiç kuşkusuz çetin bir savaş vermesi gerekir. Kıskançlık ve cinsel aşağılık duygusu, eşin yazgısını anlayışla karşılama eğilimiyle çatışır. Belki eşinin gönlünü yeniden kazanmayı dener, ya da hiçbir şey yapmadan olayların akışını beklemeyi yeğler. Kendisine verilecek öğüdümüz yoktur, yalnız somut çıkış yollarını çözümlemekle yetinebiliriz. Bu çıkış yolu ne olursa olsun, ahlâkî ve akıldışı gerekçelerle birbirlerine yapışan iki varlığın mutsuzluğundan çok daha iyidir. Bu gibi durumlarda insanların eşlerine gösterdikleri saygı, zihinlerinden söküp atamadıkları, bilinçaltına ittikleri arzulardan ötürü, kolayca nefrete dönüşür: *gereğinden çok saygı göstermiş kişi bunun değerinin bilinmesini istemeye, kendini kurban ve şehit saymaya, hoşgörüsüz davranmaya hakkı olduğunu sanır; bu davranışlarsa, bağlılığı, hiçbir «aldatma»nın yapamayacağı kadar çok yıpratır ve tehlikeye düşürür.*

Ne yazık ki, bu düşünceler pek küçük bir azınlığa uyar, çünkü içinde yaşadığımız toplumda, kadının iktisadî bağımlılığı cinsel ilişkileri iki özgür kişinin ilişkilerinden çok daha başka biçime sokmakta; ayrıca, çocukların eğitimi sorunu, cinsel tutumbilime uygun düşünceleri hiçe indirgemektedir. Hemen herkesin aldığı cinsel eğitimle toplumsal hava bu çözümlere kırk yılda bir rastlamamıza yol açmaktadır.

Bu arada, iyi anlaşılmazsa ciddî sonuçlar doğurabilecek başka bir güçlükten söz edelim. Çekicilik azaldığı ya da yokolduğu zaman, erkekte güçsüzlük belirtileri ortaya çıkabilir. Bu, çoğu kez, erkeklik organının yeterince dikleşememesi, hattâ uyarıcı bulunduğu halde uyarılmama biçiminde dışa vurur. Sevgi devam ediyorsa ya da güçsüzlük korkusu belirmişse, bir ruhsal çöküntü, giderek uzun bir güçsüzlük başgösterebilir. O zaman erkek, soğukluğunu gizlemek üzere, eşine daha sık yaklaşmaya çalışır; buysa çok tehlikeli olabilir. Şurası unutulmamalıdır ki, bu dikilme eksikliği güçsüzlük değil, hem o anki eşe arzu duyulmadığının, hem de, genellikle bilincine varılmayan, başka bir eş arzulamanın belirtisidir yalnızca. (Aynı görüngüye kadında da rastlayabiliriz, ama erkeğinki kadar önemli değildir; çünkü, sevişme bu bozukluğa karşın gerçekleşebilir, ayrıca kadın bundan erkek kadar etkilenmez.) İlişki bütünüyle iyiyse, bozukluğun nedenleri konusunda yapılacak açık bir tartışma (bunlar cinsel iğrenme, başka birini arzulama falan olabilir) güçlüğü ortadan kaldırmaya yeter. Şöyle ya da böyle, bir süre beklemek gerekir; ilişki başka yanlarıyla iyiyse, arzu er geç yeniden belirir. Böyle anlarda, başka bir eşle girişilecek deneme de, asıl eşin karşısında duyulacak suçluluktan ötürü, başarısızlığa uğrayabilir; ama başarıyla sonuçlanıp işe yarayabilir de.

Kişinin yapısı sinir hastalığına yatkınsa, başka bir eşe duyulan arzunun bilinçaltına itilmesiyle o günkü eşten tiksinme sinir bozukluğuna yol açabilir. Çoğu kez, böyle keskin bir çatışkı insanın çalışma yetisini ciddî olarak düşürür. Bu gibiler, gerçekliğin vermediği doyumu, çoğunlukla kendi kendini doyurmaya ilişkin hayal oyunlarında arayarak hastalanırlar. Bu çatışkılardan kurtuluş, kişinin ruhsal yapısına, cinsel ilişkinin niteliğine, erkeğin ve eşinin ahlâkî tutumuna göre çok değişik biçimler alabilir. Bu alanda ahlâkî önyargılarımızın doğurduğu kötülüğe hiç kimse yeterince parmak basmaz; insanların çoğu, başka birini düşünmeyi bile kusur, hattâ gerçek bir aldatma sayar. Oysa herkesin bu gibi durumların cinsel dürtünün doğal bölümleri olduklarını, doğal kurallara uyduklarını, ahlâkla uzaktan yakından ilgilerinin bulunmadığını bilmesi gerekir. Herkes bunu bilseydi çekilen acılar, kocayı, karıyı ya da sevgiliyi öldürmeler mutlaka azalırdı; aynı zamanda, bu gibi durumlardan kurtulmanın aykırı yolları olan ruhsal bozuklukları yaratan bir sürü neden de ortadan kalkardı.

Şimdiye dek, sürekli bağlılığın kendisinin doğurduğu güçlüklerden söz ettim. Bu güçlüklerin iktisadî çıkarlarla sarmaş dolaş oluşuna geçmeden önce, henüz evliliğe dönüşmemiş cinsel ilişkilerde çatışkılar yaratan birtakım nedenlerden söz açmalıyım: özellikle kadının benimseyip temsil ettiği *tekeşlilik öğretisi*'dir bu.

İktisadî bağımsızlığına kavuşmuş kadın için bile, sürekli bir bağlılığın sona ermesi azımsanmayacak bir olaydır. Gerçekten de, ortada «kamuoyu» dediğimiz şey, yani başkalarının işine burnunu sokmayı kurumlaşmış hak sayan anlayış vardır. Kamuoyu bugün evlilikdışı ilişki kuran kadına karşı daha az serttir belki, ama birkaç erkekle ilişki kurma gözüpekliğini gösteren her kadını yosma saymaktadır.

Cinsel ahlâk, mülkiyet çıkarlarıyla kaynaştığı için, öyle bir düzen kurmuştur ki, kadın «kendini verirken» erkeğin «kadına sahip olması» son derece olağan sayılmaktadır. Sahip olmak bir onur getirdiği, «kendini vermek»se insanı değerden düşürdüğü için, kadın sevişmeye olumsuz gözle bakar olmuştur; eğitim de bu olumsuz tutumu sürekli bir biçimde güçlendirmiştir. Beri yandan, erkeklerin çoğunun gözünde bir kadına sarılmak bir sevgi deneyinden çok erkeklik belirtisi olduğundan, ele geçirme sevgiye üstün geldiğinden, kadının bu tutumu acıklı bir biçimde doğrulanmaktadır.

Ayrıca, genç kız, ta küçük yaştan ancak *bir tek* erkekle cinsel ilişki kurması gerektiği ilkesiyle yetiştirilmiştir. Bu eğitimin etkisi, bilinçdışı suçluluk duygularına kök saldığı için, çok geç başlayan cinsel eğitiminkinden daha derin ve güçlüdür. Çevremizde hep, her şeyi kıvrak bir zekâyla kavradıkları halde, sevmedikleri adamdan ayrılamayan, boşanma düşüncesini birtakım gülünç kanıtlarla çürütmeye çalışan kadınlara rastlarız. Bilinç dışında kalan gerçek nedeni şöyle dile getirebiliriz: «Annem korkunç evliliğe ömür boyu katlandı, ben de aynı şeyi yapabilmeliyim.» En çok etkisi görülen bilinçaltına itme etkeni, çoğu kez, işte bu tekeşli ve eşine bağlı anayla özdeşleşmedir. Evliliğe dönüşmeyen kalıcı bağlılık, genellikle, ömür boyu sürmez. Böyle bir bağlılık ne kadar genç yaşta kurulursa ve ne denli inandırıcıysa —ruhbilimsel ve bedensel açıdan ne denli haklıysa—, o kadar tez çözülür. İnsanoğlu, iktisadî kaygının pek fazla baskısı altında değilse, aşağı yukarı otuz yaşına dek sürekli ruhsal evrim içindedir. Kişisel ilgiler, genellikle, bu yaşta billûrlaşmaya, kalıcı olmaya başlar. Çileci ve tekeşli kuram, işte bu yüzden, insanın ruhsal ve bedensel gelişme sürecine açıkça aykırıdır; dolayısıyla, uygulanması olanaksızdır. Bütün evlilik öğretilerinin özünde yatan çelişki budur.

2 — EVLİLİK SORUNU

İktisadî bağlar, sürekli cinsel bağlılığın güçlüklerini daha da artırır, kılgısal olarak çözülmez hale getirir. *Bu koşullarda, sürekli cinsel bağlılıkla onun dayandığı bedensel ve ruhsal-cinsel temel zorlayıcı evliliğe dönüşür.*

Bu kurumun düşünsel özellikleri dinsel buyruklarda dile gelir: evlilik a) *ömürlük*, b) *kesinlikle tekeşli* olacaktır. Toplum evliliğin dinsel yanını hafifletmekte, ama iç çelişkilerine hiç ilişmemektedir, çünkü böyle bir davranış kendi özgürlükçü anlayışlarına aykırı düşecektir. İktisadî açıdan, toplumun evliliği desteklemesi, kuramsal açıdansa uygulanması olanaksız sonuçlara varması gerekirdi. Evliliğin bu çelişik yapısına konuyu işleyen bütün bilimsel ve edebî yapıtlarda rastlarız. En yalın deyişle anlatırsak, şudur söz konusu çelişki: *evliliklerin kötü oldukları doğrudur, ama evlilik kurumu yaşatılmalı ve güçlendirilmelidir.* Bu yargının ilk bölümü olguya dayalıdır, ikinci cümlecik gerici toplumun dileğidir, evlilikse bu toplumun ayrılmaz parçasıdır.

Yazarlar, bir yandan olguların, öte yandan gerici kuramın kölesi olduklarından, evliliğin yaşatılmasını doğrulamak için en garip, en saçma kanıtlara başvurmak zorunda kalmaktadırlar.

Örneğin, evliliğin ve tekeşliliğin «doğal», yani yaşamın kendisinden gelen görüngüler olduğunu kanıtlamaya çalışırlar. Hiçbir cinsel kurala bağlanmadan yaşayan çeşitli hayvan türleri aranır taranır —ancak geçici bir süre tekeşli yaşayan— leyleklerle güvercinler örnek diye karşımıza getirilir; buna bakarak tekeşliliğin «doğal» olduğu sonucuna varılacaktır. Bir kere, eğer böyle bir kıyaslama tekeşlilik öğretisinin yardımına koşacaksa şunu belirtelim ki, insanoğlu artık öteki hayvanlarla *kıyaslanamayan*, onlardan üstün bir varlık olmaktan çıkmıştır. Ayrıca, evlilikler *dirimbilimsel* açıdan ele alındığında, hayvanlar arasında çokeşliliğin kural olduğu görülmezlikten gelinmektedir; bu bakımdan insanoğlu hemen hayvanlardan ayrılmakta, «daha yüce bir» cinsel etkinlik «düzeyi» ne, yani tekeşli evliliğe yükselmesi gerekmektedir; çünkü o bütün memeli hayvanlardan «üstün», «doğuştan ahlâklı» bir varlıktır; böylece cinsel tutumbilim yenilgiye uğratılmış olmaktadır, çünkü o yeryüzünde doğuştan ahlâklılık diye bir şey bulunmadığını kanıtlamıştır. Ahlâklılık doğuştan değilse, ancak eğitimle kafalara sokulması gerekli demektir. Kim verir bu eğitimi? Toplum ile, onun zorlama tekeşlilik temeline oturtulmuş öğreti fabrikası, yani buyurgan aile. Bu da, ailenin doğal bir görüngü değil, toplumsal bir kurum olduğunu kanıtlamaya yeter.

Yalnız gerici öğreti inatçıdır. Evliliğin doğal ya da doğaüstü olmadığı, toplumsal bir kurum olduğu mu kabul edildi, hemencecik insanlığın öteden beri tekeşli yaşadığını kanıtlamaya, cinsel ilişki biçimlerindeki evrim ve değişikliğin varlığını yadsımaya girişir. Örneğin Westermark'ın yaptığı gibi, iş budunbilimi (etnolojiyi) çarpıtmaya dek vardırılır ve şu sonuca varılır: insanlar öteden beri tekeşli yaşadılarsa, bundan çıkan sonuç, tekeşli evlilik kurumunun insan toplumunun, Devlet'in, kafa eğitiminin ve uygarlığın yaşaması için gerekli olduğudur. Böyle derken tarihin verdiği ders unutulmaktadır: çokeşli yaşayış, bugün hoşgörülmeyen kadın-erkek karışımı insanlık kuruldu kurulalı son derece önemli rol oynamıştır. Sizin anlayacağınız, evrimin yerine ahlâk anlayışı geçirilmektedir. Buysa, cinsel yaşamın geçirdiği evrimin bizi çok daha «yüce» cinsel etkinlik biçimlerine götürdüğünü, ilkel kavimlerin, aştığımız için övünebileceğimiz hayvanca bir ahlâksızlık ve «kargaşalık» içinde yaşadığını saptamamıza izin verir. Ama o arada insanoğlunun, cinsel edime her an hazır olduğu için, daha az değil, daha yoğun bir cinsel yaşamla hayvandan ayrılışı görmezlikten gelinmektedir; öyleyse, «insanın hayvana üstünlüğü» savının çürüklüğüne kuşku yoktur. Bu ahlâkçı görüşlerin benimsenmesi, örneğin «ilkel kavimlerin» cinsel yaşamlarındaki düzenliliğin bizden üstün olduğu gözleminin çarpıtılmasına yol açmaktadır.[1] Böyle davranmakla, cinsel yaşam biçimlerinin, bunların yer ve zaman içersinde geçirdikleri değişikliklerin iktisadî ve toplumsal altyapısını inceleme olanağı tümden yitirilmektedir. Aynı zamanda, sonu gelmez kısır tartışmalarla ahlâkî değerlendirmeye gömülüp kalınmaktadır. Nicedir yokolup gitmeye aday toplumsal görüngüler ahlâksal, fizikötesi ya da dirimbilimsel açıdan doğrulanmaya çalışılmakta; üstelik de bu iş, ahlâkî önyargılarla yüklü olduğu oranda dar kafalı kentsoylularda saygı uyandıran, sözümona nesnel bir bilimin ardına sığınarak yapılmaktadır.

Oysa, salt olgularda kalırsak, iki soru çıkar önümüze :

1. Evliliğin toplumsal işlevi nedir?
2. Evlilik kurumunun özündeki çelişki nedir?

1) Evliliğin toplumsal işlevi nedir?

Evliliğin toplumsal işlevi üç yanlıdır: iktisadî, siyasal ve toplumsal. Buyurgan aileninkinin aynıdır.

---

[1] Özellikle, Malinowski'nin *Vahşilerin Cinsel Yaşamı*'na ve Reich' ın *Cinsel Ahlâkın Boygöstermesi*'ne bakın.

İktisadî açıdan, evlilik varlık nedenini, ortaya çıktığı andan bu yana altyapısını oluşturan şeyden, yani toplumsal üretim araçlarının özel mülkiyete geçişinden alır. Sizin anlayacağınız, şimdiki iktisadî koşullar sürdükçe evlilik toplumsal açıdan gereklidir. *[Ancak, bu sözü şöyle tamamlamak ödevimizdir: Sovyetler Birliği'nde toplumsal üretim araçlarına özel kişi ve kurumlar değil de, Devlet sahip olduğu halde, zorlama evlilik yeniden getirilmiştir. Dolayısıyla, şunu belirtmek gerekir:

a) Buyurgan toplumların zorlayıcı ailesi, tarihsel kökenini üretim araçlarının özel mülkiyetinden almakta, bu mülkiyetin ortadan kaldırıldığı yerlerde, Devlet yetkesiyle ayakta durmaktadır;

b) Zorlayıcı ailenin kökü insanın cinselliğe düşman ve buyurgan kişilik yapısındadır.]*

Böyle bir çıkarı bulunmayan sınıfların da aynı cinsel yaşama biçimini kabul ettiklerini söylemek sağlam bir kanıt değildir, çünkü egemen öğretiler egemen sınıfların getirdiği öğretilerdir ve ailenin biçimi yalnız iktisadî gerekçelere değil, aynı zamanda o günkü düşünsel havaya ve yaşamdan korkan insan yapısına bağlıdır. İşte bu yüzden, insanların çoğu evliliğin gerçek temelini bilmemekte, onu hep egemen öğretiden gelen doğrulamalarla ele almaktadır. Oysa, maddî nedenler gerektirdiği zaman, toplum öğretiyi hemen değiştirmektedir. Otuz Yıl Savaşı'ndan sonra, Orta Avrupa halkı kırılıp geçirilmiş olduğundan, Nüremberg Devlet Meclisi, 14 Şubat 1650'de, tekeşliliği kaldıran bir kararname çıkarmıştır: «Savaş, hastalık ve açlıktan kırılan halkın yerine konacak nüfus Kutsal Roma İmparatorluğu'nun gereksinimlerinden olduğu için, bundan sonraki on yıl içersinde, her erkek iki kadınla evlenme hakkına sahiptir...» (Fuchs, Sittengeschichte, Renaissance s. 40). Sonra bilginler kalkıyor insana «doğal», «yaşamın kendisinden gelen» tekeşlilikten söz ediyorlar!

Siyasal açıdan, kesin tekeşli evlilik, çağdaş ailenin çe-

(*) Köşeli ayraçlar içindeki satırlar 1944 basımına eklenmiştir.

kirdeğini oluşturmaktadır; bu aileyse, yukarda gördüğümüz gibi, buyurgan toplumdaki her bireyin düşünsel eğitiminin yapıldığı yerdir; dolayısıyla, evliliğin siyasal bir anlam ve görevi vardır.

Toplumsal açıdan, evlilik bir yandan kadının ve çocukların iktisadî bağımlılığını sağlayıp ataerkil düzenin başlıca özelliğini yaratmakta, öte yandansa, onları (ataerkil çıkarlar açısından) iktisadî ve ahlâkî güvenlik altına almaktadır. Dolayısıyla, ataerkil toplum, ister istemez evliliği sürdürmek zorundadır. Bilmemiz gereken, evliliğin iyi mi kötü mü olduğu değil, toplumsal açıdan sağlam temelli ve gerekli olup olmadığıdır. Gerçekten de, iktisadî köklerinin bulunduğu yerden söküp atamayız evliliği; işin özüne dokunmadan, örneğin, boşanma nedeni olarak suç işlemenin yerine uyuşamamayı geçirerek, ancak «bazı düzeltimler» yapabiliriz.

Bu türlü düzeltimler (reformlar), kökenleri iktisadî değil, cinsel olan evliliğin çelişkilerinden doğmaktadırlar; çoğu kez, 25 Ocak 1929 tarihli Pester Lloyd'un okurlara sunduğu düzeltim örneği gibi hem acıklı, hem gülünçtürler:

«Okulda öğretilen briç — A. B. D.'nin Cleveland eyaletinden şaşırtıcı bir haber geldi. Belediye okulları briç'i zorunlu ders haline getirmeyi kararlaştırmışlar. Bu garip yeniliğin nedeni, artık briç oynanmayan Amerikan yuvasının yıkılma tehlikesi geçirmesiymiş.

«Eşler, başbaşa ya da sevdikleri arkadaşlarıyla briç oynayacak yerde, ayrı ayrı gezmeye çıktıkları için pek çok evlilik bozulmuş. Çocuklara briç öğreterek, hem sağlam bir evliliğe hazırlanmış olacakları, hem de çoğu ayrı yaşayan analarıyla babaları üzerinde olumlu etki yapacakları umulmaktaymış.»

Evlilikle ilgili gözlemlerin çoğunun gülünç olduğu söylenebilir; birtakım ciddî olguların yüzeydeki şakalarla gizlendiği kolayca görülüyor. Evliliklerin bozulması yeni bir şey değildir. Ama biz yine de şu rakamlara bir göz atalım.

İlkin, 1915 - 1925 yılları arasında Viyana'daki evlenme ve boşanmalarla ilgili (Walter Schiff'in verdiği)[1] rakamları görelim.

YIL	EVLENME	BOŞANMA
1915	13 954	617
1916	12 855	656
1917	12 402	659
1918	17 123	1078
1919	26 182	2460
1920	31 164	3145
1921	29 274	3300
1922	26 568	3113
1923	19 827	3371
1924	17 410	3437
1925	16 288	3241

Görüldüğü gibi —savaş sonrası yılların dışında— evlenmeler pek az artarken, on yıl içersinde, boşanmalar sürekli olarak ve % 500 oranında artmıştır. Evlenme boşanma orantısı 1915'te aşağı yukarı yirmide birken, 1925'te beşte bir olmuştur.

Ayrıca, 18 Kasım 1918 tarihli *Pesti Naplo* gazetesinde şunu saptayan bir yazıyla karşılaşmaktayız :

«Evlenmelerin yanında, boşanmalar daha büyük bir hızla artmıştır. 1878'le 1927 arasında evlenmeler *dört* misli çoğalmış, buna karşılık boşanmalar *seksen* kat artmıştır. 1926'da bu oran 100'e çıkmıştır.»

Yazar, o yazıda ayrıca boşanmaların çoğunun evlenmeden beş altı yıl sonra olduğunu belirtiyordu. 1927'de, 1645 boşanmanın 1498'inin nedeni «eşini yüzüstü bırakma», yalnız ikisininki «eşini aldatma»ydı.

24 Kasım 1928 günlü *Budapesti Hirlap*, boşanmalardaki hızlı artışın Lordlar Meclisi'nde ele alındığını haber vermektedir. 1922'de, 1813; 1923'te, 1888 evlilik bozulurken,

---

[1] *Die natürliche Bewegung der Bevölkerung der Bundershauptsadt Wien*, 1926.

1878'de yalnız 21, 1879'daysa 15 boşanma olmuştur. 1898'de iktisadî yaşamın ve bankacılığın geçirdiği bunalımdan sonra, boşanmalar hızla artmış (1900: 255; 1905: 464; 1910: 659). İktisadî bunalım yıllarında boşanma oranının en yüksek düzeye çıktığı saptanmış bulunmaktadır.

Evlenme sayısı (bin olarak)

	1931	1932	1933	1934
Almanya	514,4	509,6	631,2	781,5
İtalya	276,0	267,8	289,9	309,2
Portekiz	44,9	45,4	45,8	47,5
Polonya	273,3	270,3	273,9	277,3
Hollanda	59,5	55,8	59,2	60,6
Macaristan	76,4	71,2	73,1	77,7
Çekoslovakya	129,9	128,0	124,3	118,3

1931'den bu yana —Çekoslovakya dışında— bütün Avrupa'da evlenme sayısı artmıştır.

Bu, artan siyasal gericiliğin baskısını yansıtmaktadır; üç yıl içersinde, evlilik öğretisinin ilerlemesi için, 366 178 çifte ödünç para verilmiştir. Yoksa, bu artışın pek, hattâ hiçbir anlamı olmazdı. Boşanmalardaki artış, cinsel yaşamın ilerde değişeceğini göstermemektedir. Temel çelişki olduğu gibi kalmaktadır.

Sovyet Rusya'da, evlilik kurumunun ortadan kaldırılmasından sonra (bir cinsel ilişkinin ille de kütüğe işlenmesi zorunlu olmaktan çıkarılmıştı), yapılan sayılamalar şunu gösterdi: Moskova'da, 1926'da 24 899 resmî nikâhlanmaya karşılık, 1929'da 26 211 çift birleşmelerini kütüğe işletmiş; aynı zaman dilimi içersinde boşanmalar da 11 879' dan 19 421'e yükselmiş. Leningrad'da, 1926'da 20 913 evlenme kütüğe işlenmiş, 1927'deyse 24 369; ama aynı yıllarda boşanmalar 5536 iken 16 008 olmuş.

Lindsay, Amerika Birleşik Devletleri için aşağıdaki rakamları veriyor (companionate Marriage, s. 153): 1922'de, Denver'de, boşanma ve eşini bırakıp gitme sayısı evlenmelerden çokmuş; 1921'e oranla, evlenmelerin 618 sayı düşük, boşanmalarınsa 45 sayı fazla olduğu söyleniyor kitapta; 1920'de 4002 çiftin evlenmesine karşılık 1922'de 3008 evlenme saptanmış. Şikago'da, aynı yıl, boşanmalar evlenmelerin tam üçte biriymiş.

United Press'e göre, 1924'te, Atlanta'da, 3350 evlenmeye karşılık 1845 boşanma olmuş (yarıdan çok); Los Angeles'te bu oran 16 605 - 7882 (hemen hemen yarısı); Kansas City'de, 4281 - 2400 (yarıdan çok); Ohio'da, 53 300 - 11 885 (yaklaşık olarak beşte biri); Denver'de, 3000 - 1500 (yarısı); Cleveland'da 16 132 - 5256 (üçte biri).

Lindsay, bu durum bildirisine şunları ekliyor:

«Evlilik, bugünkü haliyle, evlenen kişilerin çoğu için tam bir cehennemdir. İşte kör kör parmağım gözüne ortada olan durum! Yargıçlık kürsümün önünden geçen sönmüş yaşamları, mutsuz ve yoksul erkeklerle kadınları, yüzüstü bırakılmış, yuvasız çocukları gördükten sonra başka bir sonuca varacak kişinin alnını karışlarım. (A.g.y., s. 129.)

«Şikago'da, 1922'de, 39 000 evlenme cüzdanına karşılık, 13 000 boşanma yargısı verildiği söyleniyor. 13 000 çiftin boşanmasına izin verildiyse, boşanmak istedikleri halde dâva açacak yürekliliği gösteremeyenlerin sayısı kaçtır sanıyorsunuz? Çünkü boşanma karmaşık, pahalıya patlayan, tatsız bir iştir ve boşanmak isteyenler ancak işler son kerteye varınca dâva açarlar. Şikago'da, 1922'de, 39 000 çift evlendiyse, boşanan 13 000'in dışında kalan 26 000 çiftin de, ellerinden gelse ayrılacaklarını öne sürmek hiç abartma olmaz. Bu inancım, öğüt almak ya da avutulmak üzere beni görmeye gelen, boşanma arzularını sonuna dek vardırmayan evli çiftlerin oranına bağlıdır. Bence, bunların sayısı, sorunlarını çözmek için yargıç önüne çıkanların birkaç katıdır (s. 154).

«Bu olgular geçmiş yılların sayılamalarıyla karşılaştırılırsa, boşanma ve ayrılmaların gittikçe arttığını ve şimdiden kestirilebileceği üzere, bazı bölgelerde, yakın bir gelecekte evlenme kadar boşanmayla karşılaşacağımızı görmezlikten gelemeyiz.

«On binlerce durumda, evliliğin gizli başarısızlığı defterlerimize 'boşanma' ya da 'yasal ayrılma' diye değil, bakım eksikliği, yardım etmeme, yüzüstü bırakma diye geçmektedir. *Maddi ve ruhsal açıdan, bunları boşanma saymamak için hiçbir neden yoktur, çünkü eşler yollarını özgürce seçebilseler durum ve koşullar, çocuklar ve yasal zorunluluklar ellerini kollarını bağlamasa çoktan boşanmış olacaklardı.* Bütün bu özel haller, boşanma ve ayrılmalarla birlikte, Başarısızlığa - Uğramış - Evlilikler bölümüne yazılabilir. Bu durumdaysa, her yıl nüfus kütüklerine işlenen evlenme kadar 'boşanma' olduğunu söylemek bilineni yinelemek olur» (s. 155).

Alın size, bir Amerikan kızıyla yapılmış yaman bir konuşma:

«Örneğin, sözünü ettiğim Mary, bozulması ve yok sayılması son derece güç bir sözleşmeye karşı çıktığı için evlenmeye yanaşmıyordu... Onun istediği, özgür bir insan olmasına izin verecek evlilikti; bunuysa elde edemiyordu. O zaman, evlilik kurumunu bütünüyle kaldırıp atıyor; bununla birlikte, bazı düzeltmelerle evlenmeye razı olabileceğini, hattâ bunun insana bir sürü kolaylık getirebileceğini kabul ediyordu.

«Şimdi kalkıp bu toplumun üyesi ve onun yasalarına uymak zorunda biri olarak Mary'nin görevinin evlilik kurumu önünde boyuneğmek, herkes gibi bu işi bir kez denemek olduğu ileri sürülebilir; buna razı değilse, bekâr kalmalı, cinsel yaşamını doyurmaya kalkmamalıdır, denebilir.

«Mary buna, haklı ya da haksız, eyyamcılığın kutsal nesneleri uğruna kendini harcayamayacağını söyleyerek karşılık veriyordu; ikisini de aynı derecede saçma ve korkunç bularak, bekârlıkla evlilik arasında seçme yapmaya yanaşmıyordu.

«Bunun yerine, başkaldırı bayrağını açıyor: 'Hayır! diyordu, ben ve kuşağım üçüncü bir yol bulacağız. Hoşunuza gitsin gitmesin, kendi ürünümüz olan ve gereksinimlerimize karşılık veren bir evlilik sözleşmesi yapacağız. İçgüdüsel olarak arzuladığımız arkadaşlığa ve yakınlığa doğal hakkımız bulunduğu inancındayız. Gebeliği önleme çarelerini biliyoruz, bu da, arzulanmayan çocukların yaratacağı karışıklıkları önlüyor. Davranış biçimimizin insan toplumunun güvenliğini tehlikeye düşüreceğini kabul etmiyoruz; bu çabanın, geleneğin yerine sağduyuyu geçirerek, kötülük değil,, iyilik yapacağına inanıyoruz.' — Verdiği yanıtların özeti bu.

«Bunlara, yargı sorumluluğu taşıyan biri olarak ben ne karşılık vermeliydim? Bir yandan, kuramsal düşüncelerin körü körüne uygulanmasından doğacak büyük kılgısal güçlük ve tehlikeleri küçümsemeden Mary'nin davranışını onaylayamam. Öte yandan, Mary'ye ya da başka birine, evlilik kurumunun *şimdiki haliyle* eşlerin mutluluğunu güvenlik altına aldığını, dürüstlük ve içtenlikle söyleyemem. Toplumun koşulsuz desteğine hak kazanabilmesi için, evliliğin getirmekle övündüğü şeylere denk sonuçlar doğurması gerektiği savına katılmaktan kaçınamam; şimdiki katı kurallarından ötürü yarattığı mutsuzluk ne olursa olsun, düzeltilebilmesi gerekir. İnsanoğlunun evlenmek üzere yaratılmadığını, evliliğin insana mutluluk ve rahatlık getirmek için bulunduğunu da görmezlikten gelemem; evlilik erek değil, araçtır; papuç uymadığı zaman, ayak değil, ayakkabı değiştirilmelidir. Mutsuz evliliğe karşılık seçilebilecek şey diye önerilen bekârlığa gelince, insanların hiçbir zaman uygulayamayacakları, uygularlarsa karşı konmaz içgüdülerine zarar verecek zorunluluklar ortaya atarak vakit yitirmek neye yarar?»

(*Revolt*, s. 138)

Peki, Lindsay Mary'yle yaptığı bu yaman konuşmadan ve gözlemlerinden nasıl bir sonuç çıkarıyor acaba?

«Bununla birlikte, söz konusu durum, evliliğin bir başarısızlık olduğu, kaldırılıp ıskartaya atılması, onun yerine Özgür Aşk'ın ya da başka bir toplumsal örneğin getirilmesi gerektiğini göstermez. Evlilik kurumu ne denli eksik gedik olursa olsun, *ondan vazgeçemeyiz.* Uygun koşullarda kişisel yaşama getirmesi gereken mutluluğu sağlayabilmesi için, kurallarında yapılacak akıllı uslu ve sakınımlı düzeltmelerle çökmekten kurtarılıp saklanmalıdır.

«Evliliğin getireceği yararlı olanaklara yürekten inanıyorum, ama ona bunları dile getirme fırsatını vermediğimizi görmezlikten gelemem. Derdimi açıkça anlatabildiğimi sanıyorum» (a.g.y., s. 140).

Lindsay gibi olağandışı biri bile, evliliğin bütünlüğünün bozulduğunu, bu kurumun cinsel tutumbilimle çatıştığını saptadıktan sonra, bilindiği gibi, egemen dizgenin iktisadî gerekliliklerinin dışa yansımasından başka bir şey olmayan gerici ahlâka sığınmaktadır. Evliliğin bütünlüğünün bozuluşunun Amerika'da her yerdekinden daha hızlı ve açık oluşunun nedeni, anamalcılığın orada daha büyük ilerlemeler gerçekleştirmiş, dolayısıyla cinsel tutumbilim alanında en keskin çelişkileri yaratmış bulunmasıdır: bu çelişkiler, bir yandan son kertesine varmış bir katı ilkecilik, öte yandansa, gerici ahlâk anlayışının yıkılmasıdır.

Lindsay, evliliğin, «uygun koşullarda kişisel yaşama getirmesi gereken mutluluk»tan ötürü kurum olarak sürdürülmesinden yanadır. Oysa sorun, evliliğin gizli bir mutluluk getirme gücü taşıyıp taşımadığını bilmek değil, bu mutluluğu gerçekleştirip gerçekleştirmediğini anlamaktır. Gerçekleştiremiyorsa, bunun nedenini araştırmak gerekir; kurum yıkılıp gidiyorsa bu görüngünün maddî ve cinsel nedenlerini çözümlemek gereklidir.

Hoffinger, ta XIX. yüzyılın ortasında şu sonuca varıyordu:

«Hoffinger, mutlu evlilikler konusunda giriştiği titiz ve dizgeli araştırmaya karşın, bunların genel kurala aykırı, kırk yılda bir rastlanan şeyler olduklarını kabul etmek zorunda kalmıştır.» (Bloch'un, Das Sexualleben unserer Zeit adlı yapıtından, s. 247.)

Gross - Hoffinger ayrıca şunları da saptıyor:

«1. Evliliklerin aşağı yukarı yarısı kesinlikle mutsuzdur.

2. Çiftlerin yarısından çoğu tam bir yürek çöküntüsü içindedir.

3. Geri kalan küçük azınlığın ahlâk anlayışında ille de eşe bağlılık yoktur.

4. Eşlerin % 15'i fahişeliğe ya da kadın tellâllığına dadanmaktadır.

5. Katı ilkeciliği mutlak bağlılığa dek vardıran evlilik sayısı, insanın doğal yapısını ve isteklerinin şiddetini bilen her aklı başında kişi için, sıfıra sıfır elde var sıfırdır.»

(Bloch, Sexualleben, s. 253.)

Yüz evlilik üzerinde inceleme yapmış olan Bloch şu sonuca varır :

— gerçekten mutsuzlar 48
— kayıtsızlar 36
— kesin mutlular 15
— erdemliler 1

Bloch, bu 100 evliliğin 14'ünün «bilinçli olarak ahlâkdışı», 51'inin «bozuk ve hafif», 2'sinin «her türlü kuşkudan uzak» olduğunu saptamıştır. Kullanılan terimlerin ahlâkçılığına dikkat edelim. Sözü edilen örnekleri bir de ben inceledim, mutlu denen evliliklerin 3'ünün çok yaşlı kişiler arasında olduğunu; 13 ailede eşlerin ya birinin, ya da ikisinin birden öbür eşi aldattığını; 3'ünün «kansız-cansız», yani cinsel arzudan yoksun (güçsüz ya da soğuk) olduğunu; ancak 2'sinin gözle görülür bir mutluluk içinde yaşadığını saptadım. «Kesin mutlu» sayılan 15 evlilikten 13'ünde eşler rahatça birbirlerini aldatıyorsa, bu, evliliğin uzun bir zaman dilimi içersinde, ancak en önemli kuramsal gerekliliğin, yani eşlerin birbirine bağlı kalmasının gözden çıkarılmasıyla olabileceğini gösterir.

Koşullarını çok yakından tanıdığım 93 evliliğin incelenmesi, bana şu sonuçları vermiştir :

— mutsuz ya da birbirini açıkça aldatanlar 66
— yazgılarına boyuneğenler ya da hastalar 18
— belirsiz durumlar (son derece dingin) 6
— mutlu yaşayanlar 3

Bu mutlu evliliklerin hiçbiri üç yılı aşmamıştı. Söz konusu sayılamayı 1925'te yaptım; sonradan, o mutlu üç evlilikten biri bozuldu; öbürü, daha boşanmamış olsa da, erkek ruhçözümlemesine gelince, içerden çöktü; biri sürüyor (1929).

Moskova'da, yabancı hekimler için açılan bir özel öğretimde, Lebedeva cinsel bağlılıkların süresiyle ilgili rakamlar verdi. Lebedeva, bunu yaparken, kılgısal olarak sürekli cinsel bağlılık sayılan belgeli evliliklere dayanıyordu. Kütüğe işlenen bu evliliklerin % 19'u bir yıldan az, % 37'si birle dört yıl arasında, % 26'sı dörtle on, % 12'si on yılla 19 yıl arasında; % 6'sı on dokuz yıldan fazla sürmekteydi.

Rakamlar, cinsel temele dayalı bir bağlılığın ortalama olarak dört yıl sürdüğünü gösteriyor. Tutucuların cinsel düzeltimi bu durumu nasıl değiştirecek acaba?

*
**

«Gürültüsüz patırtısız» diye nitelenen evliliklerle ilgili birkaç gözlemimi eklemek isterim. «Gürültüsüz patırtısız», çatışmaları dışa vurmayan anlamına gelir. Çatışkıların sessiz bir boyuneğişe dönüştüğü evliliklere de «mutlu» sıfatı yakıştırılmaktadır. Eşlerden biri ruhçözümlemesine geldiği zaman, yıllar yılı biriken ve tam anlamıyla bilincine varılmayan, sonunda bir ruh bozukluğu biçiminde dışarı vuran, bilinçsiz, bastırılmış nefretin büyüklüğü karşısında insan hep şaşıp kalmaktadır.

Bu nefreti yalnız çocuklukta geçirilen deneylere yüklemek yanlış olur. Çocukluktan beri nefret edilen birine duyulan kin'in ancak, evlilikteki çatışkılar çocukluktan kalma güçlükleri yeniden harekete geçirecek kadar biriktiği zaman eşe döndürüldüğünü kolayca saptayabiliriz. Deneyler göstermiştir ki, iyileştirme zorlayıcı evlilik ahlâkını hesaba katmadığı, yani onu tehlikeye düşürecek konuları bilinçli ya da bilinçsiz olarak ayıklamadığı zaman, bu gibi evlilikler ruhçözümlemesine dayanamayıp çökmektedir. Deneyler ayrıca, ruhçözümlemesinin baskısı altında kalan evliliklerin ancak, hasta cinsel canlılığına yeniden kavuşursa, evlilik ahlâkının sert kurallarına körü körüne uymamaya kararlıysa ayakta kalabildiklerini de göstermiştir. Evlilik ahlâkı, bir saplantı halinde, bütün hastalıklı bilinçaltına itmelerin kökünde karşımıza çıkmaktadır.

Evli kişilerin ruhçözümlemesinden geçirilmesi, şu çürütülmez olguları da ortaya çıkarmaktadır:

1. «Fahişelik düşleri» kurmayan kadın yoktur. Ama gerçekten fuhuş yapmayı (etini parayla satmayı) düşünen pek enderdir; genellikle bu, bir sürü erkekle ilişki kurma, cinsel deneyini *tek bir erkeğe* indirgememe arzusudur. İçinde yaşadığımız toplumda bu arzunun hemen fahişelik düşüncesiyle birleşmesini anlamak son derece kolaydır. Kişilik çözümlemesi, kadının tekeşliliğe yatkın bir yapıya sahip bulunduğu inancını en küçük bir iz bırakmamacasına silmiştir. Pek çok ruhçözümcü bu «fahişelik düşleri»ni sinir hastalığı saymakta, kadını bunlardan kurtarmak gerektiğini düşünmektedir. Böyle bir tutum, akla dayanan iyileştirme biliminin vazgeçilmez koşulu olan ahlâkdışılığın bir yana bırakılmasını, ruhçözümlemesinin hastalıklı ahlâkın çıkarlarına bağlanmasını içerir. Hekimin görevi hastanın sağlığıyla, yani yaşam enerjisini düzenli kullanmasıyla ilgilenmektir, ahlâk anlayışıyla değil. Yaşam enerjisiyle ilgili isteklerle toplumsal ahlâk anlayışı arasında bir çelişkiye rastlandığı zaman, söz konusu istekleri «çocuksu» diye, «zevk ilkesi»nin dolapları diye kaldırıp atmak, «gerçeklik ilkesine» boyuneğme, «gerçekliğe uyma» ya da «alınyazısına razı olma» gerekliliğinden söz etmek yanlıştır. Her şeyden önce, cinsel gereksinimlerin gerçekten çocuksu olup olmadıklarını incelemek, gerçekliğe ayak uydurma isteklerinin hastanın sağlığıyla bağdaşıp bağdaşmadığına bakmak gerekir. Cinsel gereksinimlerini birden fazla erkekle gideren kadın ille de çocuksu değildir, olsa olsa, bizim toplumun kuramsal şemasına uymamaktadır. Hasta değildir, ama geleneksel ahlâka gereksinimlerinin izin verdiğinden daha çok uyarsa, hastalanabilir. «İyi eşler»in, başka bir deyişle «gerçekliğe ayak uyduranlar»ın, cin-

sel arzularını bilinçaltına ittikleri için evlilik yüküne gözle görülür bir çatışkıya düşmeden katlananların gerçekte sinir hastalığının bütün belirtilerini taşıdıklarına yeterince dikkat edilmez. Söz konusu kadınlar «gerçekliğe ayak uydurdukları» için, bu olgu es geçilir.

2. Toplumsal yaşama uyguladığımız zaman, ruhçözümlemesi bize tekeşlilik kuramının temel gerekçelerini gösterir. Bu gerekçelerin birincisi, tekeşliliğin dış görünüşünü canlandıran ana-babayla, özellikle de kızın tekeşli anayla özdeşleşmesidir. (Ancak, bunun yanında, ananın tekeşliliğine tepki olarak, *hastalıklı çokeşliliğe* de rastlarız.) Başka bir gerekçe, cinsel özgürlüğü kösteklyen eşe duyulan bilinçaltına itilmiş nefretin doğurduğu suçluluk duygularıdır. Ama tekeşli tutumun en köklü gerekçesi, çocukluktaki cinsel güdülerin bastırılması, ta çocuklukta edinilen cinsel etkinlik korkusudur. *Demek ki, bireyin tekeşli düşünce yapısı, tekeşli-çokeşli ayırımından haberleri olmayan, yalnızca doyurulmayı bekleyen kendi cinsel gereksinimlerine karşı çıkan güçlü bir koruma mekanizmasıdır.* Karşı cinsten ana ya da babaya saplanıp kalma burada önemli yer tutar; bu saplanıp kalma ortadan kaldırıldığı zaman, tekeşlilik öğretisinin temeli yıkılıp gider. Kadında, iktisadî bağımlılık, tekeşlilik eğilimlerinin başlıca gerekçelerinden biridir. Çoğu kez, kadın iktisadî bağımsızlığına kavuştuğu an, en sert tekeşli yaşayış bile ruhçözümlemesine gerek kalmaksızın gevşer.

3. Kocanın karısına zorla benimsettiği eşe bağlılığın bireysel gerekçeleri de vardır. Tekeşliliğin iktisadî temeli ruhsal dünyada dolaysız bir biçimde dile gelmez. Buna karşılık, onların yerini alan öznel nedenlerin başında, özellikle daha güçlü başka bir erkeğin yarattığı korku ve herkesçe «boynuzlu» diye nitelendirilmenin doğurduğu, kendine hayranlığı yansıtan korku gelir. Aldatılan kadın küçük görülmez, acınır ona; çünkü kocanın başka biriyle ilişki kurması, iktisadî açıdan bağımlı kadın için, gerçek bir tehlikedir. Oysa kadının eşini aldatması, kamuoyuna, kocanın sahiplik haklarını saydıramadığını, hatta belki de,

karısını kendisine bağlı tutacak kadar erkeklik gösteremediğini anlatır; işte bu yüzden kadın, genellikle kocasının kendisini aldatmasına daha kolay katlanır da, erkek karısınınkine dayanamaz; iktisadî çıkarlar kuramsal düşünceyi doğrudan doğruya etkileyebilseydi, bunun tersi ortaya çıkardı. Bununla birlikte, ahlâkî görüşlerin iktisadî temelleriyle bu görüşlerin kendileri arasında, örneğin kocanın kendini beğenmişliği gibi, bir sürü aracı vardır; böylece evliliğin toplumsal anlamı olduğu gibi kalır: erkeğin karısını aldatmaya hakkı vardır, kadının yoktur.

2) *Evlilik kurumunun özündeki çelişki nedir?*

Evlilik kurumunun çelişkisi, iktisadî çıkarlarla cinsel çıkarların çatışmasından doğar. İktisadî çıkarlar açısından öne sürülen istekler son derece tutarlı ve açıktır. Oysa, cinsel tutumbilim açısından, el değmemiş bir insanın evlilik ahlâkının gerekliliklerine, yani *ömür boyu bir tek eşe* sahip olmaya uyabilmesi olanaksızdır. Evliliğin ilk koşulu, özellikle kadının cinsel gereksinimlerinin en köklü biçimde bastırılmasıdır, dolayısıyla ahlâk öncelikle kadının, evlenmezden önce el değmemiş olarak kalmasını zorunlu kılar. Evliliğin özünü oluşturan şey cinsellik değil, yeni bir varlık türetmedir, denir; bu, iktisadî açıdan doğrudur, sürekli cinsel bağlılık yönünden değildir. Eşlerin, evlilik boyunca, cinsel yönden üçüncü kişiler tanımamaları gereklidir.

Bu zorunlulukların evliliğin ayakta kalabilmesi için gerekli olduğuna kuşku yoktur. *Ama evliliği içerden kemiren, daha başından başarısızlığa mahkûm eden de işte bu gerekliliklerdir.* Ömür boyu aynı kişiyle cinsel ilişkide bulunma zorunluluğu, insanları ister istemez bu zorlamaya başkaldırmaya iter; söz konusu başkaldırma ister bilinçli, ister bilinçsiz olsun, cinsel gereksinimlerin canlılığı oranında yoğunlaşır. Kadın, kendi türüne özgü gereksinimleri bastırarak, evliliğe dek cinsel perhizde yaşamıştır. Evlendikten sonraysa, cinsel yaşamı kendi buyruğunda değildir: soğukluktan kurtulamaz. Yeniliğin çekiciliği geçer geçmez, kocasını kışkırtamaz ve doyuramaz olur. Koca ne kadar sağlıklıysa, karısına duyduğu cinsel arzu o kadar tez yokolacak, kendisine daha çoğunu verebilecek başka bir kadın aramaya o denli erken başlayacak, böylece yapıda ilk çatlak belirecektir. Her ne kadar töreler erkeğin «kurtlarını dökmesi»ne izin veriyorsa da, bu «kaçamakları» fazla ileri götürmemesi gerekir. O da, evlendikten sonra, türüne özgü yatırımların büyük bir bölüğünü bilinçaltına itmek zorundadır. Bu itiş evliliğin sürmesine yarar, ama cinsel bağlılığa zarar verir, çünkü erkeklik gücünde bozukluklara yol açar. Kadın cinselliğini daldığı uykudan uyandırıp yaşamaya başladığı zaman kocasının cinsel uyumsuzluğundan ötürü kısa sürede düş kırıklığına uğrar; ya başka bir eş aramaya koyulur, ya da cinsel durgunluğa düşer, sinir hastası olur. *İki durumda da, evlilik bu kurumun varlığını güvenlik altına alması tasarlanan şey tarafından aşındırılmıştır: evliliğe yönelmiş, cinselliğe düşman eğitim.*

Sonradan işin içine başka bir bozucu etken karışır: kadının gittikçe artan iktisadî bağımsızlığı, onun cinsel yasaklamaları aşmasına yardım eder; yuvaya ve çocuklara eskisinden daha az bağlıdır, başka erkeklerle tanışır; üretim sürecine girmesi o güne dek görüş alanının dışında kalan şeyler üzerinde düşünmesine yol açar.

Cinsel uyum ve doyum sağlanabilseydi, evlilikler hiç değilse bir süre iyi olabilirdi. Ama bunun için cinsel yaşama elverişli bir eğitim, bir evlilik öncesi deneyi ve geleneksel ahlâkın boyunduruğundan kurtulmuş olmak gerekirdi. *Ancak, iyi evliliklerin gerçekleştirilmesine izin verecek bu etkenlerin varlığı evlilik kurumunun çökmesi demektir.* Çünkü, cinsel yaşam olumlandığı, ahlâkçılık aşıldığı an, ömür boyu sürmeyen, *cinsel doyuma dayalı bağlılığın* yaşandığı dönemin dışında, başkalarıyla kurulacak cinsel ilişkiyi önleyecek iç kanıt kalmaz. Böylece evlilik öğretisi ve onunla birlikte, kendi kendine eşit olmaktan çıkan, sürekli cinsel bağlılık haline gelen evlilik yıkılır gider. Cinsel erekli baskıya dayanmayan bu bağlılık, kesin tekeşli evlilikten daha büyük mutluluk getirir insana. Buyurgan yasa ve ahlâka karşın hasta bir evlilik ancak eşlerin başka ilişkiler kurmasıyla kurtulur.

Gruber şöyle diyor :

«Hiç kuşkusuz, bütün evliliklerde, birbirine bağlı olmanın ağır bir yük sayılacağı yoğun hoşnutsuzluk dönemleri ortaya çıkacaktır. Bu üzücü düzen bozuklukları, evliliğe el değmemiş olarak gelen ve eşine bağlı kalanlar tarafından daha kolay aşılacaktır.» *(Hygiène,* s. 148.)

Gruber hâklıdır: kişiler evlilikten önce ne denli sıkı perhizde yaşamışlarsa, evlendikten sonra eşlerine o denli bağlı olacaklardır. Ama bu bağlılık, evlilik öncesi cinsel perhizin doğurduğu cinsel körelmeden gelir.

Geleneksel evlilik düzeltimlerinin verimsizliği, hem cinsel yoksulluğu, hem de düzeltim gereksinimini doğuran evlilik kurumuyla, düzeltilecek evliliğin biçiminin, bu kurumun iktisadi açıdan bağlı bulunduğu toplumsal düzenin ayrılmaz parçası oluşu arasındaki çelişkiden gelir. Önceki bölümlerde, bütün düzeltim girişimlerinden daha ağır basan cinsel yoksulluğun, her şeyden önce, doğal cinsel gereksinimlerle evlilik dışı perhizi ve kesin tekeşliliği savunan kuramsal düşünce arasındaki çatışmadan doğduğunu göstermiştik.

Cinsel yaşamı düzeltmeye kalkışan kişi, evliliklerin çoğunun, erkeklerin beceriksizliğinden, kadınların soğukluğundan ötürü cinsel doyum tam olmadığı için, mutsuzluk içinde sürüp gittiğini saptar. İşte bu yüzden, Van de Velde gibi düzeltimciler, evliliğin cinsel yanının belirginleştirilmesini önerirler: Van de Velde, böylece eşler arasındaki ilişkileri düzelteceğini sanarak, kocalara sevişme yollarını öğretir. Temel düşüncesi doğrudur: doyurucu cinsel sevgiye dayalı evlilik, öyle olmayandan çok daha iyidir. Ama bir cinsel bağlılığın sevisel yanının açığa çıkarılmasının koşullarını yanlış değerlendirir. bunun, her şeyden önce, cinselliğin genel olarak olumlanmasına ve kadının evlenmezden önce cinsel yaşamı tanımasına bağlı bulunduğunu bilmez. Oysa, cinsel eğitimin amaçları: genç kızların el değmemişliği, kadının bir saplantı haline getirilen eşine bağlılığıdır. Bu iki amaç, genç kızın, tümden değilse bile, köklü bir biçimde cinsel arzularını bilinçaltına itmesini gerektirir. Cinsel arzuları bulunmayan, eşine bağımlı, cinsel yaşamı reddeden ya da ona kaçınılmaz bir yük gibi katlanan kadın eşlerin en bağlısıdır, başka bir deyişle, tutucu ahlâk açısından, en iyi eştir. Cinselliği olumlayan bir eğitim kadını daha bağımsız kılacak; dolayısıyla, özellikle evlilik kurumu için büyük tehlikeler yaratacaktır. *Cinselliği yadsıyan eğitim, kesin tekeşli evlilik açısından tam anlamıyla mantıklıdır. Buna karşılık, evliliğin cinsel yanının belirginleştirilmesi arzusu evlilik öğretisiyle çelişir.* Örneğin, Bâle Üniversitesi'nden profesör Häberlin, *Die Ehe* adlı kitabında, cinsel sevginin evliliğin asıl nedeni olduğunu, onsuz «bir evliliğin olanaksız hale geleceğini» yazdıktan sonra, «bununla birlikte, cinsel sevgi evlilik için bir tehlike ve belirsizlik kaynağıdır, varlığıyla karı-kocanın yaşamını her an için sorunlu kılar» der. Tutarlı bir gerici bilgin olarak, «evliliğin, yanında getirdiği cinsel sevgiye *karşın,* ömür boyu sürecek bir birlik olması gerektiği» sonucuna varır. Bunun anlamı, gerici toplumun tekeşli evlilik kurumuna iktisadî çıkarlar açısından bağlı bulunduğu ve cinsel çıkarları hesaba katamayacağıdır.

İşte bu yüzden, içinde yaşadığımız toplumda, boşanma işlemlerinin hafifletilmesi halk kitlelerine hiçbir yarar sağlamaz. Boşanma yasaları, yalnızca, toplumun boşanmayı kabul ettiğini gösterir. Peki, aynı toplum, bunun yanında, kadının boşanmasına izin verecek iktisadî koşulları yaratmaya hazır mıdır? Bu koşullardan biri, üretimin akıl çerçevesine oturtulmasının işsizliği değil, çalışma süresinin düşürülüp ücretlerin yükseltilmesini sağlamasıdır. Kadının maddî açıdan erkeğe bağlı oluşuyla üretim sürecine pek zayıf ölçüde katılmasından ötürü, evlilik onun için hem bir koruyucudur, hem de sömürülmesine izin vermektedir. Gerçekten de, kadın yalnız erkeğin sevişme aracı, Devlet'in çocuk üretme makinesi değil, efendisinin kârını dolaylı yoldan artıran bir ücretsiz ev hizmetçisidir. Çünkü erkek, geleneksel düşük ücretle ancak evdeki işin belli bir bölümü parasız yapılırsa çalışabilir. İşveren, işçinin evdeki yaşamının düzenlenmesiyle ilgilenmek zorunda kalsa, ya ona bir hizmetçi kadın tutması, ya da bu kadının parasını vermesi gerekirdi. Oysa evkadını bu işi ücretsiz görür. Eğer kadın dışarda da çalışıyorsa, evin düzenini sağlayabilmek üzere, ücret almaksızın fazladan çalışması gerekir; bunu yapmazsa, evin düzeni az çok bozulur ve evlilik geleneksel evlilik olmaktan çıkar.

Bu iktisadî güçlüklerin dışında kadının, geleneksel cinsel eğitimle ve bunun getireceği bütün yoksulluk, zorlama ve boşlukla evliliğe hazırlandığını belirtmek gerekir; ama evlilik, orta halli kadını, dış ilişkilerdeki dinginliği ve ev içindeki tekdüzeliğiyle, cinsel kaygıdan, evliliğin dışındaki yaşam kavgasından kurtarmaktadır. Bu kadının bilinci için, söz konusu düzenliliğin bir sürü ruhsal acıya patlamasının pek önemi yoktur. Cinsel yaşamının bilincine varması onu belki sinir hastalığından kurtaracak, ama evin içersinde birlikte yaratılan havanın vereceği cinsel acıdan kurtaramayacaktır.

Evlilik kurumunun özündeki çelişkiler, evlilik düzeltimlerinin çelişkilerinde dile gelir. Van de Velde'nin önerdiği evliliğin cinsel yanını belirginleştirme girişimi de özünden çelişkilidir. Lindsay'in önerdiği «arkadaşça evlilik», bir uzlaştırmadan başka şey değildir; evliliğin çözülmesinin nedenleri araştırılacak yerde, «evliliğin en iyi cinsel düzeltim olduğu» ilkesinden yola çıkılarak, yıkılan kuruma payanda vurulmaya çalışılmaktadır. Lindsay'in yazdıkları, birtakım olguların gözlemlenmesinden beylik ahlâkî değerlendirmeye geçişi açıkça ortaya koymaktadır.

Lindsay, bir yandan arkadaşça evliliğin, yani «yasayla onaylanmış» bir bağlılığın, yine yasayla onaylanmış doğum denetiminin bayraktarlığını yaparken, öte yandan, salt ahlâkî nedenlerden ötürü, birbirini sınayarak evlenmeye karşı çıkmaktadır. Bu yasal onaylanmanın nedeni araştırıldığında, karşımıza şu düşünceden başka bir şey çıkmaz: cinsel ilişkiler yasa tarafından «*onaylanmalıdır*». Bu durumda, beylik evlilikle arkadaşça evlilik arasındaki tek ayrım, doğumların denetlenmesi ve eşlerin birbirlerinden daha kolay boşanması olacaktır. Böyle bir önerinin, tutucu toplumda yapılabileceklerin en yüreklisi olduğuna kuşku yok. Ancak bu önerinin, kadının ve çocukların iktisadî çıkarlarını ister istemez cinsel tutumbilimin gerekliliklerinden önemli saymak durumunda bulunan topluma bağlı olduğunu anlamak zorundayız; dolayısıyla, tutucu toplum içersinde, evlilik sorununun çözümüne izin vermez.

Karşımıza çıkan olgular şunlardır: aşağıdaki nedenlerden ötürü, *evliliğin çatışkısı şimdiki toplumsal düzen içersinde giderilemez; bir kere, cinsel gereksinim artık öteden beri sokulduğu dar kalıba sokulamamakta, dolayısıyla evlilik ahlâkı yıkılmaktadır; öte yandan, kadının ve çocukların iktisadî durumu evlilik kurumunun yaşatılmasını gerektirmektedir, buysa şimdiki cinsel yaşam biçimine, zorlayıcı evliliğe başvurulması sonucunu doğurmaktadır.* Bu çatışkı, daha derindeki başka bir çatışkının uzantısıdır; buyurgan toplum çerçevesinde, birtakım demokratik üretim biçimlerinin hazırlanması çatışma yaratmaktadır. Bir yandan kadının iktisadî bağımsızlığına kavuşması ve emekçi gençliğin toplu yaşama girmesi, öte yandan da cinsel çatışkı bunalımlara yol açtıkça, evlilik ahlâkı değişmektedir. *Evlilik, anamalcı iktisadî dizgenin (sistemin) ayrılmaz parçasıdır, o yüzden, düştüğü bütün bunalımlara karşın, ayakta kalır.* Onun çözülmesi, genel buyurgan yaşama biçiminin kırılganlığını gösteren belirtilerin yalnızca biridir. İktisadî temelini çekip aldığınız an, evlilik kendiliğinden çöker. Sovyetler Birliği'nde olan budur.

Devrimden sonra zorlayıcı evliliğin hızla ve bütünüyle dağılması, cinsel temelinin ne denli zayıf olduğunu göstermiştir. Evlilik kurumunun özündeki bunalım, toplumsal bunalım dönemlerinde bu kurumun çözülmesi biçiminde ortaya çıkar hep. «Sarsıntılı anlarda ahlâk düşüncesinin çöküşü», denecektir şimdi. Oysa, olguları toplumsal bağlamları içinde ele almak zorundayız, ahlâkî açıdan değil,

S.S.C.B.'de buyurgan ahlâkın çürümesi, yalnızca, toplumsal devrimin cinsel devrimi de ardından sürükleyip getirdiğini gösteriyordu.

Cinsel yaşamın tekeşlilik anlayışı içersinde düzenlenmesi sürdükçe, cinsel yaşam dışardan düzene sokulur, ama içerden cinsel düzenlilik ilkesine uymaz, iç kargaşalığı devam eder. Evlilik öğretisinin savunucuları, onayladıkları düzenlemenin doğurduğu sonuçlara inanmaya da yanaşmazlar: sevisel yaşamın bozulması, cinsel yoksulluk, gençlerin cinsel perhizi, cinsel sapıklık ve suçlar onlara hiçbir şey anlatmaz. Bu koşullarda, toplum onları kösteklemeye kalkışmadıkça doğal güdülerin toplumsal koruyucu aramadıklarını öne sürmek de hiç işe yaramayacaktır. İnsan yaşamının kamulaştırılması, açlığın ve cinsel gereksinimlerin giderilmesinin kolaylaştırılması anlamına gelir. *Ataerkil toplum, birinciyi son derece güç, ikinciyiyse olanaksız kılar insanların çoğu için.*

Cinsel yaşamın toplumsal kurallarla düzenlenmesine son vermek, onun yerine doğanın yasalarına, cinsel tutumbilimin ilkelerine göre düzenlemeyi getirecek midir? Bu konuda umut ya da korkuları dile getirmek bize düşmez; biz ancak toplumsal evrimi inceleyebilir, bu evrimin maddî ve cinsel yaşam koşullarının iyileşmesine dönük olup olmadığına bakabiliriz. Şuna kuşku yok ki, yaşama böyle bilimsel ve akılsal açıdan bakış yeterince yaygınlaştığı an, bütün putları yıkacaktır; insanlar artık milyonlarca kişinin sağlık ve mutluluğunu soyut bir kafa eğitimi düşüncesi, «nesnel anlayış» ya da fizikötesi bir «ahlâk düşüncesi» uğruna harcamak istemeyeceklerdir. Ondan sonra artık, «bilimsel gözlemler»e dayanarak yıkıcı bir ahlâkî düzenleme getirmeye kalkışacak sözümona toplumcular çıkmayacaktır karşımıza.

Bu noktada, yaşama bilimsel açıdan bakmayı yerleştirme görevinin toplumsal devrime düştüğü düşünülebilir.

Şimdi, 1917 Sovyet Devrimi'nin cinsel soruna nasıl yanaştığını, ne gibi başarılar elde edip, hangi alanlarda başarısızlığa uğradığını görelim.

İKİNCİ KESİM

"Yeni Yaşam Biçimi" Uğrunda
Sovyetler Birliği'nde Girişilen Kavga

İLK AĞIZDA YOLUNA KONAN İŞ BUYURGAN YÖNTEMLERE DÖNÜŞ

Son yıllarda, Rusya'nın cinsel ve eğitsel siyasetiyle ilgili, bütün umutlarımızı yokeden kötü haberler üst üste yığıldı.

1934 Haziran'ında, Sovyetler Birliği'nde eşcinselliği cezalandıran yasa yeniden yürürlüğe kondu ve eşcinsellerin canlarının yakıldığı söylentileri gittikçe yaygınlaştı. Avusturya ve Alman düzeltimcileri, eşcinselliği yasaklayan gerici yasaya karşı giriştikleri kavgada gözlerini öteden beri, eşcinselliğin cezalandırılmasına son vermiş olan Sovyetler Birliği'nin ilerici siyasetine çevirmişlerdi.

Bunun yanında, kadınların ilk ya da ikinci çocuklarını aldırmaları gittikçe güçleşti, genel olarak çocuk aldırmaya açılan savaş kızıştı. Doğumların denetlenmesi için Almanya'da başlayan hareket, siyasal gericiliğe karşı verdiği kavgada, gücünün büyük bir kesimini bu alandaki Sovyet tutumundan almıştı. Sovyetler Birliği'nin ilk tutumundan vazgeçmesinden sonra, doğumun denetlenmesini ve çocuk aldırmayı özgür kılacak yasaya karşı çıkanlar şişine şişine Rusya'yı örnek gösteriyorlardı.

Almanya'da, Verlag für Sexualpolitik (Cinsel Siyaset Yayınları), değişik gençlik örgütlerinin, Uluslararası Gençlik Birliği yayınlarının yardımı ve Gençlik Yürütme Yarkurulu'nun onayıyla, cinselbilim alanında ilerici düşüncelerin ve uygulamanın gelişmesi için, *Der Sexuelle Kampf der Jugend* (Gençliğin Cinsel Kavgası) adlı kitabımı bastı. Hepimizin dikkati, S.S.C.B.'nin cinsel alanda gençliğe verdiği özgürlüğe dönüktü. Derken, 1932'de Alman Komünist Partisi kitabın dağıtımını yasakladı; bir yıl sonra da, Naziler düşmanca bakışlarını kitaba diktiler. Şimdi (1936' da), S.S.C.B.'de, gençliğin gün geçtikçe eski çilecilik kuramına dönen yaşlı hekimlerle, yüksek devlet görevlileriyle çatıştığını öğreniyoruz. Bundan böyle Sovyet gençliğinin cinsel özgürlüğünü örnek veremeyeceğiz; ve bu, durumu anlayamayan Avrupa gençliğinin kafasını karıştıracak.

S.S.C.B.'de kısıtlayıcı ailenin yeniden gözbebeği haline geldiğini, desteklendiğini işitiyor ve okuyoruz. 1918'de getirilen evlilik düzenlemesi aşağı yukarı kaldırılmış durumda. Gerici evlilik yasalarına karşı giriştiğimiz kavgada, hep Sovyet yasalarını örnek veriyorduk. Devrim, toplumsal devrimin «evliliğe son vereceğini» söyleyen Marx'ın önerisini doğrulamıştı. Şimdiyse, gerici siyasetçilerin ağızları kulaklarında: «İleri sürdüğünüz kuramların hiçbir anlam taşımadığını görüyorsunuz herhalde. Sovyetler Birliği bile o uyduruk ailenin ortadan kaldırılması öğretisini bir yana bıraktı. Aile, toplumun ve Devlet'in temelidir, öyle kalacaktır.»

Çocukları eğitme sorumluluğunun yeniden ana-babalara verildiğini işitiyoruz. Eğitbilimsel ve kültürel çalışmamızda, Sovyetler Birliği'nde ana-babaların elinden çocuklarını diledikleri gibi çekip çevirme gücünün alınmış ve toplumun, bir bütün halinde, çocukların eğitimini yüklenmiş olmasını örnek verme alışkanlığını edinmiştik. Eğitimin kamulaştırılması, toplumcu toplumun temel süreci gibi gözüküyordu. Her ilerici emekçi, her açıkgörüşlü ana, bu kamulaştırmayı anlıyor ve destekliyordu. Anaların çocuklarına mal gibi sahip çıkmalarıyla, yetkelerini kötüye kullanmalarıyla savaştık, onlara çocukların «ellerinden alınmadığı»nı, yavrularının toplum tarafından eğitilmesinin kendilerini bir sürü yük ve kaygıdan kurtaracağını anlattık. Hemen anladılar. Oysa şimdi, siyasal gericilik, göğsünü gere gere: «Görüyor musunuz, S.S.C.B.'de bile bu saçmalıktan vazgeçildi, ana-babaların çocuklar üzerindeki doğal ve kutsal buyurma gücü yeniden tanındı», diyebilir.

Dalton tasarısının Sovyet okullarında uygulanmasından nicedir vazgeçildiğini, öğretim yöntemlerinin gittikçe buyurganlaştığını işitiyoruz. Çocukların özerkliği, buyurgan okulun kaldırılıp atılması için giriştiğimiz kavgada, Sovyetler Birliği'ni örnek alamayız artık.

Çocukların akılcı bir cinsel eğitimden geçirilmelerinde bütün dikkatimizi S.S.C.B.'de yapılanlar üzerinde toplamıştık. Oysa, birkaç yıldır, çileci öğretinin gün günden sertleştiği haberinin dışında bir şey işitmez olduk.

Sözün kısası, *Sovyet cinsel devriminin bastırıldığını; daha da kötüsü, cinsel yaşamın yine ahlâkçı ve buyurgan yöntemlerle düzenlenmesine dönüldüğünü* görüyoruz.

Her yanda, cinsel gericiliğin S.S.C.B'ne yeniden en sağlam biçimde yerleştiğini, devrimci çevrelerin bunu gördükçe umutsuzluğa kapıldıklarını, dolayısıyla, gerici önlemlerin ilerlemesi karşısında çaresiz kaldıklarını işitiyoruz. Gerek S.S.C.B.'de, gerekse dışarda sürüp giden bu karışıklık, bir sürü soru getiriyor önümüze. Ne oluyor? Cinsel alandaki gericilik neden böyle yeniden üstünlük kazanıyor? Cinsel devrimin başarısızlığa uğramasının nedeni nedir? Bu durumda ne yapmalı? Bugün, saydığımız sorular, bütün ilerici cinselbilimcilerin kafasını kurcalamaktadır.

Siyasal gericiliğin bu alanda bir eylem özgürlüğüne ayak uydurabileceğini düşünmek yanlıştır.

Bir kere, siyasal gericilik, şu anda S.S.C.B.'de alınan önlemlere *karşın,* devrimci cinsel siyasetin görüşlerini kabul edemez. Tam tersine, bu önlemler yardımıyla yengiye ulaşmaktadır.

İkinci olarak, bu sorunun Avrupa ve Amerika'daki işçi hareketleri içersinde aydınlığa kavuşturulması, bütün saygınlık kaygılarından daha önemlidir. Karışıklık zararlıdır. Fransa'da, Komünist Partisi'nin yayın organı *l'Humanitè,* çoktan «Fransız ırkı» ile «Fransız ailesi»nin korunması için çağrıda bulundu. Sovyetlerin son zamanlarda aldıkları önlemler genellikle herkes tarafından bilinmektedir, yadsınmaları olanaksızdır.

Üçüncü olarak, hâlâ Sovyet cinsel devrimini savunanların yardımına koşabilme olanağı vardır. Yakında, iş işten geçmiş olacaktır.

Ve son olarak, toplumsal devrim adına savaşanların halk kitlelerinden gizli bir şeyleri yoktur. Böyle bir alanda ve bugünlerde tutulacak yol (taktik) kaygıları, devrimi engellemekten başka bir işe yaramaz. Çoğu kez, bu kaygılar, güçlükleri onlara uygun, etkin önlemlerle yenememenin sonucudurlar.

S.S.C.B.'de cinsel alandaki geriye dönüş, devrimci kafa eğitimi gelişmesinin çok daha genel sorunları içine girer. Örneğin, başka alanlarda da, toplumsal kendi kendini yönetme eğilimlerinin yerini gün geçtikçe buyurgan düzenlemelerin aldığını işitmekteyiz. Tek ayrım, cinsel alanda, geriye dönüşün öbür alanlardakine oranla daha açık seçik ve anlaşılması kolay olmasındadır. Bu da boşuna değildir. *Bir toplumun cinsel süreci, öteden beri, kafa eğitimi sürecinin can alıcı noktası olagelmiştir.* Bunu, gerek faşizmin aile siyasetinde, gerekse ilkel toplumda anaerkil düzenden ataerkil düzene geçişte açık seçik görürüz. Kendi kendini yöneten bir topluma geçişte de durum başka türlü olamaz. Rusya'da, ilk yıllarda, iktisadî devrim cinsel devrimle atbaşı gidiyordu. Bu cinsel devrim, kafa eğitimi devriminin nesnel yankısıydı. S.S.C.B.'deki cinsel süreci anlamadan, kültürel süreci anlamak olanaksızdır.

Bir devrimci hareketi yönetenlerin, cinsel alandaki ilericilere «kentsoylu» sıfatını yapıştırarak gerici görüşleri savunmaları korkunç bir yıkımdır. Tolstoy'a, Wagner'e, kaçış filmlerine, buna benzer tapon şeylere dönüş, yalnızca, ileri atılışın başarıya ulaşmadığını gösterir. Biz burada, cinsel devrimin bastırılmasıyla kafa eğitimi alanındaki gerileme arasındaki ilintilere şöyle bir değinmekle yetineceğiz. Belki yakında, genel kafa eğitimi sorununu aydınlığa kavuşturmamıza izin verecek araç ve gereçlere kavuşuruz. Bununla birlikte, temelini, yani insanın yapısını tanımadan genel kafa eğitimi sorununu ele almaktansa, bu eğitimin çekirdeğini incelemek çok daha yararlı olacaktır.

VIII. BÖLÜM

AİLENİN KALDIRILMASI

S.S.C.B.'deki cinsel devrim ailenin dağılmasıyla başladı. Aile, toplumun bütün katlarında, hızlı ya da yavaş, ta kökünden çözüldü. Bu süreç çok acılı ve karışık oldu; müthiş bir ürküntü ve karışıklık yarattı. Ailenin doğal yapısı ve işlevi konusunda cinsel tutumbilimin ortaya attığı kuramın nesnel kanıtı oldu. Ataerkil aile, buyurgan ilkelere dayalı bütün toplumsal düzenlerin yapısal ve kuramsal çoğaltım yeridir. Buyurgan düzenin kaldırılması, hemencecik aile kurumunun kökünü dinamitliyordu.

Toplumsal devrim sırasında ailenin dağılması, cinsel gereksinimlerin, ailenin iktisadî ve buyurgan bağının zincirlerini koparmasından ileri geliyordu. Bu dağılma, *iktisadî yaşamla cinsel yaşamın birbirlerinden ayrılmasını* simgeliyordu. Ataerkil düzende, cinsel gereksinimler küçük bir azınlığın iktisadî çıkarlarının baskısı altındaydı; halkın kendi kendisini yönettiği ilkel kavimlerdeki anaerkil düzendeyse, iktisat, bir bütün halinde ele alınan toplumun gereksinimlerinin (o arada *cinsel* gereksinimlerin) karşılanmasına hizmet etmekteydi. Toplumsal devrimin kuşkuya yer bırakmayan eğilimi, iktisadî yeniden üretici bir çalışmada bulunan herkesin gereksinimlerinin giderilmesinde kullanmaktı. Toplumsal devrimin başlıca özelliklerinden biri, gereksinimlerle iktisat arasındaki ilişkinin tersine çevrilmesidir. Ailenin dağılması ancak bu genel süreç içersinde anlaşılabilir. Ailenin sırtındaki iktisadî yükler ve onların boyunduruğuna verilen cinsel gereksinimlerin gücü olmasa, bu süreç tez elden ve bütünüyle gerçekleşirdi. Karşımıza çıkan sorun: aile neden dağılıyor? değildir. Bunun nedenleri açıktır. Karşılık verilmesi çok daha güç soru şudur: bu süreç, neden devrimin öbür etkilerinden daha fazla emek ister? Toplumsal üretim araçlarının elden gitmesi, devrimin yaratıcısı olan halk kitlelerine değil, bunların sahiplerine zarar verir. Ailenin dağılmasıyla, varsayım gereği, iktisadî devrimi gerçekleştirmesi gerekenleri, işçileri, memurları ve köylüleri yaralar. Aileye saplanıp kalmanın tutucu işlevi, devrimi gerçekleştiren kişide, bir yasaklama biçiminde işte bu noktada açıkça ortaya çıkar. Devrimcinin eşine, çocuklarına, ne denli yoksul olursa olsun, varsa yuvasına saplanıp kalması, eski alışkanlıklarını yineleme eğilimi falan gibi şeyler, asıl eyleme, kendi kendini yöneten, emek demokrasisine dayalı bir toplum kurmaya yöneleceği anda elini kolunu bağlar.

Örneğin, Almanya'da faşist yönetimin gelişmesi sırasında, aileye saplanıp kalma devrimci gücü kösteklyen etkili bir tutukluk yaratmıştır; bu saplanıp kalma Hitler'e, buyurucu ve ulusçu öğretiyi oturtacağı sağlam bir temel hazırlamıştır. Aynı biçimde, aileye saplanıp kalma, yaşamın devrimci *kamulaştırılmasında* kösteklyici bir etken olmuştur. Ailenin toplumsal temelinin yokedilmesiyle, binlerce yıllık, direngen ruhsal aile yapısı arasında ciddî bir çelişki vardır; bu ruhsal aile yapısı, çoğu kez bilinçdışı coşku mekanizmalarıyla, zorlayıcı aileyi sürdürme eğilimi gösterir. Ataerkil ailenin yerine iş ortaklaşmasının getirilmesi hiç kuşkusuz devrimci kafa eğitimi sorununun temelidir. «Kahrolsun aile!» savsözü çoğu zaman aldatıcıdır. Genellikle, en çok bağıranlar, aileye bilinçsiz saplanıp kalmaları en güçlü olanlardır. Böyleleri, sorunların en zorunun, aile bağlarının yerine ortaklaşa toplumsal bağların getirilmesi sorununun kuramsal ve kılgısal çözümünü bekleyebileceğimiz insanların sonuncularıdırlar. Ama toplum, buyurgan toplumsal ilkelerle birlikte, bunların insanın ruhsal yapısına saldıkları kökleri yoketmeyi başaramazsa; dolayısıyla, ailevî coşkular sürüp giderse, *demokratik bir toplumun iktisadî gelişmesiyle eğitsel gelişmesi arasında* gittikçe artan bir çelişki belirecektir. Tarihi makineler değil, makineleri kullanan insanlar yarattığından, üretim araçlarının kamulaştırılması, içinde bulunan an'a göre kendi kendini yöneten, özgür bir toplumun *temellerini* atabilir; ama bu, sözünü ettiğimiz temel üzerinde hemencecik bir özgürlük ve özyönetim yapısının yükseleceği anlamına gelmez. *Düşünsel üstyapıdaki devrim, bunun dayanağı olan insanların ruhsal yapısı değişmediği için, başarısızlığa uğrar.*

Troçki'nin *Günlük Yaşamın Sorunları* adlı yapıtında, 1919 - 1920 yıllarında ailenin dağılmasıyla ilgili bol araç ve gereç buluruz. Bunlara dayanarak, şu olgular saptanmıştır :

— İşçi ailesi de içinde olmak üzere, aile «dağılmaya» başlamıştır. Bu olgu görmezlikten gelinmemiş, türlü biçimlerde yorumlanmıştır; kimileri «sarsılmış», kimileriyse yargılarını kendilerine saklamış, daha başkaları ne yapacağını şaşırmış. Ama herkes, bunu, «çok önemli, kısa zamanda acıklı bir hal alabilecek, karışıklık yaratıcı, o güne dek, yeni ve daha yüce bir aile biçimi doğurabileceğini kanıtlayamamış» bir olgu saymakta birleşmiş. Ailenin dağılmasının, «işçi sınıfı üzerinde kentsoylu düzenin etkisi»nin sonucu sayanlar epey çoktur. Kimileri bu yorumun yanlış olduğunu söylemiş; karşılaşılan sorunun çok daha derin ve karmaşık, temel sürecin «emekçi ailesinin kendisinin evrimi» olduğuna ve devrimin ilk, gözle görülür derecede karışık evrelerinde bu evrimin güç ve hastalıklı olacağına parmak basmışlardır.

Bunlar, ailenin dağılması sürecinin bir sonuca bağlanmaktan uzak olduğunu, söz konusu sürecin en hızlı döneminin yaşandığını, günlük yaşamın iktisadî yaşamdan

daha tutucu, çünkü ondan daha bilinçsiz olduğunu gös-
termişlerdir.

Ayrıca, eski ailenin dağılmasının yalnız devrime bağ-
lanan, yeni yaşama koşullarıyla daha çok yüz yüze gelen-
ler arasında kalmadığını, öncü takımın çok ötelerine ya-
yıldığını belirtmişlerdir. Devrimci öncü takımın, yalnız,
ilerde bütün işçi sınıfını etkileyecek bir sürecin daha tez
ve yoğun bir biçimde etkisinde kaldığı görüşü ortaya atıl-
mıştır.

Gerek kocalar, gerekse karıları zamanlarının gittikçe
artan bir bölümünü toplumsal görevlere harcamaktaydı;
buysa, ailenin üyelerinden beklediklerini azalttı. Gençler
ortaklaşa yürütülen kuruluşlarda büyümeye başladılar.
Böylece, *ailesel yükümlülüklerle toplumsal yükümlülükler
arasında çatışkı* belirdi. Oysa, toplumsal yükümlülükler
daha çok yeni, emekleme çağında, buna karşılık aile bağ-
ları eskiydi, günlük yaşamın her yanını, ruhsal yapının
en gizli köşelerini kaplamıştı. Sıradan evliliğin cinsel boş-
luğu, ortaklaşmacı toplulukların canlı cinsel ilişkileriyle
yarışamazdı elbet. Bütün bunlar, en sağlam aile bağının,
babanın eşi ve çocukları üzerindeki sert iktisadî baskısı-
nın yokedilmesiyle ortaya çıktı. İktisadî bağ, onunla bir-
likte de cinsel yasak kaldırılıp atılmıştı. Ama bu, «cinsel
özgürlük» demek değildi. *Dıştan gelen* özgürlük, cinsel
mutluluk getirmez. Cinsel mutluluk, her şeyden önce, onu
yaratıp duyabilecek bir ruhsal yeteneğe sahip olmayı ge-
rektirir. Genel bir kural uyarınca, ailede, doğal yasalara
uygun cinsel gereksinimlerin yerini çocuksu davranışlarla
hastalıklı cinsel alışkanlıklar almıştır. Aile içersindeki ki-
şiler, bilinçli ya da bilinçsiz, birbirlerinden nefret ederler
ve bu nefreti zorlama bir sevgiyle, «yapışkan» bir bağlı-
lıkla bastırır, ama tam anlamıyla gizleyemezler. Toplum-
sal devrim sırasında karşılaşılan başlıca güçlüklerden biri
—cinsel açıdan tutuk, iktisadî bağımsızlığa ayak uydura-
mayan— kadınların, ailenin sağladığı o yarı kölece koru-
madan ve cinsel doyumun yerini tutan çocuklara egemen
olma alışkanlığından kurtulamamalarıydı. Ömrü cinsel

boşluk ve iktisadî bağımlılık içersinde geçtiği için, kadın, çocuklarının eğitimini yaşamının temel doyumu haline getirmişti. Çocuklarının iyiliği için de olsa, bu alandaki her sınırlandırmayı haklarının ciddî olarak elinden alınması biçiminde görüyor ve bununla savaşıyordu. Eh, anlaşılması kolay bir şey doğrusu: çocukların eğitimi, kadının, cinsel doyumun yerine koyduğu doyumların en önemlisiydi. Gladkof'un *Yeni Toprak* adlı romanı, yaşamın kamulaştırılması girişiminin hiçbir alanda, kadının evini, ailesini ve çocuklarını korumak için giriştiğ kavgadan daha büyük güçlükle karşılaşmadığını gösterir. Yaşamın kamulaştırılması, toplumun yüce katlarında alınan kararlarla anababa yetkesini kıran devrimci gençliğin çabaları sonunda gerçekleşmişti. Oysa bireylerin hepsi, ortaklaşa yaşama doğru atılan her adımda aile bağları, özellikle de kendisinin aileye bağımlılığı ve bilinçsiz özlemi tarafından kösteklenmekteydi.

Günlük yaşamda ortaya çıkan bu güçlük ve çatışkılar, halkın «ahmaklık» ya da «ahlâksız»lığından doğan «rastlantısal» ve «karışık» durumların sonucu değildi; tam tersine, söz konusu durumlar, cinsel yaşam biçimleriyle toplumsal örgüt biçimleri arasındaki ilintileri düzenleyen belirli bir yasa uyarınca doğmuşlardır.

İlkel toplumda, örgütlenme kamusaldır, «ilkel bir ortaklaşmacılık» vardır; birlik, aynı anadan gelenlerin hepsini kapsayan sop (klan) birliğidir. Aynı zamanda iktisadî bir birlik olan bu sop'un içersinde, evlilik yerine doğal cinsel ilişkinin gevşek bağlarına rastlarız. İktisadî değişikliklerden ötürü, sop, ataerkil düzenin tohumlarını taşıyan oymak başının ailesine bağlandıkça, bütünlüğünü yitirir.

Ondan sonra, aile ile sop birbirlerine aykırı düşerler. İktisadî birliği, gün geçtikçe, sop'un yerine aile dile getirmeye başlar, böylece ataerkil düzen filizlenir. İlk başlarda sopsal toplumla uyum içersinde bulunan sopun anaerkil örgütünün başı, yavaş yavaş, ailenin atası haline gelir, iktisadî bir güç üstünlüğünü kazanır, ondan sonra da bütün oymağın atası olur. Demek ki, ilk sınıf ayrımı, ailenin atasıyla oymağın öbür sopları arasında belirir.

Toplumu anaerkil düzenden ataerkil düzene geçiren evrimde, aile, iktisadî görevinin dışında, insan yapısını değiştirmede çok daha büyük bir anlam taşıyan başka bir görev yüklenir: sop içersindeki özgür kişilerin ailenin ezilen bireyleri haline getirilmesi. Bugünkü Kızılderili aile bu görevi açıkça canlandıran bir örnektir. Aile, sop'tan ayrılmakla yalnız sınıf ayrımının kaynağı olmakla kalmamakta, aynı zamanda, gerek kendi içindeki, gerek dışardaki baskıya kaynaklık etmektedir. Ondan sonra gelişen «aile insanı», yapısıyla, sınıflı ataerkil örgütlenmenin çoğaltılmasına katkıda bulunmaktadır. Bu çoğaltımın temel işleyişi, cinsel yaşamın olumlanmasından baskı altına alınmasına geçiştir; temeliyse, oymak başının iktisadî egemenliği.

Bu ruhsal değişmenin belli başlı noktalarını özetleyelim: aynı soptan gelenler arasındaki, yalnızca dirimsel çıkarlar ortaklığına dayalı, özgür ve istemli ilişkinin yerini, iktisadî ve cinsel çıkarların çatışması almıştır. Herhangi bir işin gönüllü olarak yerine getirilmesi gitmiş, zorunlu çalışma ve işine başkaldırma gelmiştir; doğal yasalara uygun cinsel toplum anlayışının yerini ahlâk anlayışı almıştır; isteğe bağlı, mutlu sevgi ilişkisi «eşlik görevi»yle yer değiştirmiştir; sop'un dayanışması gitmiş, onun yerine aile bağları ve bu bağlara başkaldırma gelmiştir; cinsel tutumbilime uyarak düzenlenen yaşam, yerini cinsel baskıya, sinir bozukluklarına ve cinsel sapıklıklara bırakmıştır; *doğanın güçlü yarattığı, kendine güvenen insan organizması zayıflamış, çevresiyle savaşamayan, bağımlı, Tanrı'dan korkan bir varlık ortaya çıkmıştır; doğadan gelen bedensel boşalma deneyinin yerini gizemli coşku, «dinsel deney» ve doyumsuz bitkisel bekleyiş almıştır; bireyin zayıflayan ben'i gücünü oymakla, daha sonra «ulus»la, oymak başı ya da oymak atasıyla ve ulusun kralıyla özdeşleşmede aramıştır. Bu aramayla birlikte, köleliğin, bir yere bağımlı yaşamanın temel yapısı doğmuştur; insanların köleliğinin temeli böylece atılmıştır.*

S.S.C.B.'deki toplumsal devrim, ilk evresinde, bu süreci tersine çevirmiştir: çok daha yüce, uygar bir düzeyde ilkel ortaklaşmacılığın koşullarının yeniden kurulması denemesine girişilmiş, cinsel yaşamın reddi cinselliğin kabulüne dönüşmüştür.

Marx'a göre, toplumsal devrimin başlıca görevlerinden biri, ailenin ortadan kaldırılmasıdır (*Alman Düşüncülüğü,* I. Kesim). Marx'ın, toplumsal süreçten kuramsal olarak çıkardığı sonuç, sonradan S.S.C.B.'de toplumsal örgütlenmenin gelişmesiyle doğrulandı. Eski aile yavaş yavaş yerini, ilkel toplumun sop'uyla çok benzerliği bulunan yeni bir örgüte bırakmaya başladı: okulda, gençlik kuruluşlarında *toplumcu ortak yaşayış.* Eski sop'la toplumcu ortaklaşma arasındaki ayrım, birincinin kan ortaklığı ilişkisine bağlı bulunuşuna ve bu temele oturtulmuş iktisadî bir birlik oluşuna karşılık, toplumcu ortaklaşmacılığın kan ortaklığına değil, iktisadî işlev ortaklığına dayalı oluşudur; iktisadî birlik insanı ister istemez kişisel ilişkilere götürür, bunlar da iktisadî birliği cinsel ortaklaşmacılık haline getirirler.

Aile nasıl ilkel toplumun sop'unu yıktıysa, iktisadî ortaklaşmacılık da, ortaklaşa yaşamı temel alan düzende, aileyi ortadan kaldırmıştır. Buradaki süreç tersinedir. Zorlayıcı aile kuramsal ya da yapısal olarak sürdürülürse, ortaklaşa yaşamın gelişmesi kösteklenir. Ortaklaşa yaşam bu engeli aşamazsa, gençlik bucaklarında görüldüğü üzere (XII. Bölüm'e bakın), toplumu oluşturan kişilerin ailesel yapısı tarafından yıkılır. Ortaklaşmacılığın gelişmesinin ilk evrelerinde ortaya çıkan sürecin başlıca çatışkısı şudur: *iktisadî ortaklaşa yaşam cinsel bağımsızlığa yönelmiş olumlu bir çaba getirirken, bireylerin cinselliği yadsıyan, bağımlı, ailesel yapıları amansız bir çatışkıya yol açmaktaydı*

IX. BÖLÜM

CİNSEL DEVRİM

1 — İLERİCİ YASALAR

Sovyetler Birliği'ndeki cinsel yasalar, cinsel devrimin gerici cinsel düzene karşı giriştiği ilk saldırının en açık belirtileriydiler. Yürürlüğe konan yeni yasalar, geleneklerin çoğunu tam anlamıyla tepetaklak etti. İlerde, bu değişikliğin tam olmadığı yerlerde, cinsel gericiliğin kısa zamanda üstün geldiğini göstereceğiz. Cinsel yaşamın ahlâk ve iktisat anlayışlarına göre düzene sokulması arasındaki karşıtlığı daha iyi anlayabilmek için, devrimci yasalarla Çarlık döneminceki yasaları karşılaştırmak yetişir. Özgürlükçü ve «demokratik» yasaların, ilke açısından Çarlık yasalarından pek ayrı olmadıklarını, cinsel baskı yönündeyse, ayrımın pek küçük olduğunu ayrıntılarıyla göstermek gerekli değil; cinsel yaşamın buyurgan ve ahlâkçı kurallara göre düzenlenmesi için alınan önlemler, temel olarak, her yerde aynıdır. Burada bunu belirtmek son derece önemlidir; çünkü daha önce, Sovyet önlemlerinin anamalcı düzeni kaldırıp onun yerine başka bir buyurgan düzen getirdiğini, evlilikle ilgili Sovyet yasasının, tepeden tırnağa *değişik* bir düzenleme değil, yalnızca cinsel baskının kaldırılması olduğunu öne sürmüştük. Sözünü ettiğimiz değişik düzenlemenin özü, cinsel tutumbilim sorunudur.

Önce, Çarlık yasalarından birkaç örnek alalım:

Mad. 106. — Koca, karısını kendi bedeni gibi sevmek, onunla uyum içersinde yaşamak, hasta düştüğü zaman ona yardım etmek zorundadır. Elindeki bütün olanak ve yeteneklerle onun gereksinimlerini karşılamak görevidir.

Mad. 107. — Kadın, ailenin başı olan kocasının sözünü dinlemek, ona sınırsız bir sevgi, saygı beslemek, her dediğini yapmak, her an iyiliğini düşünmek, evin hanımı olarak sıcak bir sevgi göstermek zorundadır.

Mad. 164. — Ana-babaların hakları: Ana-babaların, cinsi ve yaşı ne olursa olsun, çocuklarına buyurma hakkı vardır.

Mad. 165. — Ana-babaların, dikbaşlı, söz dinlemeyen çocukları, evde cezalandırmaya hakları vardır. Evde verilen cezalar yetişmezse, ana-babalar:

1 — Ana-baba yetkesine bile bile uymamaktan, ahlâksızlıktan ve daha başka yüz kızartıcı suçlardan çocuklarını hapse attırabilirler;

2 — çocuklara karşı dâva açabilirler. Ana-baba yetkesine uymamaktan, ahlâksızlık falan gibi suçlardan Sorgu Yargıçlığı'nın soruşturmasına gerek kalmaksızın, iki aydan dört aya kadar hapis cezası verilebilir. Bu gibi hallerde, ana-babaların cezayı kısaltma ya da erteletmeye hakları vardır.

Bakın buyurgan ahlâka uygun düzenleme nasıl dile geliyor bu yasa maddelerinde. Yasadan da destek alan ahlâkî gerekliliğin kadınları zorladığı açıktır. Koca, gücü yetse de yetmese de, karısını sevmek *zorunda*'dır; kadın, söz dinleyen bir ev hanımı olmak *zorunda*'dır. Yıkılan bir ailenin durumunu değiştirmek olanaksızdır. Yasa işi, ana-babalardan ellerindeki yetkiyi buyurgan Devlet'in çıkarına kullanmalarını istemeye dek vardırıyor: çocuklarda kölece bir yapı yaratmak üzere, (Devlet'in yetkesine özdeş) olan «ana-baba yetkesine bile bile uymama»nın, bu kölece yapıyı oluşturacak *araçlar*'ı güvenlik altına alabilmek üzere, «ahlâksızlığın ve daha başka yüz kızartıcı suçların» cezalandırılması isteniyor. Ataerkil düzenden gelen bu çocukça itiraftan sonra, devrimci hareketin, cinsel baskının insanları köleleştirmenin *en temel aracı* olduğunu daha iyi anlamaması akıl alacak şey değildir. Cinsel tutumbilimin, cinsel baskının içeriğini ve uygulanış yollarını ortaya koyması gereksizdir; bunlar, bütün ataerkil yasa ve kafa eğitimlerinde kör kör parmağım gözüne ortadadır. Asıl sorun, bunun *neden görülmediği*'dir, bu çocukça itirafın sağladığı silâhların neden *kullanılmadığı*'dır. Çarlık yasaları, bütün öbür gerici cinsel yasalar gibi, cinsel tutumbilim savını doğrulamakta ve açıkça gözler önüne sermektedir: *buyurgan ahlâki düzenin amacı, insanların cinsel yaşamını boyunduruk altına almaktır.* Ahlâkî düzenlemenin ve onun başlıca aracı olan cinsel baskının bulunduğu yerde, gerçek özgürlükten söz edilemez.

Toplumsal devrimin cinsel devrime verdiği önem, Lenin'in, hemen 19 - 20 Aralık 1917'de iki hükümet kararı yayımlamasıyla kendini göstermiştir. Bu hükümet kararlarından biri «evliliğin kaldırılması»na ilişkindi; içeriğinin, başlığı kadar açık seçik olmadığı doğrudur. Öbür kararsa: «Evliliği, çocukları ve bunların nüfus kütüğüne geçirilmesi»ni kapsıyordu. Bu iki yasa kocayı aile içersindeki üstünlüklerinden sıyırıyor, kadına iktisadî ve cinsel açıdan dilediğini yapabilme konusunda mutlak hak tanıyor, kadının adını, yuvasını ve uyrukluğunu özgürce seçebileceğini belirtmenin gereksiz olduğunu söylüyordu. Şurası açık ki, bu yasalar, ilerde gerçekleşecek bir sürecin özgür gelişmesini ancak dışardan güvenlik altına almaktaydı. Devrimci yasanın ataerkil yetkeyi yoketme ereğini güttüğü gün gibi ortadaydı. Egemen sınıfın elinden buyurma yetkisini almak, aynı zamanda, babanın aile içersindeki kişiler üzerindeki yetkesine ve sınıflı toplumun yetiştirici çekirdeği olan *ailede* Devlet'in baba tarafından temsil edilmesine son vermek anlamına geliyordu. Buyurgan Devlet'le, onun yapısal olarak çoğaldığı ataerkil aile arasındaki bağlantı açıkça bilinip tez elden kullanılabilseydi, devrim kendini hem bir sürü verimsiz tartışma ve yanlışlıktan kurtaracak, hem de pek çok alanda, üzücü gerilemelere düşmeyecekti. Özellikle, kendine yandaş güçleri biraraya toplamaya başlayan eski ahlâk kuramının temsilcilerini nasıl etkisiz bırakacağını bilecekti. Bu temsilciler kamu görevinin en yüce noktalarında kalmaya devam ederken, devrimci hareketin yöneticileri, onların yarattıkları zararı akıllarına bile getirmiyorlardı.

Boşanma kolaylaştı. Hâlâ «evlilik» adı verilen cinsel ilişki, kurulduğu kadar kolayca bozulabiliyordu. Bu konuda tek ölçüt, eşlerin karşılıklı rızasıydı. Hiç kimse istemi dışında ilişkilere zorlanamıyordu. Bu koşullarda, «boşanma gerekçeleri»nin hiçbir anlamı kalmıyordu. Eşlerden biri cinsel ilişkiye son vermek istediği zaman, neden göstermek zorunda değildi. Böylece, evlenme ve boşanmalar düpedüz kişisel işler haline geldi.

Bir bağlılığın deftere işlenmesi zorunlu olmaktan çıkarılmıştı. Bir cinsel bağlanma kütüğe işlense bile, başkalarıyla cinsel ilişki kurma «suç sayılmaz» olmuştu. Ancak, böyle bir ilişkinin eşten saklanması «hile» diye nitelendiriliyordu. Boşanma halinde eşe «nafaka» vermek, «geçici bir önlem» kabul ediliyordu. Bu zorunluluk ayrılmadan sonra altı ay sürüyor ve ancak eş işsizse ya da kendini geçindiremeyecek durumdaysa uygulanıyordu. Toplumun bütün bireylerini tam bir iktisadî bağımsızlığa kavuşturma eğilimi uyarınca, nafaka ödeme zorunluluğunun geçici bir önlem sayılması son derece olağandı. Ayrıca, zorlayıcı ailenin yasal açıdan ortadan kaldırıldığını, ama kılgısal olarak sürdüğünü de unutmamak gerekir. Çünkü toplum, genciyle yetişkiniyle, bütün yurttaşların güvenliğini sağlayamadıkça, bu güvenliği sağlama işi aileye düşecek, buysa onun sürüp gitmesine yol açacaktır. Nüfus kütüğüne işleme ve nafaka, böylece, geçici önlemler sayıldılar. Bir erkek, belli bir süre kayıtlı bir evlilik içersinde yaşadıysa ve ailesine baktıysa, yeni zorunluluklara ailesinin zararına girmekteydi. Bu yeni zorunlulukları karısına bildirmezse, açıkça onu zarara sokmuş oluyordu. Bu ailesel durum, birkaç eşle kurulan ilişkilerde bile kişisel özgürlüğü açık seçik tanıyan Sovyet yasasının anlattığı şeyi çelişkiye düşürdü.

Bu noktada, özgürlükçü Sovyet öğretisiyle ailenin güncel koşulları arasında ilk çelişkinin belirdiğini görüyoruz. *Daha* geçim yönünden *henüz* bağımsızlığa kavuşmamış kadının çıkarı, özgürlük uğruna girişilen kavgayla çatışır. Önemli olan böyle çelişkilerin ortaya çıkması değil, çözüm *biçimleri*'dir, yani aranan çözümün ilk başta saptanan özgürlük ereğine yönelik mi, yoksa gericiliğe dönük mü olduğunu bilmektir.

Sizin anlayacağınız, yürürlüğe konan Sovyet yasalarında bir yandan, kuramsal açıdan, saptanan ereğe yönelmiş öncü öğeler, öte yandansa, geçiş dönemini hesaba katan öğeler vardır. Varılmak istenen erekle o anın koşulları arasındaki çelişkilerin canlı evrimini adım adım izlemek gerekir. Ancak o zaman anlarız Rusya'da cinsel devrimin yavaş yavaş boğuluşunu.

Gerici eğitsel ve cinsel tutumları savunmak üzere sık sık Lenin'den yardım beklenir, onun sözlerine başvurulur. Lenin'in, birtakım yasaları yürürlüğe koymanın, eğitsel ve cinsel devrimin yalnızca başlangıcı olduğunu ne denli açık seçik gördüğünü hatırlatmanın yararı vardır.

«Kişisel ve kültürel yaşamın yeni biçimi»yle, «yeni yaşama biçimleri»yle (*Novii Bit*'le) ilgili tartışmalar, bütün halk katmanlarında, yıllarca sürdü. Her yanda, ancak ellerini ayaklarını bağlayan ağır zincirlerden kurtulmuş olup da her şeyi tepeden tırnağa değiştirerek yeniden yaşamaya başlamaları gerektiğini farkedenlerin ortaya koyabileceği bir coşkunluk ve etkinlik gösterilmekteydi. «Cinsel sorun»la ilgili tartışmalar Devrim'le birlikte başlamış, sonradan iyice kızışmış, derken sönüp gitmiştir. *Neden* sönüp gittiler ve yerlerini gerici bir harekete bıraktılar acaba? Biz bu kitapta işte bunu anlamaya çalışıyoruz. 1925'te, cinsel devrimle ilgili tartışmaların doruğa vardığı anda, Halk Komiseri Kurski'nin, bir yasa tasarısının giriş bölümüne Lenin'in bir sözünü almak zorunluluğunu duyması çok anlamlıdır:

«Yasaların yetmeyeceği açıktır, ayrıca hükümet kararlarıyla da yetinemeyiz. Yasalar yönünden, kadını erkeğe eşit kılabilmek için gerekli olan her şeyi yaptık. Övünmekte haklıyız: şu anda, Sovyetler Birliği'nde kadının durumu, en ilerici ülkeleri bile kıskandıracak niteliktedir. Bununla birlikte, biz, bunun yalnızca başlangıç olduğunu söylüyoruz.»

Neyin başlangıcı? Yapılan tartışmaları incelersek, tutucuların elinde akılyürütme ve «kanıt» üstünlüğünün bulunduğunu görürüz. İlericiler, devrimciler, «yeniliği» sözcüklerle dile getiremeyeceklerini hissediyorlardı. Yiğitçe savaştılar, ama sonunda yoruldular, bir bakıma kendileri de bir türlü kurtulamadıkları eski kavramların tutsağı oldukları için, tartışmadan başarısızlıkla çıktılar.

Toplumun önüne ilerde insan yaşamına yeniden çekidüzen verme fırsatı çıktığında daha güçlü olmak istiyorsak, bu son derece acıklı devrimci kavganın çelişkilerini açık seçik anlamak zorundayız.

S.S.C.B.'de hiç kimse, ne kılgısal ne de kuramsal olarak, kafa eğitimi devriminin getirdiği güçlüklere hazır değildi. Söz konusu güçlüklerin bir bölümü ataerkil Çarlık düzeninden kalma ruhsal yapıdan doğuyor, bir bölümüyse, bir geçiş döneminin yaşanmakta oluşundan geliyordu.

2 — KİMİ İŞÇİLER UYARIDA BULUNUYOR

Ortaklaşa bir kanıyla, Sovyet cinsel devriminin temel öğesinin *yürürlüğe konan yasalar* olduğuna inanılır. Oysa, işin yasal yanı, ya da buna benzer biçimsel değişiklikler ancak «halk kitlelerine ulaşırsa», yani onların ruhsal *yapısını* değiştirirse anlam taşıyabilir. Bir öğreti ya da program, tarihsel boyutlara sahip devrimci bir güç haline, ancak kitlelerin zihinsel yaşamlarının ve heyecanlanma yeteneklerinin *kökünden* değiştirilmesiyle gelir. Çünkü şu ünlü «tarih içersindeki öznel etken», halk kitlelerinin ruhsal yapısından başka bir şey değildir. İster zorbalığın ve baskının edilgin bir tutumla hoşgörülmesi, ister yerleşik güçler tarafından ortaya konan uygulayımsal (teknik) gelişme süreçlerine boyuneğme, ya da örneğin bir devrim sırasında toplumsal ilerlemeye etkin olarak katılma biçiminde dile gelsin, toplumun gelişmesini belirleyen bu ruhsal yapıdır.

Kitlelerin ruhsal yapısını iktisadi süreçlerin —aynı zamanda— çekici gücü değil de, yalnızca yalın sonucu sayan hiçbir tarihsel oluşum kuramına devrimcidir denemez.

Dolayısıyla, cinsel devrimin *sonucu* (yöneticilerin bir an için devrimci olabilen anlayışlarını gösteren) yürürlüğe konmuş yasalara bakılarak değil, ancak bunların halk kitleleri üzerindeki etkisi ve «yeni yaşama biçimi» uğruna girişilen kavganın en son durumuyla değerlendirilebilir. Öyleyse, kendi kendimize şu soruyu sormalıyız: Halk kitleleri yasal değişiklikler karşısında nasıl bir tepki gösterdiler? Parti'nin halka yakın, küçük görevlilerinin tepkisi ne oldu? Ve son olarak da, üst katlardaki yöneticiler sonradan nasıl bir tutum takındılar?

Cinsel sorunla çok erken ilgilenmeye başlayan Aleksandra Kollontay, *Yeni Ahlâk Anlayışı ve İşçi Sınıfı* adlı yapıtında işte bunları anlatıyor (s. 65) :

«Cinsel bunalım uzadıkça, çözümü güçleşiyor. Bireyler, biricik çıkış yolunu görebilecek yetenekten yoksunmuş gibi davranıyorlar. Korkudan ne edeceklerini şaşırıyor, bir aşırı uçtan öbürüne savruluyorlar, cinsel sorun da çözümsüz kalıyor. Cinsel bunalım köylülere bile bulaştı. Zenginliğe de, toplumsal duruma da aldırmayan bulaşıcı bir hastalık gibi, hem işçi ve köylü evlerine, hem de şatolara daldı... Yalnız iktisadî açıdan rahat sınıflardan kişilerin cinsel bunalımın pençesinde boğulduklarını öne sürmek yanlış olur. Cinsel bunalım, emekçi katlarında, ince beğenili kentsoylu sınıfın düştüğü ruhsal çatışkılardan daha az şiddetli ve acıklı olmayan dramlar yaratıyor.»

Başka bir deyişle, cinsel bunalım, daracık özel aile yaşamının geçirdiği bunalım son kertesindedir. Yürürlüğe konan yeni evlilik yasaları, «evliliğin kaldırılması», yalnız dış engelleri yoketmişti. Gerçek cinsel devrim günlük yaşamda kendini gösteriyordu: her şeyden önce, Devlet yöneticilerinin cinsel devrimle ilgilenmesi, kendi başına, küçük bir devrimdi; sonra alt katlardaki görevliler ele aldılar sorunu. Eski dizgenin yıkılması, başlangıçta, yalnız korkunç bir karışıklık yarattı. Ama devrimin basit ve hırpalanmış erleri yiğitçe canavarın üstüne yürürken, ince beğenili ve «bilgili» öğretim üyeleri, gerçekleşen tarihsel sürecin bilincine vardıkları oranda, birtakım «denemeler» yazıyorlardı.

Troçki, *Günlük Yaşamın Sorunları* adlı küçük yapıtında, Sovyet halkının dikkatini yaşamın küçük sorunlarına çekti. Ama o arada cinsel soruna değinmeyi unuttu. Devlet görevlilerinden, günlük kılgısal sorunlar üzerinde düşünmelerini istedi: beklenmedik bir şey oldu. Devlet görevlileri özellikle «aile sorunu»nu ele aldılar ve ailenin tüzel (hukukî), toplumbilimsel yanlarından değil, düpedüz *cinsel* yaşamdan söz açtılar. Eskiden, cinsel yaşam sıkı sıkıya ailenin iktisadî birliğine bağlıydı; şimdi aile dağılmaya başlayınca, cinsel yaşam insanların karşısına yepyeni sorunlar çıkarıyordu.

Devrimin ilk yıllarında, alt katlardaki görevliler harika tutumlar takındılar. Cinsel devrimin *başlangıcı*, yalnız yasal açıdan değil, güçlükleri görüp sorunları ortaya koyacak kişilerin yetenekleri yönünden de, tam anlamıyla doyurucu oldu. Birkaç örnek bu dediğimizi aydınlatmaya yetecektir :

Parti sorumlularından Kosakof, bir yerde şöyle der :

«Aile, dıştan değişti, yani artık ona çok daha basit bir tutumla yanaşılmakta. Ama hastalığın kökü duruyor: aile içersindeki bireylerin, bir türlü hafiflemeyen günlük kaygıları da, aileden birinin hâlâ ötekileri boyunduruğu altına alması da sürüp gidiyor. İnsanlar ortaklaşa bir yaşayış için uğraşıp didiniyorlar, aileden gelen kaygılar bu çabaya ters düştü mü, huzursuz ve sinirli oluyorlar.»

CİNSEL DEVRİM	215

Görüldüğü gibi, Kosakof, birkaç cümleyle, şu sorunlara değinmiştir :
1. Aile, dışardan değişmiştir: içerdense, her şey eskisi gibidir;
2. Aile, ortaklaşa yaşamın gelişmesini engellemektedir;
3. Aileden gelen yasaklamalar kişilerin ruhsal sağlığını bozmuştur; yani onların işlerine ayak uydurmalarını, işlerinden aldıkları zevki azaltmış, zihinsel bozukluklara yol açmıştır.

Aşağıdaki sözlerse, iktisadî devrim sonucu, ailenin gittikçe dağılışına tanıklık etmektedir :

Kobosef : «Şuna hiç kuşku yok ki, devrim işçinin aile yaşamında önemli değişiklikler yaratmıştır; bunlar arasında, özellikle, ikisi birden çalıştıkları zaman, kadının artık kendini iktisadî açıdan bağımsız ve kocasıyla eşit haklara sahip sayması vardır. Ailenin koca tarafından yönetilmesi gibi önyargılar aşılmak üzeredir, Ataerkil aile dağılmaktadır. İşçi ailesinde de, köylü ailesinde de, iktisadî koşullar gerçekleşir gerçekleşmez, ayrılıp bağımsız yaşama eğilimleri belirmiştir.»

Kulkof : «Devrimin aile yaşamını, aile ve kadının özgürlüğüne kavuşması karşısında takınılan tutumları değiştirdiğine kuşku yok. Koca, kendini ailenin başı saymaya alışmıştır... Ayrıca, işin bir de dinsel yanı, kadının küçük-kentsoylu gereksinimleri sayılan isteklerinin karşılanmaması vardır. Ancak, eldeki araçlarla hiçbir şey yapılamadığından, bir sürü rezillik ortaya çıkmaktadır. Öte yandan kadın, kocasıyla daha sık gezmeye gidebilmek için çocuklarını bırakabilme hakkına kavuşmak, daha özgür olmak istiyor. Bütün bunlar, eşleri çoğu kez boşanmaya götüren çatışma ve kavgaların nedenidir. *Bu gibi sorunlarla karşı karşıya kalan ortaklaşmacılar, ailenin, özellikle de karı-koca kavgalarının özel bir iş olduğunu söylemeyi alışkanlık haline getirmişlerdir.»*

Burada «dinsel sorun» ve «kadının küçük-kentsoylu diye nitelenen gereksinimlerini karşılamasına izin vermeme» biçiminde dile getirilen güçlükler, hiç duraksamadan, aile bağlarıyla cinsel özgürlük gereksinimi arasındaki çatışkının belirtileri sayılabilir. Maddî rahatlık ve özellikle oda eksikliğinden doğan tatsız durumları önlemek olanaksızdı. Cinsel yaşamı «özel bir iş» sayma tutumuysa yıkıcıydı; öncelikle, Parti üyelerinin kişisel yaşam devrimini gerçekleştirebilme yeteneğinden yoksun olduklarını gösteriyordu; bunu başaramayan kişiler, tüzel bir lâfın ardına sığınıyorlardı. Parti sorumlularından Markof bunu açıkça dile getirmiştir :

«Şu 'özgür aşk' kavramını yanlış yorumlayışımızın doğurduğu yıkıcı sonuçlara dikkatinizi çekmek isterdim. Bu ters yorumun sonucu, ortaklaşmacıların bir sürü çocuk yapmaları oldu. Savaş, sayısız sakat bıraktı elimize. Yanlış 'özgür aşk' anlayışı bundan sonra da, çok daha korkunç yığınla çocuk getirecek önümüze. *Şunu açıkça itiraf etmek zorundayız ki, emekçilere bu konularda sağlıklı görüşler kazandıracak eğitim alanında hiçbir şey yapmış değiliz. Ayrıca, gelip bize bu konularda soru sordukları zaman, karşılık veremeyeceğimizi de kabul etmeliyiz.*»

Ancak bu, ortaklaşmacıların, sözünü ettiğimiz görevlere yiğitçe girişmedikleri anlamına gelmez; ilerde göstereceğimiz gibi, söz konusu güçlükleri yenebilmek için gerekli bilgiye sahip değildiler. Daha sonraki evrimin ışığında ele alındıklarında, yukarda andığımız sözler, Parti sorumlusu Koltsof'un da belirttiği gibi, ilerde yaşanacak acıklı olayların habercisi olarak gözükmektedir :

«Bu sorunlar *hiçbir zaman ele alınıp tartışılmadı.* Karanlık, anlaşılmaz bir neden bizi onlardan *kaçınmaya* götürüyor sanki. Ben kendim de hiç düşünmedim bu konuları, dolayısıyla benim için de yenidirler. Oysa çok önemlidirler ve tartışılmaları gerekirdi.»

Ve başka bir sorumlu, Finkovski, bu konulardan kaçınmanın nedenlerinden birini yakalamıştır :

«*Hepimizin en duyarlı noktasına dokunduğu için,* bu konuları açmaktan kaçınıyoruz... Ortaklaşmacılar kendilerine nurlu bir ufuk çizmeyi alışkanlık haline getirmişler-

dir, böylece, o anki sivri sorunları ele almaktan kurtulmaktadırlar... Emekçiler, partililerin ailelerinde durumun,
kendi ailelerininkinden çok daha kötü olduğunu biliyorlar.»

Tseitlin de şöyle der:

«Edebiyatta, evlilik ve aile sorunları, kadın-erkek ilişkileri hiç mi hiç tartışılmaz. Oysa, erkekli kadınlı, *emekçileri ilgilendiren sorunlar bunlardır.* Toplantılarımızın
gündeminde bu sorunlar varsa, *hemen haber alıyor, kitle
halinde geliyorlar.* Halk, bu sorunları hasıraltı ettiğimizi
hissediyor; gerçekten de öyle yapıyoruz. Kimilerinin, Komünist Partisi'nin bu konuda belirli düşünceleri bulunmadığını söylediğini işitiyorum. *Emekçilerse,* ister kadın, ister erkek olsunlar, *habire bu sorunları karşımıza getirmekte ve sorularına karşılık alamamaktadırlar.*»

Cinsel eğitim görmemiş, bütün bilgilerini yaşamın
kendisinden alan emekçilerin görüş ve tutumları, «aile toplumbilimi» konusunda yazılmış bütün bilgiç yapıtlardan
daha değerlidir. Bu görüş ve tutumlar, buyurgan dizgenin
yürürlükten kaldırılmasının, eskiden karanlıkta duran dü
şünme eğilimiyle eleştiri anlayışını gün ışığına çıkardığını gösterir. Örneğin, Tseitlin, cinselbilim dalında en küçük
bir deney ve bilgisi olmadığı halde, cinsel tutumbilimin
öne sürdüğü şeyi ortaya koymuştur: *sıradan insanları ilgilendiren şey siyasal değil, cinsel'dir.* O, halk kitlelerinin
—sözle olmasa da— devrimci hareketin başında bulunanların cinsel sorunlardan kaçışını eleştirdiğini açıkça görmekteydi. Parti yöneticilerinin bu konuda belirli görüşleri
olmadığını, onun için sorulara karşılık vermekten kaçındıklarını farkediyordu. Halk kitleleriyse, asıl, cinsel sorunun çözüldüğünü görmek istiyorlardı.

Sorumlular, büyük bir açıklıkla, halkın cinsel konuda aydınlığa, cinsel ilişkilerde yeni bir düzene kavuşma
özlemiyle ilgileniyorlardı. Halk, ucuz ve iyi yapıtlar istiyordu bilgi edinmek için. Yayımlanan kitaplarsa, «cinsel
yaşam» yerine, «aile» den söz ediyorlardı. Eski düzen'in

hapı yuttuğunu, savunulamayacağını biliyor, ama Yeniyi de Eski Düzen'in terimleriyle, daha da kötüsü, salt iktisadî terimlerle düzene sokmaya çalışıyorlardı. Bu iş, uygulama açısından, düpedüz Lissenko'nun anlattığına benziyordu: çocuklar sokaklarda «kötü şeyler yapıyor», örneğin «Kızıl Ordu»culuk oynuyorlarmış. Bu oyunlarda biraz asker hayranlığı «kokusu» seziyor, ama bunu «iyi» sayıyorlardı. Ancak, zaman zaman «çok daha kötü» oyunlara, cinsel oyunlara da rastlanıyormuş ve hiç kimsenin bunlara karışmayışına şaşıp kalıyorlarmış. Çocukları «doğru yola çevirebilmek» için neler yapılması gerektiği konusunda kafa patlatıp duruyorlarmış. Bu durumda, devrimci öğe, *işe karışılmaması gerektiği* içgüdüsü biçiminde kendini gösterirken; geleneksel cinsel kaygı, insanları, işe karışmaya itiyordu. Yeni düşünme biçimi, cinsel sıkıntı halinde dışa vuran eski düşünme biçimine çarpıp tökezlemese, hiç kimsenin çocukları «doğru» yola çevirme diye bir kaygısı olmayacak; bunun yerine, çocuğun cinsel yaşamının belirtileri titizlikle incelenecek, bunların nasıl ele alınması gerektiği araştırılacaktı. Ama çocuklukla cinsel yaşam birarada yürüyemez sanıldığından korkuluyor, çocuklardaki doğal belirtiler bir yozlaşmanın sonucu sayılıyordu. Devrimciler hemen bir uyarmada bulundular: «Bize, hep dünya çapındaki sorunlardan söz ediyorsunuz diyorlar. Günlük sorunlardan söz açarsak kârlı çıkarız.» Buysa, çocuğun oyunu konusunda, ister istemez şu soruları akla getiriyordu:

1. Bu oyunları desteklemeli mi, yoksa engellemeli miyiz?

2. Çocuğun cinsel yaşamı doğal mıdır, değil midir?

3. Çocukluktaki cinsel yaşamla çalışma arasındaki ilintiyi nasıl anlamalı ve düzene koymalıyız?

Denetleme kurullarının etekleri tutuştu. Sorumlular: «Ortada kaygılanacak bir durum yok, dediler. Partililer emekçilerle birarada yaşayacak, onları düzen içersinde tutacaklardır. Zaten aralarında yaşamazsak, halk kitleleriyle bağımız kopar.» Oysa, halk kitleleriyle bağı koparmamak işin üstesinden gelmeye yetmiyordu; bu bağlantıyı somut çözümler bulmak üzere kullanmak da gerekiyordu. «Kitleleri düzen içersinde tutmaya» kalkışmak, buyurgan gücün zincirlerinden kurtulan yeni yaşam belirtileri karşısında ne yapılacağını bilmemek anlamına geliyordu; ayrıca, böyle bir şeye girişmek, buyurgan ataerkil gücün yerine eskisinden hiçbir ayrımı bulunmayan buyurgan parti yetkisini getirmek demekti. Gerçek görevse, kitlelerin tepesinden ayrılmayan, her yaptıklarını izleyen yetkeden (buyurma gücünden) kurtulabilmeleri, bağımsızlıklarına kavuşabilmeleri için *yeni* bir yetke kurmak, yerleştirmekti.

İçine düştükleri ikilemi açıkça dile getiremeyen yöneticiler, ya yeni bir yaşama biçimine geçişi zorlayacak, ya da eskiye döneceklerdi. Komünist Partisi'nin cinsel devrim kuramı bulunmadığından, Engels'in tarihsel çözümlemesi gerçekleştirilecek devrimin doğal yapısını değil de, toplumsal dayanağını anlattığından, ilerki kuşaklara kafa eğitimi (kültür) devriminin ne acılara patladığını gösteren çetin bir kavga başladı.

İlkin, her şeyden önce gerçekleştirilmesi gereken iktisadî işlerin yetersizliği saptanarak avunuldu. Oysa, «önce iktisadî, *sonra* günlük yaşamı ilgilendiren sorunlarla» ilgilenme tutumu yanlıştı ve kültürel devrimin gözle görülür derecede karışık biçimlerine hazırlanmamışlıktan başka bir şey anlatmıyordu. Bu öncelik, çoğu kez, bir kaçamaktan başka bir şey değildi. İçsavaşın kasıp kavurduğu, hemen o gün yemekhaneler, çamaşırhaneler ve çocuk bahçeleri kuracak güçten yoksun bir ülkenin öncelikle iktisadî durumu ele almak zorunda olduğu doğrudur. Bu, gerçekten de, girişilecek genel bir kafa eğitimi, özel olarak da cinsel devrimin temel koşuludur. Ama yapılacak şey yalnızca halk kitlelerini anamalcı ülkelerin kültürel düzeyine çıkarmak değildi: bu, ilk bakışta görülen görevdi. Ayrıca, «yeni kafa eğitimi», «toplumcu», «devrimci» kafa eğitimi *örneği'ni* belirlemek, aydınlatmak gerekliydi.

Başlangıçta kimsenin kusuru yoktu. Devrim, önceden

kestirilemeyen sorunlarla karşılaştı, çözüm yollarının etkili mi etkisiz mi oldukları ancak güçlükler son kerteye varıp çözüm bekledikleri an anlaşılabilirdi. Belli bir geri çekilme kaçınılmazdı. Bunun, başarıya ulaşan ilk toplumsal devrim olduğunu anımsamalıyız. İktisadî ve siyasal koşulları denetim altına alma işi korkunç bir çabayı gerektirdi. Ama bugün artık açıkça görülüyor ki, *kültürel devrim, siyasal devrimden çok daha çetin sorunlar yaratıyordu.* Bunu anlamak çok kolay. Siyasal devrim, güçlü ve iyi yetişmiş bir yönetim örgütüyle, halk kitlelerinin ona güveninden başka bir şey istemez. Kültürel devrimse, *sıradan bireyin ruhsal yapısının değiştirilmesi*'ni gerektirir. Bu alanda, o çağda ne bilimsel düşünceler, ne de uygulama vardı. 1935'te elde edilen sonuçlara şöyle bir göz atalım :

29 Ağustos 1935'te, *Weltbühne,* Louis Fischer'in S.S. C.B.'de gerici cinsel kuramların azıtmasına parmak basan bir yazısını yayımladı. Yazının bir komünist gazetede çıkması, durumun ne kadar tehlikeli olduğunu göstermektedir. Yazı, şu olgulara dikkati çekiyordu :

Kentlerdeki sıkışık dairelerde, gençler sevişecek yer bulamamaktadır. Kızlara, çocuk aldırmanın zararlı, tehlikeli, toplumca arzulanmayan bir şey olduğu, çocuk doğurmakla çok daha iyi edecekleri hatırlatılmaktadır. *Piyer Vinogradof'un Özel Yaşamı* adlı film, beylik evliliği övmektedir; öyle bir film ki, diyor Fischer, «ancak tutucu ülkelerin en tutucu çevrelerinde onaylanabilir.» *Pravda*'da şöyle cümleler okunmaktadır: «Halk Meclisleri'nde, aile önemli ve ciddî bir iş sayılmaktadır.» Fischer, Bolşeviklerin (sözcük anlamıyla, Parti içinde çoğunluğu oluşturanların) aile konusunda hiçbir zaman ciddî bir işe girişmedikleri kanısındadır. Bolşevikler, tarihin kimi dönemlerinde ailenin bulunmadığını biliyorlardı elbet; kuramsal açıdan, ailenin ortadan kaldırılmasını da kabul ediyorlardı; ama ortadan kaldıracak yerde, tam tersine desteklemişlerdi. Artık ana-babaların kötü etkisinden korkmayan yönetim, «ailenin ahlâkî ve eğitsel etkisinin gerekliliği»ni, yani cinsel açıdan yetişkinlerin gençlere baskı yapmasını kabul ediyordu.

Pravda'nın 1935'te çıkan bir başyazısında, kötü bir babanın iyi bir yurttaş olamayacağı öne sürülmektedir. «1923' te böyle bir sav kimsenin aklına gelemezdi», diyor Fischer, «Sovyetler Birliği'nde, ancak basit, katkısız ve alnı açık sevgi evlenme nedeni olabilir.» Ve sonra şöyle bir cümle: «Eğer içimizden biri ailenin küçük-kentsoylu sınıfa özgü bir kurum olduğunu savunmaya devam ederse, asıl kendisi küçük-kentsoylu sınıfın en aşağılık katından demektir.» — «İlk gebelik sırasında çocuk aldırmanın yasaklanması, belki de, bir sürü aşk serüvenine, yakışıksız kadın-erkek kaynaşmasına engel olacak, 'ciddî evlilik'leri destekleyecektir.» Gazetelerde, üniversite öğretmenlerinin çocuk aldırmanın zararlarını anlatan yazıları gittikçe daha sık yayımlanır oldu.

«Günlük basın çocuk aldırmaya saldırdıkça, bunun yanında evlenme törenleri ve düğünler övüldükçe, eşlik görevi göklere çıkarıldıkça, üç, dört çocuklu analar ödüller aldıkça; hiç çocuk aldırmamış kadınlarla ilgili yazılar çıktıkça; pek az para kazanan, dört çocuklu bir ilkokul öğretmeni, 'hepsini besleme güçlüğüne karşın,' beşinci çocuğa hayır demediği için halkın önünde alkışlandıkça, insanın aklına Mussolini geliyor», diyor Fischer. Cinsel eğilimlerine gem vuran kızlara artık «tutucu», hattâ «karşı-devrimci» gözüyle bakılmamaktadır, çünkü «ailenin temeli bedensel gereksinimlerin doyurulması değil, sevgi olmalıdır.»

Şu birkaç örnek, Sovyet yöneticilerinin cinsel kuramının artık herhangi bir tutucu ülke yöneticilerininkinden ayrımı kalmadığını açıkça gösteriyor. Tartışma götürmez biçimde tutucu cinsel ahlâkçılığa dönülmüştür. Sovyetler Birliği'nin resmî öğretisi hemen Batı Avrupa'da yankılandı. Fransız Komünist Partisi'nin yayın organı *L'Humanité*, 31 Ekim 1935'te şunları yazdı :

«AİLENİN YARDIMINA KOŞUN!

SEVME HAKKI KONUSUNDA AÇACAĞIMIZ BÜYÜK SORUŞTURMADA BİZE YARDIM EDİN. Fransa'da doğumun, ürkütücü bir hızla azaldığı biliniyor... Dolayısıyla, Komünistler, çok ciddi bir olguyla karşı karşıyadır. Tarihsel açıdan değiştirmekle yükümlü bulundukları ülke, *yerli yerine oturtmak* istedikleri Fransız dünyası, günün birinde ellerine insanca sakatlanmış, körleşmiş, yoksullaşmış olarak kalabilir.

Can çekişmekte olan sermayeciliğin kötülüğü, canlı simgesi olduğu ahlâksızlık, geliştirdiği bencillik, yarattığı yoksulluk, doğurduğu bunalım, dört bir yana bulaştırdığı toplumsal hastalıklar, kışkırttığı gizli çocuk aldırmalar *aileyi yıkmaktadır.*[*]

Komünistler, Fransız ailesini korumak için savaşmak niyetindedirler.

Kısırlaştırmayı bir ülkü haline getiren —bireyci ve kargaşalıkçı— küçük-kentsoylu gelenekle bağlarını koparmışlardır.

Kendilerine, güçlü bir ülkenin, sayıca kalabalık bir ırkın kalmasını istemektedirler. S.S.C.B. kendilerine yol göstermektedir. Ancak, *işbaşına gelmeyi beklemeden, Fransız ırkını kurtaracak* sahici araçları kullanmak gerekir.

Genç Olma Mutsuzluğu adlı yazımda, gençlerin bugün yuva kurmakta çektikleri güçlüklere değinmiştim. Onlarla birlikte, *sevme hakkı*'nı savunmuştum.

Sevme hakkı; erkeğin kadını, kadının erkeği sevmesi, çocuk sevgisi, çocuğun ana babasını sevmesi, açacağımız büyük soruşturmanın teması olacak... Bu soruşturmanın, karşılaştıkları güçlükleri, çektikleri sıkıntıları ve umutlarını yansıtan okuyucu mektuplarıyla beslendiğini görür gibiyim; bu soruşturma, analığa ve çocukluğa, *kalabalık ailelere ülke içersinde elde etmeleri gereken yeri vererek,* aileyi kurtarma çarelerini araştıracak.

(*) Sözcüklerin altını Reich çizmiştir.

Gençler, analar, babalar, hiç durmayın, mektup yazın bize!»

P. Vaillant - Couturier

Irkçı kuramlar konusunda Nazilerle yarışan, kalabalık aileleri savunan bir ortaklaşmacı (komünist) böyle düşünüyor işte. Toplumcu bir yayın organında böyle bir yazının çıkması tam anlamıyla yıkımdır. Kavga başabaş değildir: faşistler bu gibi işlerde öylesine üstündürler ki!

Saldırgan bir eleştiriye girişmek, sağda solda sorumlu aramak, olsa olsa içinde bulunulan durumun anlaşılmadığını gösteriyordu. Oysa önemli olan, yerine getirilmesi gereken görevlerin genişliğini, karmaşıklığını ve çeşitliliğini anlamaktır. Onları anlamak, bu gibi tarihsel süreçlere gerekli ciddilik ve yüreklilikle yanaşmanın ilk koşuludur.

Rusya'daki kültürel devrim sırasında, «yeni yaşama biçimi» ansızın ortaya çıktı, ama insanlar bunu anlayamadılar, akışını köst_lediler. Eski duygu ve düşünce biçimleri yeni yaşama biçimlerine sızdı. Yeni, işe Eski'den kurtulmakla başladı, kendini açıkça dile getirebilmek için savaştı, ama bunu başaramayınca, battı gitti.

İlerde böyle bir şeyin olmasını önleyebilmek için, Yeni Düzen'in neden Eski Düzen tarafından boğulduğunu anlamaya çalışmamız gerekir.

Rus devriminden, devrimin iktisadî yanının, üretim araçlarının kamulaştırılmasının, toplumsal demokrasinin kurulmasının mutlaka cinsel yaşama ve cinsel ilişki biçimlerine bakış devrimiyle birarada bulunması gerektiğini öğrenmeliyiz.

Tıpkı siyasal ve iktisadî devrim gibi, cinsel devrimin de açık seçik anlaşılması, ilerleme yoluna sokulması gerekir.

Peki, Eski Düzen'in çökmesinden sonra ortaya çıkan bu *ileri atılış*'ın somut görünüşü nedir acaba?

Rusya'da, «yeni yaşama biçimi» ve doyurucu bir cinsel yaşam uğrunda girişilen savaşın keskinliğini bilen pek azdır.

X. BÖLÜM

CİNSEL DEVRİMİN BOĞULMASI

1 — BOĞAZLANMAYA İZİN VEREN GENEL KOŞULLAR

1923'e doğru, kişisel ve kültürel yaşamın devrimci yönde değiştirilmesine *karşı* açılan savaşta bir evrim görüyoruz; ama bu karşı-saldırı ancak 1933 - 1935 yılları arasında gerici yasalarda dile gelebildi. Bu süreç, S.S.C.B.'deki cinsel ve kültürel devrimin *boğulması*'dır. Söz konusu boğazlanmanın belli başlı özelliklerini incelemezden önce, bazı koşullarını tanıyalım.

Rus devrimi, siyasal ve iktisadî açıdan, tam anlamıyla ve bilinçli olarak Marx'çı iktisat ve siyaset kuramına uygundu. Bütün iktisadî süreçler, tarihsel maddecilik kuramı açısından ele alınıyordu. Ama kültürel devrim —hele onun çekirdeği olan cinsel devrim— konusunda, ne Marx, ne de Engels devrimci önderlere kılavuzluk edecek araştırmalar yapabilmişlerdi. Lenin de, Ruth Fischer'in bir kitabını eleştirirken, cinsel devrimin, tıpkı toplumun cinsel sürecinin bütünü gibi, eytişimsel (diyalektik) maddecilik açısından anlaşılamadığını, onu çekip çevirebilmenin hatırı sayılır bir yaşantı gerektirdiğini söylüyordu. Bu sorunu bütünüyle ve gerçek anlamıyla kavrayacak birinin, devrime en büyük hizmeti yapacağı görüşündeydi. Önceki bölümlerde, gördüğümüz gibi, sorumlular karşılarında *yeni* bir inceleme alanının bulunduğunu anlıyorlardı. Troçki de birçok kez kafa eğitimi ve cinsel devrim alanının ne kadar yeni ve az anlaşılmış bir alan olduğuna parmak basmıştır.

Demek ki, cinsel devrimin boğulmasının ilk nedeni, *cinsel devrim konusunda hiçbir kuramın bulunmayışı*'ydı.

İkinci neden, kendiliğinden başlayan devrime kılavuzluk etmesi gerekenlerin hepsinin, cinsel yaşamla toplumsal yaşamın bağdaştırılamayacağı, yani cinsellikle toplumsallığın çatışacağı inancı gibi eski kuram ve biçimsel kuralların tutsağı oluşlarıydı; cinsel yaşamla uğraşmanın sınıf kavgasından uzaklaşma olduğu düşüncesi de bunlar arasındaydı. Almanya'daki Cinsel Siyaset hareketi, bu yanlış fikrin ne denli köklü olduğunu çok tatsız bir biçimde öğrendi.

Hiç kimse kalkıp da kendi kendine *hangi* cinsel yaşam biçiminin toplumsal kavgadan uzaklaşmaya yol açtığını ve cinsel bunalımın hangi koşullarda sınıf çatışmasına yardımcı bir etken olabileceğini sormuyordu; buna karşılık, cinsel yaşamın kendisinin sınıf çatışmasına aykırı düştüğüne inanılıyordu.

Bu yanlış kuramlardan biri de, cinsel yaşamla kafa ürünlerinin sözümona uyuşmazlığı, hattâ birbirlerine aykırılığı inancıydı. Ayrıca, «cinsel yaşam»ın yerini alan «aile» söylevleri genel cinsel etkinlik ve cinsel doyum sorununu karanlığa boğmaktaydı. Cinsel düzeltimlerin tarihçesine şöyle üstünkörü bir göz atmak bile, ataerkil ailenin insana cinsel mutluluk sağlamak üzere kurulmadığını göstermeye yeterdi. Tam tersine, ataerkil aile, iktisadî gereksinimlerle cinsel gereksinimler arasında çatışkıya yol açan iktisadî bir kuruluş oluşuyla, cinsel mutluluğa temelinden karşıttır.

Cinsel devrimin önlenmesinin nedenlerinden biri de, bu devrimin yanlış anlaşılmasıdır. Bu yanlış savlara göre, kentsoylu sınıfın alaşağı edilmesi ve halk meclislerinden çıkmış yasaların yürürlüğe konması cinsel devrimi «gerçekleştirme»ye yetmişti; ya da, siyasal gücün işçi sınıfı tarafından kullanılmasıyla «kendiliğinden çözüme bağlanacak»tı. Gözden kaçan nokta, cinsel yaşamın değişmesi için, işçi sınıfı egemenliği ile birtakım cinsel yasaların yürürlüğe konmasının ancak dış koşulları hazırladığıydı. Bir arsaya sahip olmak, onun üstündeki yapıya kavuşulduğu anlamına gelmez, yapım işinin yeni başladığını gösterir. Bu eksik görüşlerden bir örnek verelim size (G.G.L. Alexander, *Die Internationale,* 1927. XIII):

«Büyük toplumsal sorunun çözümü, üretim araçlarının kamulaştırılması, ilke olarak, öncelikle iktisadî yanı ağır basan evlilik sorununa da çözüm getirmiştir... Bu konudaki ortaklaşmacı savı, toplumsal yaşamın yavaş yavaş tepeden tırnağa değişik bir biçimde örgütlenmesinin, evliliği bir toplumsal sorun olmaktan çıkaracağıdır... Paylaşılmayan sevgi, ardından sürüklediği yalnızlık ve acılarla birlikte, insanlara toplu görev ve sevinçler vaat eden, kişisel acıların önemini yitireceği bir toplumda silinip gidecektir.»

Toplum ruhu gibi ince sorunları böyle ele almak tehlikeli ve aldatıcıdır; «Toplumun iktisadî altyapısını ve kuruluşlarını değiştirin, insan ilişkileri kendiliğinden değişir» lâfı, olgular karşısında verilecek sınava dayanamazdı; faşizmlerin (tek partili yönetimlerin) başarısı, bireylerin ruhsal ve cinsel yapılarında dile gelen insan ilişkilerinin özerk bir güce, toplum üzerinde derin bir etkiye sahip bulunduğunu göstermiştir açıkça. Bunu kabul etmemek, canlı insanı tarihin akışından çıkarıp atmak demektir.

Sözün kısası, işler çok basitleştirilmişti. Kuramsal değişiklikler, en dolaysız biçimde iktisadî kökenlerine bağlı sanılmıştı. Peki, o zaman, habire sözü edilen, ama pek az anlaşılan şu ünlü «öğretinin iktisadî temel üzerindeki gerici etkileri» ne oluyordu acaba?

Yalnız eş ve ana gibi davranan kadın, kocası siyasal yaşama atıldığı zaman kıskançlık gösterir; başka kadınlarla ilişki kurmasından korkar. Ataerkil koca da, karısı siyasetle ilgilendiği zaman aynı tepkiyi gösterir. İşçi sınıfından da olsa, ana-babalar genç kızların siyasal toplantılara katılmasını istemezler. Kızlarının «kötü yola düşmesi»nden, yani cinsel yaşama girmesinden korkarlar. Gençlerin kendi örgütlerine katılmaları toplumsal bir görev sayılsa da, analar babalar çocukları üzerindeki eski haklarına sahip çıkmaya devam ederler. Çocuklar kendilerine eleştirici gözle bakmaya başladıkları zaman ürkerler. Bu örnekleri sonsuza dek uzatabiliriz.

Saydığımız sorunların çözümü için girişilen bir sürü deneme, «kafa eğitimi ve insan kişiliği» konusunda ortaya atılan basit savsözlerle (sloganlarla) sonuçlandı. Kuramsal olarak, doğayla zihinsel verim arasındaki karşıtlığın ortadan kaldırılması gerektiği biliniyor; ama sıra kılgısal çözümler aramaya geldi mi, eski cinsel yaşam düşmanı ve ahlâkçı kuramlar hemen işe karışıyorlardı. Moskova Halk Sağlığı Kuruluşu yöneticisi Batkis, *Sovyetler Birliği'nde Cinsel Devrim* adlı kitapçığında işte bu yüzden şu satırları yazabilmiştir:

«Devrim sırasında, cinsel sevgi ve cinsel arzu düşkünlüğü pek küçük bir rol oynadı, çünkü gençlik yüce devrimci duyguların doruklarında dolaşıyor, yalnız büyük düşünceler için yaşıyordu. Ama daha sonraki dingin yeniden kurma dönemleri gelince, gençliğin, 1905'teki gibi, gevşeyip coşkunluğunu yitirmesinden, kendini doludizgin cinsel etkinliklere kaptırmasından korkuldu.

«Sovyetler Birliği'ndeki denemelere dayanarak şunu söyleyebilirim ki, kadın, toplumsal özgürlüğü ve kamu görevlerini sınayarak, başka bir deyişle salt kadın olmaktan çıkıp insanlaşarak, *cinsel açıdan belli bir ölçüde soğuklaştı*. Cinsel yaşamı —belki de geçici olarak— bastırıldı... Sovyetler Birliği'ndeki cinsel eğitimin görevi, doğal güdülerle toplumsal görevler arasında tam bir uyumun kurulacağı ilerki topluma sağlıklı bireyler hazırlamaktır. Bu amaçla, doğal güdülerdeki yaratıcı ve yapıcı yanlar desteklenmeli, kişiliğin gelişmesine zarar verecek yanlarsa çıkarılıp atılmalıdır... Sovyetler Birliği'ndeki özgür sevgi, başıboş ve vahşî bir çapkınlık değil, birbirlerini seven özgür ve bağımsız iki kişinin kurduğu en kusursuz ilişkidir.»

Aslında açıkgörüşlü bir düşünür olan ve doğru öncüllerden yola çıkan Batkis, önyargılara gömülüp gitmektedir: gençlerin cinsel yaşamına «cinsel arzu düşkünlüğü», cinsel soruna «cinsel doyuma düşkünlüğün önemi» adı verilmektedir. En küçük bir duraksama geçirmeden, kadının belli ölçüde soğuklaştığı, «basit ve katkısız bir kadın»ken «insanî varlık» haline geldiği öne sürülmektedir. Kişiliğin gelişmesine engel olacak şeyler (bununla cinsel yaşam anlatılmak isteniyor tabiî) kaldırılıp atılmalıymış; başıboş, vahşî «çapkınlık», «birbirlerini seven iki özgür ve bağımsız kişinin» kuracağı «kusursuz» ilişkiye ters düşermiş. Halk kitleleri, bu kavramlar içersinde, ağa düşmüş balık gibi çırpınmaktaydı. Biraz dikkatle inceledik mi, bu kavramların boşluğu ve cinselliğe aykırılıkları, yani gerici yanları gün gibi ortaya çıkar. Nedir «başıboş çapkınlık»? Bununla, bir erkekle kadının birbirlerine sarılıp yatamayacakları mı anlatılmak isteniyor? Nedir şu «kusursuz» ilişki? Bireylerin, kendilerini bir «memeli hayvan gibi», tam anlamıyla kapıp koyverecekleri ilişki mi? İyi ama, o zaman da kendilerine «vahşî» sıfatını yapıştırıyoruz! Sözün kısası, boş lâftır bunlar; cinsel yaşamın gerçeklik ve çatışkılarını dile getirecek yerde, çetin konulara eğilmekten kaçınabilmek üzere doğruyu karanlığa boğmaktadırlar.

Kökeni nedir bu düşünce karışıklığının? Gençliğin, kafa ürünlerinin gerçekleştirilmesini engelleyen *hastalıklı* cinsel yaşamıyla, bu ürünleri gerçekleştirebilmenin ruhsal temeli olan *sağlıklı* cinsel yaşamı arasında gerekli ayırımı yapamamaktır, «basit ve katkısız» kadınla (yani *duyusal* açıdan ele alınan kadınla) insan denen varlığın (*etkin,* cinsel enerjisini daha yüce şeylere yönelten kadının) birbirlerine aykırı sayılması, kadının cinsel yetki ve güvenliğinin, toplumsal erginliği ile etkinliğinin ruhsal temelleri olduğunun bilinmeyişidir; kendini cinsel yönden sevilen kişinin kollarına bütünüyle bırakmanın en güvenilir arkadaşlığın temeli olduğunu bilmezlikten gelerek, «çapkınlık» la «kusursuz ilişki»yi birbirine zıt saymaktır.

2 — AHLÂK VAIZLARI SORUNLARIN ANLAŞILIP ÇÖZÜLMESİNİN YERİNİ ALIYOR

Cinsel devrimin boğulmasının başlıca özelliklerinden biri, bu devrimin yarattığı karışık durumun, geçici bir dönemin sonucu sayılacak yerde, ahlâkî açıdan değerlendirilmesidir. Karışıklığın toplumun yaşamına çöreklendiği, düzenin yeniden kurulması, «dış düzenlemenin yerine iç zorlamanın getirilmesi» gerektiği saptanınca, dört bir yandan umutsuzluk çığlıkları yükseldi. Oysa bu, yeni bir maskeyle karşımıza çıkan beylik öyküden başka bir şey değildi, çünkü «insanın içinden gelen düzenleme» zorla istenip uygulanamaz; ya vardır, ya yoktur. Dış zorlama yerine «bir iç düzenleme» istemekle, yeni bir dış baskı yaratılıyordu. Gerçekte, sorumluların kendi kendilerine: insanların, dışardan zorlanmaksızın, kendi istemleriyle yaşamlarına çekidüzen vermelerini sağlayabilecek değişiklikler yapılabilir mi? yapılabilirse nasıl yapılır? sorularını sormaları gerekirdi. «Kadının eşitliği» devrimci bir ilkeydi elbet. İktisadî açıdan, aynı çalışmaya eşit ücret ödenmesi ilkesi gerçekten yürürlüğe konmuştu. Cinsel açıdan, ilk bakışta, kadının da erkek gibi cinsel gereksinimlerini dile getirmesine hiçbir engel yoktu. Ama önemli olan nokta bu değildi. Asıl soru şuydu: kadınlar, ruhsal yapıları yönünden, bu özgürlüğü kullanacak güçte miydiler? Ya erkeklerin buna gücü yeter miydi? Hepsinin, daha başından cinselliğe aykırı, ahlâkçı, cinsel arzularını bilinçaltına itmiş, şehvet düşkünü, kıskanç, sahip çıkıcı ve genellikle hastalıklı bir yapısı yok muydu? Her şeyden önce toplumun içine düştüğü karışıklığı anlamak, gerici ve yasaklayıcı güçlerle devrimci güçleri açıkça birbirinden ayırmak, yeni bir yaşama biçiminin acısız doğmayacağını anlamak gerekirdi.

Cinsel devrimin boğulması, büyük bir hızla, birkaç noktada billûrlaştı. Yüksek Sovyet yetkilileri, ilkin, edilgin bir tutum takındılar. Beylik lâf şuydu: «Önce iktisadî sorunlar; cinsel sorunları ondan sonra ele alacağız.» Basın, başköşeyi iktisadî çıkarlara ayırmıştı. Özellikle cinsel devrim sorunlarına ayrılmış gazeteler var mıydı bilmiyorum.

Bu konuda, aydınların etkisi büyük oldu. Aydınlar, kökenleri, düşünce yapılarıyla cinsel devrime karşıt'tılar. Örnek diye, görevlerinin ağırlığı dolayısıyla doyurucu bir cinsel yaşam süremeyen eski devrimcileri andılar hep, Devrimci yöneticilerin zorunlu yaşama biçimini kitlelere benimsetmek istediler, bunu bir ülkü haline getirdiler. Ve tabiî bu davranışları müthiş zararlı oldu. Halk kitlelerinden, görevlerinin yöneticilere yüklediği şeyler beklenemez. Ayrıca, neden beklensindi? Fanina Halle, böyle bir öğretinin kitleler üzerindeki yıkıcı etkisini gösterecek yerde, Sovyet Rusya'da Kadın adlı kitabında bu kuramın övgüsüne girişir. Eski kadın devrimciler konusunda şunları yazar :

«Hepsi gençti, pek çoğu son derece güzel ve sanat yönünden yetenekliydi (Vera Figner, Ludmilla Wolkenstein), tam anlamıyla dişi ve kişisel mutluluğa hazırdı. Bununla birlikte kişisel, cinsel etken, dişilik hep arka planda kaldı. Böylece geliştirilen cinsler arasındaki ilişkilerin iffetlilik ve katkısızlığı, koskoca bir Rus kuşağını ve ondan sonra gelen kuşağı etkilemiştir; sözünü ettiğimiz özellikler bugünkü kadın-erkek ilişkilerine de egemendir ve bu konudaki tutumları bambaşka olan yabancıları şaşırtmaya devam etmektedir...

«Dünya zevklerinden bütünüyle kurtulma, toplumsal sınırların ortadan kaldırılması, düşünsel ilgi ortaklığına dayalı salt arkadaşlık çerçevesinde kalan, katkısız ilişkilerin gelişmesine izin vermiştir...

«...Hapse atılan devrimcilerin bazıları büyük bir coşkuyla kendilerini matematik öğrenmeye verdiler; kimileri tutkuyu öyle bir kerteye vardırdı ki, düşlerinde bile problem çözer oldular.» (s. 101, 110, 112.)

Ancak, bu gözlemler, sözü edilen «katkısız» ilişkide sevişmeye izin olup olmadığını, bitkisel yaşama özgü kendini bırakışı içerip içermediğini belirtmiyor. Halk kitlelerinden, matematiğin insana müthiş bir coşku sağladığı ve gereksinimlerin en doğalının yerini tuttuğu bir ülküye uymalarını istemek saçmalıktır. Böyle bir kuram dürüst değildir, olgularla uyuşmaz. Devrim dürüstlüğe aykırı ülküleri değil, sevgi ve çalışmadan oluşan gerçek yaşamı savunmalıydı.

1929'da, Moskova'da gençliğin cinsel eğitim gördüğünü öğrendim. Ama hemen anlaşılıyordu ki, bu eğitim cinselliğe *karşıt*'tır. İşin özünde, bu insanları cinsel ilişkiden ürkütmek üzere verilen üreme organı hastalıklarıyla gebe kalma bilgisinden başka bir şey değildi. İnsanların karşılaştıkları cinsel çatışkıları ele alan dürüst tartışmanın izi bile yoktu.

Halk Sağlığı Komiserliği'nde gençlerin kendi kendilerini doyurmaları sorununun nasıl çözüldüğünü sorduğum zaman; «dikkatin başka yöne çevrilmesiyle tabii», diye karşılık verildi. Avusturya ve Almanya cinsel sağlık merkezlerinde kendiliğinden kabul edilen, gençteki suçluluk duygularının yokedilmesini ve böylelikle doyurucu bir kendi kendine boşalmanın sağlanmasını öngören hekimlik görüşüne, burada tiksintiyle bakılıyordu.

Ana Sağlığı Kurumu yöneticisi bayan Lebedeva'ya gençlere gebeliği önleyici yolların öğretilip öğretilmediğini sorduğum zaman, böyle bir şeyin ortaklaşmacı sıkıdüzene (disipline) aykırı olacağını söyledi. Moskova yakınlarındaki bir cam fabrikasında çalışan gençlerle konuşurken, yetkililerin bu tutumuyla dalga geçme eğiliminde olduklarını gördüm; ama beri yandan, kızlara nasıl yaklaşacaklarını bilmiyor, kendi kendini doyurma konusunda ciddî bir suçluluk duygusundan kurtulamıyorlardı; kısacası, erginlik çağına özgü çatışkılar içersindeydiler.

Cinsel yaşam konusundaki gericilik, Lenin'in kötü anlaşılan bazı demeçlerini çok zararlı biçimde kullandı. Lenin, cinsel sorunlarla ilgili kesin düşünceler öne sürmekten titizlikle kaçınmaktaydı. Devrimin bu alandaki görevini çok iyi anlıyor ve şöyle dile getiriyordu: «Ortaklaşmacılık insanlara çilecilik değil, dopdolu bir sevisel yaşam aracılığıyla, yaşama sevinci ve canlılık getirmelidir.» Ama sorumlu çevrelerin cinsel konudaki gerici tutumlarıyla gerçekten halka ulaştırılan görüş, Lenin'in Alman toplumcusu Klara Zetkin'le gençliğin «karışık» cinsel yaşamını tartıştığı mektubun şu bölümü oldu :

«Gençliğin cinsel yaşamla ilgili sorunlar karşısındaki tutumu hiç kuşkusuz 'temele değgin'dir ve bir kurama bağlıdır. Tutumlarını 'devrimci' ya da 'ortaklaşmacı' diye niteleyen ve öyle olduğuna içtenlikle inananlar epey kalabalıktır. Ben, yaşlı yoldaşlarıysa, işin bu yanını hiç göremiyorum. Çileci değilim, ama gençliğin, ayrıca bir sürü yetişkinin şu sözümona 'yeni cinsel yaşamı'nın beylik kentsoylu genelevden başka bir şey olmadığını sanıyorum. Bunun, biz ortaklaşmacıların kabul ettiği anlamda sevme özgürlüğüyle ilişkisi yoktur. Ortaklaşmacı toplumda sevgi içgüdüsünü doyurmanın bir bardak su içmek kadar kolay ve sıradan bir iş olduğunu ileri süren ünlü savı biliyorsundur herhalde. Bu 'bir-bardak-su-kuramı' gençliğimizin büyük bir kesiminin aklını başından aldı. Pek çok genç kızla oğlanın başını yedi. Bu kuramın savunucuları onun Marx'çı öğretiye girdiğini ileri sürüyorlar. Hayır, dostum, toplumun düşünsel üstyapısındaki görüngü ve değişimleri dosdoğru iktisadî altyapıdan geliyormuş gibi gösteren Marx'çılığa karnımız tok bizim. O kadar basit değil bu iş...

«Söz konusu düşünsel değişimleri, genel düşünsel bağlamlarından (contexte) ayırıp, toplumun iktisadî temeline indirgemeye çalışmak Marx'çılık değil, akılcılık olur. Arzuların doyurulması gerekir elbet. Ama doğal yasalara uygun yaşayan birey, doğal durum ve koşullarda, bir bardak su içmek için yalağa yatar mı? Yalnız pis su içer mi? Her şeyden önemlisi, toplumsal bakış açısıdır. Su içmek kişisel bir iştir. Sevgi, sevişecek iki kişiyi gerektirir, bir üçüncünün doğmasına yol açabilir. Buysa işin içine toplumsal çıkarı, toplum karşısında yükleneceğimiz görevi sokar.» Lenin'in burada söylemek istediğini anlamaya çalışalım. Her şeyden önce, iktisadîciliği, zihinsel yaşamla ilgili her şeyi hop diye iktisadî temelden çıkaran kuramı elinin tersiyle itiyordu Lenin. Gençliğin cinsel yaşamlarına sevgiye dayanan ilişkileri sokmaya yanaşmayışlarının, eski tutucu görüş açısının tersine çevrilmesinden başka bir şey olmadığını kabul ediyordu; 'bir-bardak-su-kuramı'nın, eski çilecilik kuramının tam tersi olduğunu da. Lenin, bu cinsel yaşamın, cinsel tutumbilime göre düzenlenmiş cinsel yaşama uymadığını, çünkü topluma aykırı düştüğünü ve doyum getirmediğini de biliyordu.

Peki, nedir eksik olan Lenin'in sözünde? Her şeyden önce, gençliğin cinsel yaşamında eski düzenin yerine konacak düzenin ne olması gerektiği konusunda, edinilmiş *olumlu* bir kavrram. Üç olasılık vardır: cinsel perhiz, kendi kendini doyurma ya da doyurucu cinsel ilişkiler. Ortaklaşmacılık (komünizm), bunlardan birini açıkça salık vermek zorundaydı. Lenin bu konuda araştırıcı bir tutum takınmadı; sevgisiz cinsel ilişkiyi kınayıp «mutlu cinsel yaşam»a gözünü dikmekle yetindi, buysa cinsel perhizle kendi kendini doyurmayı konudışı bırakıyordu. Lenin'in cinsel perhizi salık vermediği açıktır! Ancak, daha önce de belirttiğimiz gibi, Klara Zetkin'e yazdığı mektubun bir-bardak-su-kuramı'yla ilgili bölümü, yıkıcı görüşlerini doğrulamak, gençlerin cinsel yaşamına açtıkları savaşı desteklemek üzere pısırık ve ahlâkçı kişiler tarafından pek çok yerde anıldı.

Bu pısırık ve ahlâkçı kişilerin öne sürecek olumlu bir şeyleri yoktu ve gençliğin giriştiği büyük kavgayı anlayacak, onlara yardım etmeye çalışacak yerde, gençlerle alay ediyorlardı. Ünlü ortaklaşmacılardan Smidoviç işte bu anlayışla *Pravda*'da şunları yazdı :

«1. Ortaklaşmacı Gençlik Örgütü'nün her üyesinin, İşçi Üniversitesi'ndeki her öğrencinin ve buna benzer her çaylağın cinsel gereksinimlerini karşılamaya hakkı var. Gizli nedenlerden ötürü, bu, yazılı olmayan bir yasa yerine geçiyor. Cinsel ilişkiden kaçınmak 'küçük-kentsoyluluk' sayılıyor. 2. Gençlik Örgütü üyesi, üniversiteli ya da başka bir yüksek okul öğrencisi genç kız, kendisinden hoşlanan her erkeğin gönlünü yapmalıdır, yoksa 'küçük-kentsoylu'dur, emekçi üniversite öğrencisi adına lâyık olamaz. Afrika kıtasına özgü bu tutkuların, bizim Kuzeyli ülkemizde nasıl geliştiğine aklımız ermiyor doğrusu. 3. Bu garip oyunun üçüncü perdesi de şöyle: 'Gebe kalmış kızın solgun çekik yüzü'. Çocuk Aldırma İzni Kurulu'nun bekleme odasında bu Komsomol romanı sonuçlarından sayısız örnekle karşılaşabilirsiniz.»

Bu tutumlar, «Kuzeyli»nin, cinsel açıdan «arı» bireyin, Smidoviç'in «ilkel insan» karşısındaki gururunu dile getirmektedir. Bu Kuzeyli'nin aklına, sözünü ettiği gebe kalmalarla çocuk aldırmaların gençliğe gebeliği önleme çarelerinin öğretilmesiyle, sağlıklı bir cinsel yaşam koşullarının hazırlanmasıyla önlenebileceği gelmemiş besbelli. Ve bütün bunlar «Sovyet kafa eğitimi»nin çıkarınaydı aslında. Ama anlattıklarımız hiçbir işe yaramadı: Smidoviç'in saptadığı olgular, Almanya'da duvarlara yapıştırılan duyurularda, «ortaklaşmacılığın cinsel kuramı»nı yansıtan belirtiler diye sunuldu!

Ve gençliğin cinsel gerçekliğiyle yüz yüze gelme yürekliliğinin gösterilemediği durumlarda olduğu üzere, gençlikle kıyasıya çatışılan bir dönemden sonra, Rusya'da beylik istence belirdi: *cinsel perhiz.* Söylemesi kolay, uygulanması olanaksız, yıkıcı bir savsöz. Fanina Halle şunları anlatıyor:

«Görüşleri sorulan eski kuşaktan bilginler, cinsel sağlık uzmanları, Parti yöneticileri, Lenin'in tutumunu benimsediler; Halk Sağlığı Komiseri Semaşko, üniversite gençliğine yazdığı bir mektupta bunu şöyle özetliyordu:

«'Arkadaşlar, okumak üzere üniversiteye ve teknik okullara geldiniz. Yaşamınızın başlıca ereği budur. Bütün içtepi ve edimleriniz bu temel ereğe bağlı bulunduğundan, başlıca amacınız olan okuyup öğrenmek ve Devlet'in yeniden kurulmasına yardım etmekle aranıza girecekleri için bir sürü zevkten vazgeçmeniz, yaşamınızın her şeyini bu ereğe göre ayarlamanız gerekir. Devlet, hem sizin bakımınızı, hem de çocuklarınızın eğitimini üzerine alamayacak kadar yoksuldur. Onun için, sizlere öğüdümüz: Cinsel perhiz'dir'»

Ve cinsel perhizin genellikle her yerde doğurduğu sonuç, S.S.C.B.'de de ortaya çıktı: cinsel suçlar. Lenin'in bu konudaki sözlerine aldatıcı bir biçimde başvurulmasına karşı çıkmamız gerekir: Lenin hiçbir zaman gençlerin cinsel perhizde yaşamasını istememiştir. Lenin, «doyurucu bir cinsel yaşamın sağlayacağı yaşama sevinci ve canlılık»tan söz ederken, hiç kuşkusuz, güçsüz bilginlerle kurumuş kalmış cinsel sağlık uzmanlarının çileciliğini düşünmüyordu.

O dönemdeki sorumlu Sovyet yetkililerini, bu güçlüklerin nasıl yenilebileceğini bilemedikleri için kınayamayız. Ama bu güçlüklerden kaçtıkları, en kolay yolu seçtikleri, kendi kendilerine hiç soru sormadıkları, gerçek yaşamda yaratmaya girişmeksizin yaşama devriminden söz ettikleri için kınayabiliriz onları; ortaya çıkan karışıklığı siyasal gericiler gibi bir «ahlâkî karışıklık» saydıkları, bu durumu, yeni cinsel yaşam biçimlerine geçiş dönemine özgü bir karışıklık olarak anlamadıkları için; ve son olarak da —ki bu, hiç de azımsanmayacak noktadır— devrimci cinsel siyaset uğrunda Almanya'da başlayan hareketin, cinsel devrim sorununun anlaşılmasındaki katkısını ellerinin tersiyle ittikleri için kınayabiliriz.

Sonunda cinsel devrimin boğazlanmasına yol açacak kadar büyüyen bu güçlükler neydi?

Her şeyden önce, bir cinsel devrimin görünüşü iktisadî devriminkinden başkadır: o, birtakım tasarı ve yasalarla değil, altta yatan bütün değişik coşku karmaşıklığıyla birlikte, bireylerin günlük yaşamındaki ayrıntılarda gerçekleşir. Bu karmaşıklık ve çeşitlilik, cinsel karışıklığın ayrıntıda kalan bir iyileştirmeyle giderilmesini önlemeye yeter. O zaman, hemencecik şu sonuca varılır: «özel yaşam, sınıf kavgasını köstekler; dolayısıyla, özel yaşam diye bir şey olmamalıdır.» Cinsel karışıklık, her bireyin özel durumunu çözmeye kalkışarak giderilmez elbet; bu sorunların topluca ele alınmaları gerekir. Ama özel güçlükler arasında, milyonlarca kişide ortaklaşa bulunanlar vardır. Bunlardan biri, örneğin, aşağı yukarı sağlıklı her gencin kafasını kurcalayan şu sorundur: nasıl edip de cinsel arkadaşıyla yalnız kalmalı? Şuna kuşku yok ki, bu sorunu çözmek, yani cinsel birleşmenin rahatsız edilmeden gerçekleşmesini sağlayacak koşulları yaratmak, cinsel karışıklığın büyük bir bölümünü hemen ortadan kaldırırdı. Çünkü eğer bir kentte, arkadaşlarıyla sevişmek üzere nereye gideceklerini bilemeyen binlerce genç varsa, bu gençler karanlık köşelerde sevişecek, bundan ötürü birbirlerinden utanacak, birtakım tehlikelere atılacak, tam bir doyuma eremeyip sinirlenecek, işi aşırılığa vardıracaklardır; sözün kısası, «cinsel karışıklığı» işte bu gençler yaratacaktır. Bu dediğimiz ne denli açık bir gerçek olursa olsun, ister siyasal, ister siyasetdışı, *gençliğe rahatsız edilmeden sevişebilecekleri yerler sağlama* gerekliliğini kabul eden tek bir örgüt yoktur yeryüzünde.

3 — CİNSEL DEVRİMİN BOĞAZLANMASININ SOMUT NEDENLERİ

Şimdiye dek sıraladığımız güçlüklerin kaynağı, sorumlu yöneticilerin bilgisizlik ve önyargılarıydı. Ama *nesnel* süreçte de bu sonucun doğmasına yardım eden güçlükler bulunmasaydı, devrimci atılım, bazı gerici kamu görevlileriyle üniversite öğretmenlerinden gelen engellemeleri aşacak kadar güçlüydü. Bundan ötürü, önce cinsel devrimin, ardından da kafa eğitimi devriminin yönetici çevrelerin cinsel bilgisizlik ve sıkıntısından dolayı başarısızlığa uğradığını söylemek yanlış olur. Sovyet Rusya'da girişilen cinsel devrim gibi geniş kapsamlı bir devrimci hareketin bastırılması, ancak, kesin nesnel engellerin sonucu olabilir. Bu engelleri kısaca şöyle özetleyebiliriz:

1. Özellikle eski Rusya'nın kültürel geriliği, içsavaş ve açlıktan ötürü son derece güçleşen, ülkenin, yeniden kurulması gibi büyük emek isteyen bir görev.

2. Cinsel devrim kuramının bulunmayışı. Sovyet cinsel devriminin bu alandaki ilk deneme olduğunu anımsamak gerekir.

3. Genel olarak bireylerin cinselliğe karşıt ruhsal yapıları, yani cinsel içgüdüyü binlerce yıl ezen somut ataerkil aile.

4. Yaşamın, cinsel etkinlik gibi son derece çok yanlı ve patlayıcı bir kesiminin kılgısal karmaşıklığı.

Üç yıllık Birinci Dünya Savaşı'nın ardından patlak veren 1918 - 1920 İçsavaşı'nın, eski yaşama biçimlerinin bozuluşunu çok tehlikeli hale getirdiğine kuşku yoktur. Binlerce aile, kimi zaman koskoca köyler, beslenebilmek için başka yerlere göç etmek zorunda kaldı. Çoğu kez, yolda analar çocuklarını, kocalar karılarını bırakıp gitti. Kadınların pek çoğu, hem kendilerini, hem çocuklarını besleyebilmek için, bedenlerini satmak zorunda kaldı. Bu koşullarda, gençlerin cinsel özgürlüğe kavuşmak için yaptıkları baskı, daha olağan koşullar içersinde ulaşabilecekleri sonuçlardan apayrı şeyler ortaya çıkardı ister istemez. Sorunu açıklığa ve yepyeni bir yöne kavuşturmak üzere büyük çaba harcayacak yerde, cinsel yaşam köreltildi. Hiç kimsenin, «eski düzen»in yerine konacak «yeni düzen» hakkında belli bir düşüncesi yoktu. İşin özünde, cinsel yaşamın köreltilmesi, genellikle az çok üstü örtülü duran, zaman zaman aşırı patlamalar biçiminde dışa vuran ataerkil insan yapısını gözler önüne sermekten başka bir şey değildi. Tıpkı içsavaş ya da açlık gibi, bu uyduruk cinsel karanlık da yalnız toplumsal devrime yüklenemezdi. Devrim, içsavaş istememişti; o yalnız Çar'cılarla anamalcıları devirmiş, bunlar siyasal gücü yeniden ellerine geçirmeye yeltendikleri zaman kendini savunmak zorunda kalmıştı. Cinsel karışıklık, belli ölçüde de devrime, özgürlüğe ayak uyduramayan eski yapıları ortadan kaldırma sorununu çözebilmesi için gerekli fırsat ve dinginliği vermeyen gerici ortamdan geliyordu.

Sovyet yöneticilerinin cinsel karışıklık konusundaki düşüncelerine şöyle bir göz atarsak, cinsel özgürlük korkusunun gözlerini kör ettiğini, gerçek güçlükleri görmelerini engellediğini, onları yanlış yargılara sürüklediğini anlarız. Cinsel devrimin hem yapımcıları, hem de kurbanları sorumluluk duygusunu yitirmekle suçlandılar. Oysa, çürümüş bir ahlâk anlayışının binlerce yıl cinsel sorumluluğun gelişmesini önlediğini unutmamak gerekirdi; bu sorumluluk, ancak, tam anlamıyla gelişmiş bir cinsel yapıyla gerçekleşebilir. Özellikle gençlik, cinsel ilişkilerini gittikçe daha az sınırlamakla suçlandı. Gerçekten sağlıklı, güvenlikli ve doyurucu cinsel ilişkinin o güne dek hiçbir yerde kurulamadığı unutuluyordu; olmayan şeyin ucunun kaçırılması düşünülemezdi. Aslında gevşeyen, aile içi ilişkilerde iktisadî köleliğin baskısıyla, gençlerin bilincindeki cinselliğe düşman baskıydı. Bunların gevşemesiyle yıkılan şey sağlıklı cinsel ilişkiler değil, amaçladığı sonucun tersini yaratagelmiş olan buyurgan ahlâk anlayışıydı. Dolayısıyla, ahlâk elden gidiyor diye gözyaşı dökmeye gerek yoktu.

Hiç kimse yaşanan durumu açıklamayı başaramıyordu. Onun için, rastlantısal cinsel ilişkiler iktisadî baskıyla açıklanıyordu. Yanlıştı bu, çünkü fahişeliğin dışında, iktisadî yoksulluk hiçbir zaman insanları tek başına anlık cinsel ilişkilere sürüklemez. İçsavaştan artakalan durum ve iktisadî güçlüklerle, ancak günü geçmiş kavramlarla düşünenlere bir «cinsel karışıklık» gibi gözüken, sağlıklı yeni yaşama biçimleri birbirlerinden ayırdedilemiyordu. On yedi yaşında bir delikanlıyla on altı yaşında bir kız arasındaki cinsel ilişki cinsel karışıklığın sonucu da olabilir, gerçekten sağlıklı da. Cinsel ilişki, bunu kolaylaştırmayan bir bağlam içersinde kurulduğu, ahlâkî kaygı ve saplantılarla yüklü hastalıklı bir içyapıyı yanında getirdiği zaman cinsel tutumbilime aykırı, karanlık ve karışık, dolayısıyla doyuruculuktan uzaktır; sözün kısası, çağımıza özgü karışıklık içinde kurulduğu zaman karışıktır. Kendisine olumlu gözle bakan bir dış durum içersinde gerçekleştiği, sevisel mutluluğa uygun, bu mutluluğun tam anlamıyla bilincine varmış, suçluluk duygusunun sıkıntısından kurtulmuş, yetkililerden de, dilendiği gibi yetiştirilemeyecek istenmeyen çocuklardan da korkmayan bir ruhsal yapıya dayandığı zamansa durum bambaşkadır. Bir kadına zorla saldıran ya da gönlünü kazanmak üzere ona içki içiren, bir bakıma onunla arzularını doyuran cinsel yönden aç iki delikanlının yaptığı çok açık seçiktir. Bir cinsel yaşantıyı tam anlamıyla gerçekleştirebilecek yetenekte, bağımsız iki kişinin, bir kerede kalacağını bilseler bile, mutlu bir gece geçirmeleriyse apayrı şeydir. Sorumsuz bir erkeğin, yüzeysel bir ilişki uğrunda karısını ve çocuklarını yüzüstü bırakması; cinsel yönden sağlıklı bir erkeğin, başka bir kadınla gizli ve mutlu bir evliliği çekilir kılmasıyla bir tutulamaz.

Bu örnekler, aşağıdaki noktaları aydınlatmaya yeter:

1. Buyurgan cinsel düzenin sapıklaştırdığı insanlara karışıklık gibi gözüken şey, ille de karışıklık değildir; bu, tam tersine, ruhsal varlığın dayanılması olanaksız yaşama koşullarına başkaldırması olabilir.

2. Gerçek karışıklığın belli bir bölümü, gençliğin ahlâksızlığından değil, doğal cinsel gereksinimlerle bunların doyurulmasını her yoldan önlemeye çalışan çevre arasındaki çatışkıdan doğmaktadır.

3. Özünde karışık, dış görünüşüyle düzenli bir yaşama biçiminden, özünde düzenli, aklıevvellere karışık gelecek bir yaşama biçimine geçiş, ancak büyük bir karışıklık döneminden sonra gerçekleşebilir.

Şurası unutulmamalıdır ki, çağımızın insanları, bütün güçleriyle özledikleri, ama iç yapılarıyla çelişen özgür yaşama biçiminden ölesiye korkarlar. İnsanların büyük çoğunluğunun başlıca niteliği olan cinsel yazgısına boyuneğme, kişilerde gevşeklik, yaşam boşluğu, sağlıklı girişim ve etkinlik tutukluluğu, ya da tam tersine, kaba ve eziyetçi aşırılıklar yaratır elbet; ama bunun yanında, yaşama belli bir dinginlik de getirir. Bu yaşayış ölüme hazırlık gibidir; insanlar, gözlerini ölüme dikerek yaşarlar. *Yapıları, gerçekten canlı bir yaşamın belirsizlik ve güçsüzlükleriyle savaşamadığı zaman, bu ölü gibi yaşama biçimini yeğlerler.* Bu konuda, salt bellekleri tazelemek üzere, ortak yaşam ne denli dayanılmaz olursa olsun, eldekini yitirince yeni bir cinsel eş bulamama korkusunu; ya da, cinsel eşin başka birine sarıldığını düşünmeye dayanamamaktan kıyılan binlerce canı anmak yetişir. Bu olgular, gerçek yaşamda, örneğin Laval'ın[1] siyasal yolculuklarından çok daha etkilidir. Çünkü halklar yaşamlarının en canalıcı noktasına dokunan bu kişisel sorunlarla ömür boyu, bilinçsiz ve yararsız bir biçimde boğuşurken, hükümetler dilediklerini yapabilirler. Yüz bin kişilik bir kentte, çocuklarını yetiştirmekte güçlük çeken, kocalarını kendilerine bağlı tutmaya, cinsel doyuma ermeye uğraşan bütün kadınlara, Laval'ın uluslararası yolculukları konusunda ne düşündüklerini sorduğumuzu varsayalım: verdikleri karşılıklar, milyonlarca kadın, erkek ve gencin, siyasetçilerin kendilerini nasıl kullandıklarını farketmeyecek kadar kendi kişisel sorunlarıyla uğraştığını gösterecektir.

---

[1] Pierre Laval (1883 - 1945): Siyasete toplumcu olarak başlamış, çeşitli tarihlerde, çeşitli hükümetlerde görev almış, Mussolini ve Hitler'le yakın ilişkiler kurmuş, antlaşmalar yapmış, II. Dünya Savaşı'ndan sonra yurda ihanetten ölüm cezasına çarptırılmış, kendini zehirlemek isterken hücresinde kurşuna dizilmiş, Fransız siyaset adamı.

XI. BÖLÜM

DOĞUM DENETİMİNİN, EŞCİNSELLİĞİN ÖZGÜR KILINMASI VE SONRADAN BU GİDİŞE DUR DENMESİ

Doğumların denetlenmesi konusunda, ta başından, görüşlerin dikkat çekecek kadar açık olduğunu görüyoruz. Bu alandaki başlıca düşünceler şunlardı :

Toplum çocukların yükünü üstüne alamadığı ya da almak istemediği sürece, analardan arzulamadıkları ya da iktisadî yoksulluklarını artıracak çocuklara gebe kalmalarını bekleyemez. Bu nedenle, hiçbiri ayrı tutulmaksızın, bütün kadınlar gebeliklerinin ilk üç ayında çocuk aldırma hakkına kavuştular; çocuk aldırma halka açık doğumevlerinde yapılacak, gizli çocuk aldırmalar cezalandırılacaktı. Böylece çocuk aldırmanın gizlilikten kurtulacağı, şarlatanların elinden alınacağı umuluyordu. Kentlerde, bu alanda büyük bir başarıya ulaşıldı; köylerdeyse, kadınlar eski alışkanlıklarını bırakmaya daha az yatkındılar.

Bu da gösteriyordu ki, çocuk aldırma yalnızca yasal bir sorun değildir, kadınların cinsel sıkıntılarıyla ilgilidir. Cinsel yaşamın binlerce yıl gizlilik ve utanç gibi gülünç kavramlarla donanması, işçi ya da köylü bir kadının doğumevi yerine uyduruk hekimlere gitmesine yol açmıştır.

Çocuk aldırmayı sürekli bir toplumsal kurum haline getirmek için en küçük heves beslenmedi; Sovyetler, çocuk aldırmayı yasallaştırmanın düzmece hekimlerle savaşmanın yollarından yalnız biri olduğunu çok iyi biliyorlardı; asıl amaç, gebeliği önleyici ilâç ve araçların herkese öğretilmesiyle *çocuk aldırmanın önlenmesi*'ydi.

Evlenmeden gebe kalan kızın alnına vurulan damga kısa zamanda kalktı. Kadının üretim sürecine gittikçe artan oranda katılması, ona, gebeliği kolaylaştırmakla kalmayıp daha da çekici hale getiren bir maddî bağımsızlıkla güvenlik kazandırdı. Kadınlar, gebeliğin son iki ayıyla doğumdan sonra iki ay, ücret almaya devam ederek, işi bırakıyorlardı. Fabrikalarla çiftliklerin yanına yöresine, analar çalıştığı sırada çocuklara bakmak üzere, özel bebek koğuşlarıyla çocuk bahçeleri yapıldı. Bu yuvaları görmüş olan kişinin, toplumsal sağlık yönünden getirdikleri ilerlemeye kuşkusu kalmıyordu. Kadınlara, gebeliğin ilk aylarında ağır işler verilmiyordu. Çocuklarıyla uğraştıkları saatların ücretini alıyorlardı. Devlet bütçesinden analığa ve çocukluğa ayrılan para, her yıl, bir bakıma düzenli olarak artıyordu. Bu durumda, korkakların ve ahlâkçıların çekindiği doğum oranının düşmesi diye bir şeyin olmayışına şaşmamak gerekir elbet; tam tersine, doğumlar, gözle görülür derecede arttı.

Hükümet, bu uçsuz bucaksız ülkenin en ırak köşelerine ulaşabilmek için elinden geleni yaptı; bu amaçla, doğumu önleme örgütü için özel olarak hazırlanmış trenler, ülkenin öbür ucundaki illere hareket etti. Gizli çocuk aldırmanın en aza indirilmesi için aşağı yukarı on, on iki yıl korkunç çaba harcanması, kitlelerin kafasındaki cinsel utanıp sıkılmanın önemini gösterir; söz konusu sıkılma, bu konuda yararlı önlemlerin alınması için uzun ve çetin bir süreci zorunlu kılmaktadır.

Her zamanki gibi, cinsel sağlık önlemlerini yürürlüğe koyma girişiminin karşısına geleneksel sağlık uzmanlarının gerici tutumu dikildi. Her zamanki gibi, halk kitlelerinin bu dirimsel konuları çok daha dolaysız bir biçimde, içgüdüyle anlamasına karşılık, sağlık «uzmanı»nın, kırk tane ayağı bulunduğunu öğrendiği an kıpırdayamaz hale gelen kırkayak gibi, işin yararlı ve zararlı yönlerini sıralayayım derken hareket yeteneğini yitirdiği ortaya çıktı. Çocuk aldırma sorununun hangi evresinde ve hangi yollardan gericiliğin gelip işe burnunu soktuğunu ve işi kösteklediğini bulmaya çalışalım. Bir sürü iyi kitapta ayrıntılarıyla bulabileceğimiz, çocuk aldırma sorunuyla ilgili sayısal ve tarihsel bilgileri bir yana bırakalım. Biz yalnız, ilerletici öğelerle köstekleyici etkenler arasındaki çatışmanın karşılıklı etki-tepkisini anlamaya çalışalım. Güne göre az ya da çok gizlenen ahlâkî ve dinsel kanıtlama etkinliğini hiçbir zaman bırakmadığı gibi, gittikçe daha etkili hale geldi. Her zamanki gibi, gerici ahlâk lâf ebeliğinin boşluğundan anlaşılır. Cinsel alandaki gericilik, ta başından, çocuk aldırma devrimine Çarlık döneminden kalma eski kanıtlara, halk meclisleri düzenine uygun yeni, ama aynı derecede gerici kanıtları ekleyerek saldırdı. «İnsanlığın batacağı», «ahlâkın çökeceği», «ailenin korunması», «çocuk yetiştirme isteğinin desteklenmesi» gerektiği öne sürüldü. Her yerdeki gibi, gericiliğin başlıca kaygısı, doğum oranının düşmesi olasılığıydı.

Bu kanıtlar arasında dürüst olanlarla, cinsel yaşamın gerçek sorunlarını ele almamak için, gerek nesnel, gerekse öznel açıdan bahane edilenleri birbirinden ayırmak zordur. Gerici sağlık uzmanlarında gördüğümüz ahlâk düşüncesini ayakta tutma, yani cinsel gereksinimlerin doyurulmasını engelleme kaygısı son derece doğaldır; aileyi koruma kaygısı da öyle.

Ama nüfus azalması ve ana karnında filizlenen canın korunması söylevleri düpedüz birer bahanedir. Bu insanlar, doğadaki bütün canlıların, belki de özellikle bir nüfus artışı siyaseti bulunmadığı için, büyüyüp çoğaldığını unuturlar. Öyleyse kuşkuya yer yoktur: nüfusbilim siyaseti, bugünkü belirsiz ve dürüstlükten uzak haliyle, *bir cinsel baskı dizgesi ve dikkati cinsel doyuma erebilme koşullarının gerçekleştirilmesi sorunundan başka yöne çekme aracıdır.*

«Devlet»ten çok ana sağlığıyla ilgilenmeleri gereken kişilerin tutumunda tek parti yönetimine özgü eğilimler de

belirdi elbet. Buna örnek olarak, 1932'de Kiev'de toplanan
Sağlık Kurulu'nda Dr. Kirilof'un söylediklerini. analım :

«Suç alanına giren çocuk aldırma, bu konudaki yasayla desteklenen bir *ahlâksızlık* belirtisidir...

«Yasal çocuk aldırma, çoğu kez, *cinsel sorunun yarattığı korkunç karışıklığa* son verecek en kötü yoldur... O,
analığı kösteklej; çoğunlukla, kadının toplumsal yaşamdaki başarısını azaltır. Dolayısıyla, *gerçek ortaklaşa yaşama*
aykırıdır.

«*Çocuk aldırma, insan dölünün kitle halinde yokedilmesine yarayan bir araçtır.* Ereği, anaya ya da topluma
yardım etmek değildir; ana sağlığının korunmasıyla uzaktan yakından ilgisi yoktur.»

Böyle faşist görüşlü güzel konuşma meraklılarının yanında, büyük bir kuramsal bilgileri olmasa da, uygulamadan gelen sağlam içgüdüleriyle her şeyi devrimci açıdan
ve doğru değerlendiren cinselbilimci ve hekimlere de rastlandı. Örneğin, Clara Bender, Uluslararası Suçlulukbilimi
Derneği'nin Alman kolunun Genel Kurul Toplantısı'nda
(1932), S.S.C.B.'deki gerici nüfus siyaseti kuramcılarının
kanıtlarına yiğitçe karşı çıktı.

Çocuk aldırmanın yarattığı bedensel ve coşkusal zarar lâfı, çocuk aldırma uygun koşullarda yapıldığı zaman
anlamını yitirir, dedi. Doğum oranının düşmesiyle ilgili
kanıt, sayılamalara aykırıdır. Kadınların anamalcı ülkelerde çocuklarını nasıl zor koşullarda yetiştirmeye zorlandıkları saptandığı anda, kadının doğal çocuk edinme içgüdüsü anlamsızlaşır. Sermayeci düzende, dedi, çocuk aldırma yalnız paraya bağlıdır, bu konudaki yasalar düpedüz
sınıfsaldır ve kadınları bilgisiz çocuk düşürücülerin eline
teslim etmektedir. Buna karşılık, Moskova'daki doğumları
denetleme hastanesinde, bir yılda gerçekleştirilen 50.000
çocuk aldırma içersinde bir tek ölüm olayına rastlanmamıştır.

İnsan, böylesine açık kanıtların etkisizliği karşısında
hiç durmadan şaşırıp kalıyor. Almanya'da doğumların de-

netlenmesiyle ilgili tartışmalara katılınca, nüfus ve sağlıkbilim uzmanlarının hiçbir akılsal kanıt öne sürmediklerini görmemezlik edemiyorduk. Onlar da insanın aklına, az çok, Nazilerin ırkçı kuramla ilgili tartışmalarını getiriyorlardı. Daha o zamandan, kan ter dökerek Kuzeyli Cermen ırkının öbür ırklardan üstün olmadığını, kara derili bir çocuğun, kentsoylu bir Alman'ın dölünden zekâ ve yetenek yönünden geri kalmadığını göstermeye çalışarak, bu boş kafalı, güçsüz lâf ebeleri ve öğretim üyeleriyle ortak iş yapılamayacağı gün gibi açığa çıkmıştı.

İş mantıklı kanıtlamalarla çözülse, devrimci kanıtlar gerici nüfusbilimcilerle ırkçı kuramcıların öğretisini çoktan silip süpürürdü. Ama bu çevrelerin ardında, salt akılcı sözlerle çekip çevrilemeyecek toplu düşüncenin geleneksel güçleri vardır.

Kadınların bilinçaltında cinsel saldırganlığın yarattığı korku yattığı için, gerici nüfus siyasetini savunanlar sonunda ağır basar. İşte bu yüzden, milyonlarca Alman kadını, kendi çıkarlarını çiğneyerek, çocuk aldırmayı cezalandıran yasaların yürürlükte kalması yolunda oy vermiştir. 1934'te, çocuk aldırmayı önleyen yasanın kaldırılması için imza toplanırken aynı şey olmuştur. Irkçı kuramcılarsa, varlıklarını, Alman kentsoylusunun aşağılık duygusunu ancak Kuzey ırkından, yani «egemen», «en zeki», «en yaratıcı» ırktan olduğu söylendiği zaman yenebilmesine borçludurlar.

Irkçı kuram ile insan dölünü iyileştirme bilimi gibi akıldışı oluşumların, yalnız akılsal kanıtlamalarla altedilemeyeceğini üstüne basa basa belirtmek gerekir; akılsal kanıtların, sağlıklı bir sevisel temele dayanması zorunludur. Yapılacak şey, cinsel tutumbilimle ilgili düşünsel bir kuramı «uygulamaya koymak» değildir; devrim insan yaşamının kaynaklarına kendilerini yeniden dile getirme olanağı sağladığı an, toplumsal yaşam cinsel tutumbilimin anlattığı olguları bir bir ortaya çıkarır. Önemli olan döl verme sorunu değil, her şeyden önce, cinsel mutluluğun korunmasıdır. Doğumların denetlenmesi sorununun, Sovyetler Birliği'nde, özel çevrelerde değil, *olumlu* bir biçimde, resmen ve halkın önünde tartışılması, başlı başına bir ilerlemeydi. Böylece, Zelinski gibi akıllı ve yürekli bir devrimcinin, tutucu yetkililere şunları söylediği işitildi:

«Sözlerim, bu Toplantı'daki çocuk aldırmanın zararlarıyla ilgili tartışmalar çerçevesinde çılgınca gözükebilir. Gözlerini yaşamdan ve onun gerçeklerinden kaçırıp, çocuk aldırmaya ilişkin birtakım soyut doğrularla kafamızı şişiren konuşmacıların toplum karşısındaki dürüstlüklerine inanmak güçtür. Burada bir toplumsal körlük ya da ikiyüzlülük havası esiyor. Çocuk aldırma salgınının hangi *ortaklaşa* ruhsal ve siyasal-iktisadî koşullarda gerçekleştiğini görmüyor, görmek istemiyoruz. Çocuk aldırmayla ilgili yargılar, değerlendirmede nesnelliği değil, ahlâkî önyargıyı dile getiriyor. Bu konuda, bir sürü ürkütücü öykü türetilip yayıldı. Her yönden korkutulmaya çalışıldık: dölyolunun mikrop kapıp delinmesi, sinir hastalıkları, doğum oranının düşmesi, analık içgüdüsünün yokolması, elden ayaktan uzakta, ıssız köşelerde, görmeden çocuk aldırmanın tehlikeleri gibi umacılar çıkarıldı karşımıza. Peki ama, miğdeye ya da on iki parmak bağırsağına boru daldırma işleri de görmeden yapılmıyor mu? İğneyle kana verdiğimiz bütün ilâçların sonuçlarını biliyor muyuz? Dokualtı salgılardaki bozukluklarla çocuk aldırma arasındaki ilinti bilimsel olarak kanıtlandı mı? Nasıl oluyor da, birbiri ardından çocuk aldıran, Balzac'ın ünlü romanındaki hanım gibi otuz yaşına gelmiş kentli kadınlar güzellikte yirmi yaşındaki kızlarla yarışırken, bilerek ya da bilmeyerek çocuklarını karınlarında taşımış aynı yaştaki köylü kadınlar, altı yedi doğumdan sonra, canlı cenaze haline geliyorlar? Daha az çocuk doğurmanın güzelliğe zarar vereceğini öne süren kim? Asıl, bunun tersi doğru olabilir. Bir kadın için, minicik tabutları birbiri ardından gömütlüğe götürmek ve onlarla birlikte gençliğini, güzelliğini gömmek, çocuk aldırmaktan çok daha zordur. Daha çok çocuk dünyaya getirtebiliriz elbet, ama bunun için bambaşka toplumsal koşulların yaratılması gerekir. İçtenlikle bakalım yaşama, kadınların hangi siyasal ve iktisadî koşullarda yaşadıklarını, çocuklarını yetiştirdiklerini görelim. Kısacık insan ömrü gözönünde bulundurulursa, kadınlara, çocuklarını gerektiği gibi yetiştirmelerine izin verecek koşulları sağlamaktan uzaktır. Beslenme ödeneği her zaman işe yaramıyor. Beslenme ödeneğini veremeyen erkek, kılgısal açıdan kadın için değil, yasal açıdan hukukçu için ilginç oluyor. Gebeliği önleme araçları her zaman güvenlikli değil. Kadın istediği zaman çocuk aldırma hakkını kullanamıyor, çünkü bu hakkı kullanabilmesi için aylık kazancının kırk elli ruble olması gerekirken, o çoğu kez işsiz oturuyor. Zola'nın romanında, belgeli hekime gizli çocuk düşürten adamın söylediklerini anımsayın: 'Sizler kadınları ya kodese tıkıyor, ya da Seine nehrine gönderiyorsunuz, bizse onları bu ikisinden de kurtarıyoruz.' Bu 'Seine nehrinden kurtarma' işinin yeniden gizli çocuk düşürtenlerin eline mi kalmasını istiyorsunuz? Konuşmacılardan biri, insana yakışan bir onurla: 'Bu iş için gerekli olan şey, hekimlik belgesiyle kadının yargısıdır, ondan sonra çocuk şıp diye aldırılır' diye haykırdı. Evet, gerçekten de yapılması gereken budur: kadının yargısı yeterlidir, çünkü çocuk aldırmanın toplumsal gerekliliğine karar verme hakkı yalnız kadınındır, başkasının değil. Biz erkekler, herhangi bir kurul ya da yetkilinin evliliğimizi tüzüğe bağlamasına, birtakım toplumsal ölçütlere göre evlenmemize izin vermesine ya da yasaklamasına göz yummayız. Öyleyse, kadının da yaşamının en temel sorunu konusunda dilediği yargıya varmasını engellemeyin. Kadının da, tıpkı erkek gibi, cinsel etkinlik hakkı vardır ve cinsel yaşamını gereği gibi doldurmak istemektedir, bunu yapabilme olanağına kavuşmalıdır. Ortak bir yaşam kurma tasarısına zarar verebilecek şeye yol açmamak, durmadan evde kalmış kız üretmemek gerekir.»

Zelinski, sağlam bir sezgiyle, cinsel gericilik kurullar, kararnameler ve insanlığın yararını gözeten kanıtlamalar aracılığıyla doğumların denetlenmesini ve çocuk aldırmayı engellemeye giriştiği sırada yapıyordu bu saptamayı. O uluslararası toplantı, cinsel yaşamı savunanlarla saldırganlar arasında kıyasıya bir kavgaya sahne oldu. Çocuk aldırmanın yasayla kabulünden on yıl sonra, bu alandaki gerici tepki bütün gücüyle ayaktaydı. Yefimof, gebeliği önleyici ilâçların hepsinin incelemeden geçirilmesini istedi, ama beri yandan, bunların Moskova sokaklarında, kaçakçılığa ve istifçiliğe izin verecek biçimde, her türlü tıbbî denetimden uzak, açıkça satılmalarından yakındı. Benderskaya ile Şinka bu ilâçların parasız dağıtılmasını; Belinski, Şinka ve Zelitski ise gelişigüzel dağıtılmalarının nüfus siyaseti açısından son derece zararlı olacağını öne sürerek, hekim reçetesiyle verilmelerini istediler.

Bunların en iyi nasıl dağıtılacağı sorunu çözüme bağlanmadı. Gerçekten, «nüfus siyaseti» kaygısı, halkın «ahlâklı» davranmasını sağlama kaygısından başka bir şey değildi. Cinsel zevki tatma denemesinin döl verme arzusuyla bağdaşması olanaksız gözüküyordu. Örneğin, Kiev'li Dr. Benderskaya şu ilkeleri öne sürdü :

1. Çocuk aldırmanın yeniden cezalandırılması, düzmece hekimlerin uyguladığı yasadışı çocuk düşürmeyi desteklemek anlamına gelecektir.

2. Düzmece hekimlerin suç alanına giren çocuk düşürtmesi, yasal çocuk aldırmayla önlenmelidir.

3. Yasal çocuk aldırmaysa, gebeliği önleme çarelerinin herkese öğretilmesiyle önlenmelidir.

4. Bir toplumcu düzende, kadın, analık görevini üyesi olduğu topluluğun isteklerine uygun bir biçimde yerine getirmelidir.

Dördüncü madde; ilk üç maddeyi bir anda hiçe indirgiyordu. İlk üç madde, cinsel özgürlük ve sevinci güvenlik altına alabilecek sağlık kurallarıdır; dördüncü maddeyse, analığı bir ahlâkî zorunluluğa, «topluluğun istekleri»ne bağlamaktadır. Çocuk edinme zevki yanlış değerlendirilmektedir. Bir dış yetke adına kadınları gebe kalmaya zorlayamayız. Döl verme ya genel yaşama sevincinin bir parçasıdır ve sağlam bir temele dayalıdır, ya da bir ahlâkî zorunluluk olarak vardır ve bu haliyle insanın karşısına çözümsüz bir sorun getirir. Nüfus siyasetinin amaçları neden bireylerin cinsel çıkarlarıyla çelişir? Bu çatışkı yokedilemez mi?

Uluslar birbirlerine düşman kaldıkça; birbirlerinden yasal ve gümrüksel sınırlarla ayrıldıkça; çıkaracakları asker sayısında birbirleriyle yarıştıkça, *nüfus siyaseti ister istemez cinsel sağlığın zorunluluklarıyla çelişir.* Nüfusun artmasına gereksindiğimizi açıkça söyleyemeyince, «döl vermenin ahlâka uygunluğu»ndan, «insan soyunun korunması»ndan söz açarız.

Gerçekte, kadınların çocuk doğurmama isteği, insanın cinsel yaşamının içine düştüğü bunalımın dışa vuran belirtilerinden yalnız bir tekidir.

Yoksul yaşama koşullarında, sevilmeyen kişilerden gebe kalıp çocuk doğurmanın hiçbir zevki yoktur; üstüne üstlük, cinsel yaşamın kendisi tam bir işkence halini almıştır. Nüfusbilimciler bu çelişkiyi görmezler; dolayısıyla, ulusal çıkarlara hizmet ederler. Sovyetler Birliği, toplumcu temeline karşın, bu çelişkiden ötürü, toplumcu bir nüfus siyaseti kuramadı; sürekli bir dış tehlikenin baskısı altında yaşıyordu. Cinsel mutlulukla nüfus siyasetinin çıkarları arasındaki çelişki, savaşın toplumsal nedenleri yokedilmedikçe ve toplum kendini mutlu bir yaşamın koşullarını gerçekleştirmeye adayamadıkça ortadan kalkmayacaktır. Ancak ondan sonra çocuk doğurmak genel cinsel sevince katılacak ve: «Çoğalın» buyruğu anlamını yitirecektir.

Çocuk aldırmanın yasallaştırılması, söze dökülmese de, cinsel zevkin olumlanması demekti. İşin tamamlanması için, bütün cinsel öğretinin olumsuzluktan kurtarılıp olumlu hale getirilmesi, cinsel yaşamın reddinden bilinçli olarak kabulüne geçilmesi gerekirdi.

1932 Kiev Toplantısı'nda hazır bulunan hekimlere göre, kadınların % 60 - 70'i cinsel zevki tadamayacak durumdaydı. Daha başka nedenlerle birlikte, bu eksikliğin çocuk aldırmadan ileri geldiği öne sürüldü. Hekimlik yaşantısı bu olumlamayı çürütür; böyle bir şey ileri sürmek, çocuk aldırma sorununu karanlığa boğma, bu işi yasaklamayı doğrulama girişiminden başka bir şey değildir. Çocuk aldırma özgür olsa da olmasa da, cinsel bozukluk taşıyan kadın yüzdesi, genellikle ve dünyanın her yerinde aynıdır. Söz konusu kadınların kimisi on beş çocuk aldırmıştı, hem de yılda iki üç kez. Bu da gösteriyordu ki, *kadınlar gebeliği önleme araçlarını kullanmaktan korkmaktadırlar.* Yoksa, kendilerine uygun gelen önleme yolunu arar bulurlardı. Almanya'daki cinsel sağlık merkezlerinde edindiğimiz yaşantı bize, kadınların çoğunun bu korkuyu duyduğunu öğretmiştir; oysa, doğumların önlenmesi kendileri için bir ölüm-kalım sorunuydu. Kadınların bu korkudan kurtarılmaları gerekir. Bilinçaltlarında yatan yakıcı cinsel arzuyu dile getirebilmelerine ve bu arzuyu gidermeye çalışmalarına izin vermek gereklidir. Çocuk aldırmayı özgür kılan yasa, tek başına, olumlu bir çocuk doğurma arzusu yaratmaz. Bu arzu, her şeyden önce, mutlu cinsel yaşam koşullarının hazırlanmasını gerektirir. Gebeliği önleyici ilâç ve araçların nasıl dağıtılacağını değil, *cinsel doyumu hangisinin daha iyi güvenlik altına alacağını* tartışmaları gerekirdi insanların. Kadın kullanmaktan korkuyorsa ya da onu doyuma ermesini engelleyen yabancı bir cisim sayıyorsa, neye yarar diyafram? Doyumu azaltıyor, sinirsel bozukluklar doğuruyorsa yararı nedir erkeğin takacağı koruyucunun? *İçlerinden en iyisinin* herkese yetecek sayıda ve her keseye göre üretilmesine olanak hazırlamadıktan sonra, gebeliği önleme araçlarının kullanılmasını dört bir yana yaymanın ne anlamı vardır? Ayrıca, kadınların bu araçları kullanma korkusu devam ediyorsa, neye yarar en iyi koruyucuyu yapmak?

Uluslararası Toplantı'nın aldığı karar çocuk aldırmanın yasallığını koruyor, ama cinsel doyuma değinmekten ölesiye korkuyordu. Bu korku, 1932'de, Fanina Halle tarafından şöyle dile getirildi :

«Yabancı ülkelerde, kimisi işi Lenin'den de öteye götüren ve çilecilik ülküsünü savunan yaşlı Bolşeviklerin karşı çıkışlarından pek az söz edildi; bunun yerine, özellikle Sovyet düşmanlığının ortalığı kasıp kavurduğu ülkelerde, 'kadının kamulaştırılması' gibi ne anlama geldiği pek belli olmayan lâf yayıldı. Oysa, cinsel sorunlara duyulan ilgi sönmüştü ve devrimin öncülüğünü yapan Sovyet gençliği öyle ciddî sorunlarla karşı karşıyaydı ki, cinsel sorunlar önemsiz kalıyordu. Böylece, Sovyetler Birliği'nde cinsler arasındaki ilişkiler yeniden her zamankinden daha köklü bir cinsellikdışılığa ulaştı. Eskiden devrime öncülük eden dar bir çevreyi kapsayan 'cinsel ilişkilerin rastlantıya bağlı olmaları özelliği', halk kitlelerinin başlıca niteliklerinden biri haline geldi. Bu değişiklik, beş yıllık plandan ötürüdür.»

Sovyet öğretisi, insanlar arasındaki ilişkilerin, «cinsellikdışı» bir nitelik kazanmasından gurur duymaktadır. Oysa bu düpedüz hayaldir: cinsel yaşam yokolmaz, hastalıklı, sapık ve zararlı biçimlerde sürer. Ya cinsel, ya da toplumsal yaşam diye bir ikilem yoktur. İnsan ancak, toplumca kabul edilmiş, doyurucu, mutlu cinsel yaşamla hastalıklı, gizli ve yasadışı cinsel yaşam arasında seçme yapabilir. Aslında doğal cinsel etkinliğin bozulmasından başka bir şey olmayan bu yüzeysel cinsellikdışına kayma insanları hasta düşürecek, topluma düşman edecek, Sovyet yöneticileri ahlâk yasalarını güçlendirmek, örneğin çocuk aldırma yasasını yürürlükten kaldırmak zorunda kalacaklardır. Bir kısırdöngüdür bu, çünkü baskı altına alınan cinsel yaşam ahlâkî baskıyı zorunlu kılmakta, buysa cinsel etkinliğin düzenini iyice bozmaktadır. Örneğin, profesör Stroganof daha o zamanlar, eskiden «çocuk aldırırken» utanıp sıkılan kadınların, şimdi bunu «yasal hakları» saymalarından yakınmaktaydı. Ana sağlığı merkezi yöneticisi Lebedeva, çocuk aldırmanın yasayla kabul edilmesinin «kadının ruhsal dünyasını başıboş» bıraktığını, çocuk aldırmanın bir çeşit «ruh hastalığı» haline geldiğini söylüyordu. Krivki söz konusu hastalığın gittikçe arttığını, nerede duracağının bilinmediğini öne sürüyordu. Bu «sapıklığın» sonucu, analık duygusunun zayıflaması olmuştur, diyordu. Bazı Sovyet hekimleri, haklı olarak, çocuk aldırmaların artışındaki başlıca etkenin iktisadî gerekçe *olmadığını* belirttiler. Elbette öyledir: öyle olmasaydı, hiçbir iktisadî sorunu bulunmayan kadınlar ikide bir çocuk aldırmazdı. Gerçekte çocuk aldırma, bireylerin döl verme işlevine bağımlı olmaksızın, her şeyden önce cinsel zevki tatmak istediklerinin açık belirtisidir.

Zihinlerdeki bu karışıklığın yardımıyla, ikinci beş yıllık plan döneminde, cinsel özgürlük büyük ölçüde kısıldı. Böylece, kadınlar ilk çocuklarını aldıramaz oldular. Bu evrimin sonucunu önceden kestirmek olanaksızdır; söz konusu sonuç özgür tartışmalardan çıkmayacak, cinsel yaşama ve devrime yandaş eğilimlerle cinsel yaşama düşman, gerici eğilimler arasındaki kavgayla belirlenecektir. Cinsel devrimden yana eğilimlerin, eski düşünceleri egemenlikleri altına alacak gücü gösterememelerinden korkulur. O zamansa sonuç, *toplumculuk* değil, sinir hastalıkları ve canlı robotlar tarafından yönetilen, harika bir iktisadî örgüt olacaktır.

*
**

Toplum yaşama yeni bir düzen verilmesi göreviyle yeniden karşılaştığı zaman daha hazırlıklı olabilsin diye, bu kavganın bize verdiği dersleri özetleyelim. Bu görevin yerine getirilmesi gerekli koşulları şunlardır:

1. İnsan soyunun korunması kaygısı ya da çocuk aldırmanın biricik nedeninin iktisadî gereksinim olduğu savı gibi *kötüniyetli açıklama ve kaçamak noktalarının temizlenmesi.* Dolayısıyla, genel cinsel siyasetle nüfus artışı siyasetini birbirinden ayırmaya son verilmesi.

2. *Döl verme işlevi karşısında, cinsel işlevin bağımsızlığının tanınması.*

3. *Döl verme arzusunun özel cinsel işlev,* çocuk edinme arzusunun genel yaşama sevincinin bir parçası sayılması. Doyurucu bir maddî ve cinsel yaşamın koşulları gerçekleştiği an, çocuğun insana elbette sevinç verdiğinin,

çocuğun yaşama sevincinin doğal sonucu olduğunun anlaşılması.

4. Yalnız çocuk aldırmanın önlenmesi için değil, her şeyden önce cinsel sevinç ve sağlığı güvenlik altına alabilmek için, *doğumların açıkça denetlenmesi.*

5. *Cinsel yaşamı ve cinsel yaşamın özerkliğini kolaylaştıracak önlemleri alacak yürekliliğin gösterilmesi.*

6. Ermiş, ahlâkçı falan gibi gizli cinsel hastaların *kılgısal etkisini önleyecek önlemlerin alınması.*

7. Kadınlardan ve gençlerden oluşmuş cinsel siyaset örgütlerince gerici doğum ve sağlık profesörlerinin *kuram ve uygulamalarının çok sıkı bir biçimde denetlenmesi.* Halk kitlelerinin, bugün adına pek ender lâyık olan bilime besledikleri ahmakça saygının yokedilmesi.

Akılsal bir nüfus siyasetinin ereği, onlara tepeden inme «insan soyunu kurtarma» görevi yükleyecek yerde, halk kitlelerinin bu konudaki ilgisini uyandırmak olabilir ancak. Bunun ilk koşuluysa, toplumsal yaşama *üretici* katkısı bulunan herkese cinsel zevki tatma hakkının tanınıp savunulmasıdır. Halk kitleleri, cinsel zevk konusunda bütünüyle ve tastamam anlaşıldıklarını, toplumun bu sorunu saldırılardan korumaya, gerekli koşulları yaratmaya hazır olduğunu hissetmelidir.

Bu sorunların çözümü, şu temel sorununkinin yanında bir bakıma kolay gözüküyor: *bireylerin çektiği bedensel boşalma zevki sıkıntısını toplum çerçevesinde nasıl yoketmeli?* Dev gibi bir sorundur bu. Bu sorun çözülse, nüfus siyaseti sinir hastası üniversite öğretmenlerinin özel alanı olmaktan çıkar, gençlerin, işçilerin, köylülerin ve bilimsel uzmanların eline geçerdi. O çözülmedikçe, nüfus artışıyla ve insan dölünün iyileştirilmesiyle uğraşan siyaset dalları, hep bildiğimiz gerici oluşumlar halinde kalacaklardır.

EŞCİNSELLİĞİ YASAKLAYAN YASANIN
YENİDEN YÜRÜRLÜĞE KONMASI

Sovyet Yasama Meclisi, Çarlık döneminden kalma, eşcinselliği ağır hapis cezalarına çarptıran yasayı daha ilk günden, açıkça kaldırmıştı. *Sovyet Ansiklopedisi*'nde eşcinsellik, Magnus Hirschfeld'in, biraz da Freud'un görüşlerine dayanılarak tanımlanmaktaydı. Yasanın yürürlükten kaldırılması için öne sürülen gerekçe, bu sorunun öncelikle bilimsel bir sorun oluşu, dolayısıyla eşcinsellerin cezalandırılmaması gerektiğiydi. Kendi cinslerinden biriyle ilişki kuranlarla toplumun geri kalan kesimini ayıran duvar yıkılmalıdır, deniyordu.

Sovyet hükümetinin bu eylemi, Batı Avrupa ve Amerika'daki cinsel siyaset hareketine müthiş bir itici güç sağladı. Bu, salt bir propaganda önlemi değildi, bazı insanlara özgü ve doğuştan geldiği sanılan eşcinselliğin kimseye zararı dokunmayan bir etkinlik oluşuna dayanmaktaydı. Halkın genel kanısı da buydu. Bir gazetecinin de belirttiği gibi, kendi cinsine dönük erkekler ve sevici kadınlarla zaman zaman «dalga geçilmesi»ne karşın, insanlar cinsellik konusunda genellikle çok hoşgörülüydüler. Buna karşılık, tutucular, her yerdeki gibi, çileci kuramlarla Orta Çağ'dan kalma önyargıların etkisindeydiler. Parti yöneticileri arasında da temsilcileri vardı, dolayısıyla yavaş yavaş işçileri bile etkilediler. Eşcinsellik konusunda, zamanla, iki ayrı görüş belirdi :

1. eşcinsellik «barbarlara özgü bir bilgisizlik belirtisi», yalnız yarı ilkel Doğulularda rastlanan utandırıcı bir alışkanlıktır;

2. eşcinsellik «ahlâkı bozulmuş kentsoylu sınıfın kültürel yozlaşmasının belirtisi»dir.

Cinsel konuda açık seçik görüşlerin bulunmayışıyla birleşen bu düşünceler, zaman zaman, eşcinsellerin çok gülünç biçimlerde canlarının yakılmasına yol açtı; can yakmalar gittikçe sıklaştı. Bu türlü ilişkileri baskı altında tutan yasanın yürürlükten kaldırılmasının sorunu çözmeye yetmediği açıktı. Cinsel tutumbilim alanında elde ettiğimiz bilgiler, eşcinselliği, karşı cinse duyulan sevginin çok küçük yaşlarda bilinçaltına itilmesinin sonucu saymamıza izin vermektedir. Cinsel devrim genel olarak boğazlanınca, gençler arasında, özellikle de kara ve deniz ordularında eşcinselliğin artması kaçınılmaz bir şeydi. Casusluğun, ele vericiliğin, siyasal sürgünlerin, hattâ «ortadan kaldırmaların» geliştiği görüldü. Bazı özel durumlarda, Clara Zetkin gibi eski partililer araya girip suçlunun bağışlanmasını sağladılar. Ama cinsel soruna bir çözüm getirilemediği için, 1934'te Moskova, Leningrad, Krakov ve Odessa'da girişilen kitle halindeki tutuklamalara dek, eşcinsellik dalgası günden güne büyüdü. Bu tutuklamaların gerekçesi siyasaldı. Tutuklananlar arasında, «eşcinsel sevişme ve içki âlemleri» düzenleme suçundan birkaç yıl hapis ya da sürgün cezasına çarptırılan bir sürü tiyatro oyuncusu, müzikçi ve sanatçı vardı.

1934 Mart'ında, erkekler arasındaki cinsel ilişkileri yasaklayan ve cezalandıran yasa boygösterdi. Yasa, Kalinin tarafından imzalanmıştı ve yürürlükteki bir yasada yapılacak değişikliğe yalnız Halk Meclisleri Kurulu karar verebileceğine göre, çok ivedi bir önlem niteliğini taşıyordu besbelli. Bu yasa erkekler arasındaki cinsel ilişkileri «toplumsal suç» sayıyor, zararsız olanları üç ya da beş yıl, kişilerin sürekli ilişki kurmalarınıysa beş ya da sekiz yıl hapis cezasına çarptırıyordu. Böylece eşcinsellik, hırsızlık, karşı-devrimcilik, casusluk, işi baltalama falan gibi toplumsal suçlar arasına katılıyordu. Eşcinsellerin canlarının yakılması, 1932 - 1933 yıllarında Almanya'da patlak veren Röhm olayıyla ilintisiz değildir. Sovyet basını, «faşist kentsoylu sınıfın yozlaşmasının» belirtisi olan eşcinselliğe savaş açmıştı. Ünlü Sovyet gazetecisi Koltsof, «Goebbels'in propaganda bakanlığındaki çıtıpıtı beyler»den ve «faşist ülkelerdeki sevişme âlemleri»nden söz eden yazılar yayımlamıştı. Gorki'nin «işçi sınıfının insancıllığı» üstüne yazdığı yazının etkisi çok kesin oldu. Gorki bu yazısında, «faşizmde boygösteren iğrençliklerin adının anılması bile insanı başkaldırmaya zorluyor» demekte, «iğrençlik» derken Yahudi düşmanlığıyla eşcinselliği anlatmaktadır. Sonra da şunları eklemektedir: «faşist ülkelerde, gençliği kasıp kavuran eşcinsel etkinlik, en küçük bir cezaya çarptırılmaksızın, dört bir yanı sarmaktadır; işçi sınıfının tam bir gözüpeklikle siyasal gücü eline geçirdiği ülkedeyse, eşcinsellik toplumsal suç sayılmış ve şiddetli cezalara çarptırılmıştır. Almanya'da bile: 'eşcinselliğe son verin, tek parti yönetimi kendiliğinden yok olur' sözü herkesin ağzındadır.»

Eşcinsellikle ilgili bu düşüncelere bakarak, zihinlerdeki karışıklığın ve toplumu bekleyen tehlikenin derecesini görebiliriz. Röhm'ün *Männerbund* (Erkekler Birliği) adlı örgütünün ve benzerlerinin eşcinselliğiyle, karşı cinsle ilişki kuramamanın yarattığı askerler, denizciler ve mahpuslar arasında yaygınlaşan eşcinsellik birbirinden ayrılmıyordu. Ayrıca, tek partili yönetim kuramının da eşcinselliğe karşı olduğu görmezlikten geliniyordu: bu konuda, Hitler'in, 30 Haziran 1934'te, Sovyetler Birliği'nde eşcinsellere yöneltilen baskıyı haklı göstermek için kullanılan gerekçeyle Röhm'ün Özel Saldırı Birlikleri'nin yetkilerini kaldırdığını anımsatmak yeterlidir. Cinsel yaşamla tek parti yönetimi arasındaki ilintiler ve genel cinsel sorunlar hakkında böylesine karışık düşüncelerin iyi bir sonuç vermeyeceği açıktır. Sovyetler Birliği'ndeki kitle halinde tutuklamalar, eşcinselleri müthiş korkuttu; orduda pek çok insanın kendi eliyle canına kıydığı söylendi. 1934'e kadar, Sovyetler Birliği'nde gizli hafiyelik diye bir şey yoktu; sözünü ettiğimiz olaylardan sonra, gelip ülkenin tepesine çöreklendi. Oysa, halk kitleleri eşcinselliğe hoşgörüyle bakmaktaydı.

Bu kısa özetle yetineceğim. Özellikle Doğulu halklarda, genel cinsel siyasetle eşcinsellere yöneltilen baskılar arasında ilinti, burada yeri olmayan özel bir toplumsal incelemeyi gerektirir. Cinsel tutumbilim açısından eşcinsellikle ilgili kuramsal düşüncelerimiz, *Bedensel Boşalmanın İşlevi, Kişilik Çözümlemesi* ve *Gençliğin Cinsel Kavgası* adlı kitaplarımda belirtilmiştir. Bunlardan şu sonuçlar çıkarılabilir :

1. Yetişkin insanların eşcinsel etkinlikleri bir toplumsal suç değildir, kimseye zararları yoktur.

2. Eşcinsellik, ancak, halk kitlelerinin doğal sevisel yaşamı için gerekli bütün koşullar gerçekleştirilerek azaltılabilir.

3. Bu arada, gençlerin ya da çocukların baştan çıkarılması dışında, cezalandırılmaması gereken, karşı cinsle kurulan ilişkiye koşut bir cinsel doyum biçimi sayılmalıdır.

XII. BÖLÜM

GENÇLİK KURULUŞLARINDA DA AYNI BASTIRMA

Sovyet Gençliği, içsavaşın ilk yıllarında, hemen kendilerine düşen görevi yüklendi. Lenin, gençliğin yaşama-isteğini bütünüyle anlamıştı, işbaşına gelir gelmez, gençliğin örgütlenmesine ve iktisadî durumunun düzeltilmesine özel bir dikkatle eğildi. Gençliğin bağımsızlığı, Gençlik Birliği' nin İkinci Ulusal Toplantısı'nda oylanıp kabul edilen kararda en eksiksiz biçimde dile gelmişti: «Komsomol, kendine özgü yönetmelikleri bulunan, özerk bir örgüttür.» Lenin, daha 1916'da: «Tam bağımsızlığa kavuşmadıkça, gençlik etkili toplumcular yetiştiremez» demişti.

Yalnız her türlü buyurgan sıkıdüzenden uzak eylemde bulunan, cinsel yönden sağlıklı ve bağımsız gençlik, uzun bir zaman dilimi içersinde, devrimin son derece güç işlerinin üstesinden gelebilirdi. Şimdi anlatacaklarımız, bağımsız, devrmci gençlik örgütlerinin cinsel siyasetlerine örnek olabilir:

1 — DEVRİMCİ GENÇLİK

Çok değil on yıl önce (1917'de), Bakü Rusya'nın en gerici bölgelerinden biriydi. Devrim yasaları, iktisadî yaşamı değiştirmiş, din kişisel bir iş sayılmıştı elbet. Ama, Balder Olden'in dediklerine bakılırsa, «o yeni dış görünüşün ardında, hâlâ harem döneminin eski ve acımasız ahlâk anlayışı vardı». Genç kızlar dinsel kuruluşlarda yetiştiriliyorlardı; dış dünyayla bağlantı kurmadıkları, evden kaçıp ailelerinin adını lekelemedikleri sürece, okuma yazma öğrenmeye hakları yoktu. Bu, kızların babalarının kölesi olmaları anlamına geliyordu. Erginlik çağındaysa, ne seçebildikleri, ne de hattâ evlenmezden önce yüzünü görebildikleri kocalarının kölesi oluyorlardı. Kadınlar gibi, genç kızlar da peçe takmak, yüzlerini hiçbir erkeğe göstermemek zorundaydılar. Bir büyüğün gözetimi olmaksızın hiçbir yere gidemezler; çalışamazlar, kitap ya da gazete okuyamazlardı. Kuramsal olarak boşanmaya hakları vardı, kılgısal olarak böyle bir şey yapamazlardı.

Hapishanelerdeki «dokuz kuyruklu kedi» (kamçı) yokolmuştu, ama kadınlar evde hâlâ dövülüyordu.

Tek başlarına doğurmak zorundaydılar, çünkü ne ebe vardı, ne de kadın hekim; erkek hekime gözükmekse din tarafından yasaklanmıştı.

Sonra 1920'lerde, Rus kadınları eğitimlerini ele alıp düzenleyen bir Kadınlar Birliği kurdular. Genç kızlar, ak saçlı öğretmenlerden ders görmeye başladılar (genç öğretmenler onlara ders veremezdi). Böylece, toplumsal devrimden bilmem kaç yıl sonra, «töre devrimi» başlıyordu. Kızlar, kızlarla oğlanların birlikte yetiştirildikleri, kadınların spor yaptığı, tiyatroya ve toplantılara peçesiz gittiği ve genel olarak çağdaş yaşamın her yanına katıldığı ülkeler bulunduğunu öğrendiler.

Bu cinsel siyaset hareketi genişledi. Babalar, erkek kardeşler ve kocalar Birlik'te olup bitenleri öğrendikleri zaman, çıkarlarının tehlikeye düştüğünü anladılar. Birlik'in kötü bir yer olduğu söylentisini yaydılar. Bunun üzerine, kadınların Birlik'e gitmesi tehlikeli bir hal aldı. Yine Olden'in dediğine göre, Birlik'e giden kızlara yolda kovayla kaynar sular atıldı, üzerlerine azgın köpekler salındı. Üstüne üstlük, hem de 1923'te, halkın karşısına ya da spora kolları bacakları açık çıkan kızlar ölümle korkutuldu. Bu koşullarda, en yiğit kadınların bile evlilikdışı sevgi ilişkisi kurmayı akıllarından geçirmemelerini anlamak son derece kolay elbet. Bütün bunlara karşın, dişi gençliğin özgürlüğe kavuşması için bile bile kavgaya giren kızlar çıktı. Pek çok acı çektiler. Böyleleri kısa zamanda tanınıyor, ya sürgüne gönderiliyor, ya da sokak yosmasından daha aşağı sayılıyor, bu yüzden evlenmeyi akıllarına bile getirmiyorlardı.

1928'de, yirmi yaşındaki bir genç kız, Zarial Haliliva evden kaçtı, kadınların özgürlüğe kavuşmaları için yapılan toplantılara katılmaya başladı; toplantılara peçesiz gidiyor, denize girerken de mayo giyiyordu. Babasıyla erkek kardeşleri aralarında bir mahkeme kurdular, kızı ölüme mahkûm ettiler ve yatırıp kıtır kıtır kestiler. Bu dediğim, 1928'de, devrimden on bir yıl sonra oluyordu. Zarial'ın öldürülmesi, kadınların giriştiği cinsel siyaset hareketini büyük ölçüde etkiledi.

Cesedi anasının babasının elinden alındı. Kadınlar Birliği'nde halka gösterildi, başında kızlarla oğlanlar nöbet tuttu. Kadınlarla kızlar akın akın Birlik'e koştular. Kızı öldürenler idam edildi ve söylendiğine göre, ondan sonra babalarla erkek kardeşler kadınlarla gençlerin özgürlüğe kavuşma girişimlerine bu gibi yollarla karşı çıkma yürekliliğini gösteremediler.

Olden, bu olayları genel bir kafa eğitimi (kültür) devrimi diye anlatır. Oysa yapılan şey, kızlarla kadınları kafa eğitimi alanında da bilinçlenmeye götüren belli bir cinsel devrimdir. 1933'te, üniversitelerde 1044 kız öğrenci, bölgede çalışan 300 ebe ve kadınlarla kızların kurduğu 150 dernek vardı. Bir sürü kadın yazar ve gazeteci yetişti. Kadınlar şimdi mühendislik, hekimlik ve pilotluk yapıyorlar; Yüksek Mahkeme başkanı kadındır. Devrimci gençlik, yaşama hakkını elde etmiştir.

2 — GENÇLİK TOPLULUKLARI

Gençlerin kurdukları ortaklaşmacı topluluklar giriştikleri cinsel devrimin oynadığı rolü özellikle göstermektedir. Bu topluluklar, gençler arasında ortaklaşa yaşamanın gösterdiği ilerlemenin ilk doğal belirtileri oldular. Yaşlı kişi-

lerden oluşmuş bir topluluk, hemencecik, tepkilerin ve alış-
kanlıkların katılığından gelen güçlüklerle karşılaşır. Genç-
lerdeyse, hele erginlik çağında, her şey akıcıdır, bilinçaltı-
na itmeler daha katı yapılar haline gelmemiştir. Dolayı-
sıyla, gençlik toplulukları başarıya ulaşmaya adaydı ve
toplu yaşayışın sağladığı ilerlemeye kanıt olabilecekti. Peki,
bu gençlik topluluklarındaki devrimci yaşamın gerçek yü-
zü ne oldu acaba? Hangi etkenler önledi söz konusu ilerle-
meyi?

Gençliğin siyasal örgütlenmesiyle iktisadî rahatlığının
yönetimin başlıca düşünceleri olmaları gerektiği daha dev-
rimin başlarında kabul edildi. Ama bunun yetmeyeceği de
anlaşıldı. Bukarin, başlıca kaygılarını şöyle dile getirme-
ye çalıştı: «Gençliğin romantizme gereksinimi var.» Emek-
çi gençlik hareketi içsavaştan sonra hızını yitirince ve dev-
rimci olaylar yerlerini ülkeyi yeniden kurmak için gerçek-
leştirilmesi gereken daha az romantik, daha çok emek is-
teyen işlere bırakınca, bu kavrama ihtiyaç belirdi. V. KOM-
SOMOL Toplantısı'nda, yöneticiler: «Yalnız beyinlere ses-
lenemeyiz, çünkü insanların bir şeyi anlamazdan önce,
hissetmeleri gerekir» dediler. «Devrimin bütün romantik
araç ve gereçleri gençliğin eğitilmesinde kullanılmalıdır:
devrim öncesi yeraltı çalışması, içsavaş, Çeka, işçilerin ve
Kızıl Ordu'nun kavga ve başarıları, buluşlar ve yurt dışın-
daki savaşlar eğitim konusu olmalıdır.» Her şeyden önce,
dediler, toplumcu ülkünün «coşturucu bir biçimde» yer
alacağı bir edebiyat yaratılmalı; insanın doğayla savaşı,
işçilerin yiğitliği ve topluma koşulsuz bağlanmaları gök-
lere çıkarılmalıdır. Başka bir deyişle, gençliğin coşkusu
ahlâkî ülkülerle uyandırılıp ayakta tutulacaktı. Gerici dü-
şünce ve ülkülerin yerini devrimci düşünce ve ülküler al-
malıydı.

Gerçekte bunun anlamı şuydu: Geleneksel gençlik, iç-
lerindeki heyecan verici öğelerden ötürü polis roman-
larını sever. Şimdiyse, geleneksel içerikli polis romanının
yerine devrimci içerikli olanı geçirebiliriz; örneğin, bir suç-
lunun polis hafiyesi tarafından izlenmesini beyaz ırktan

bir casusun G.P.U. (Rus Siyasal Polis Örgütü) tarafından izlenmesiyle değiştirebiliriz. Ama genç okurun yaşadığı deney aynı kalır: korku, merak ve gerilimden oluşmuş bir yaşantıdır bu, doyurulmamaya mahkûm edilmiş, baskı altına alınmış cinsel enerjiye bağlı eziyetçi hayallerin doğmasına yol açar. Çünkü ruhsal yapının oluşumu, *yaşanan şeyin içeriğine değil, o sıradaki bitkisel uyarılmaların niteliğine bağlıdır.* Anlatılan ister Ali Baba ve Kırk Haramiler, ister beyaz casusların kurşuna dizilmesi olsun, bir korku öyküsü hep aynı etkiyi yaratır; okurun önüne getirilen, kırk haraminin ya da kırk karşı-devrimcinin kafalarının uçurulması değil, insanın tüylerini diken diken eden havadır.

Devrimci hareketin amacı kendi düşüncelerini halka zorla benimsetmek, inandırmak olsaydı, ahlâkî bir ülkünün yerine başka birini getirmek yeterdi. Ama eğer amacı aynı zamanda insanın yapısını değiştirmek, *bireyleri bağımsız düşünüp eylemde bulunabilir hale getirmek,* kölece yapıyı yoketmek idiyse, kırk yıllık Sherlock Holmes'in yerine Kızıl Sherlock Holmes'i geçirmek ya da geleneksel romantizmi devrimci romantizmle aşmaya çalışmak yetmezdi. Oysa, V. Ulusal Toplantı'da alınan kararlar «gençliği etkileyebilmek için meşaleli, bayraklı geçit törenlerinin, halka açık konserlerin elden geldiğince çok kullanılmaları gerektiğini» belirtiyordu. Böyle bir şey gerçekten gerekliydi belki; ama bu, *eski* düşünsel etkileme ve coşku biçimlerinin bir kez daha kullanılmasından başka bir şey değildi. Aynı yöntemler Hitler Almanya'sında büyük başarıyla kullanıldı ve Hitler gençliği Nazi dâvasına Komsomol'dan (Sovyet Gençliğinden) daha az bir coşku ve bağlılık göstermedi. Ama temel ayrım şuydu: Hitler gençliği, yarı-tanrı bir Führer'e körü körüne, koşulsuz bağlanıp onun sözünü dinleyeceğine yemin etmektedir ve kendine özgü yasalarıyla özerk bir yaşam yaratma düşüncesi aklının köşesinden geçmemektedir; buna karşılık, Komsomol'un görevi bütün emekçi gençler için yepyeni, gençliğin gereksinimleriyle orantılı bir yaşam yaratmaktı; gençliği buyurganlığa düşman, bağımsız, işinden zevk alabilen, cinsel doyuma erebilen, belli bir dâvaya körü körüne değil, özgür seçmeyle bağlanan bir gençlik haline getirmekti. Bu gençlik soyut bir «toplumculuk» ülküsü için savaşmadığını, *toplumsal amacın kendi özerk yaşamının gerçekleştirilmesi olduğunu* öğrenmeliydi. Buyurgan toplumun başlıca özelliği, gençliğin bu toplumda kendine özgü bir yaşamı bulunduğunun bilincine varmayışıdır; dolayısıyla, gençler ya hüzünlü bir yaşamı bitki gibi sürdürürler, ya da *körü körüne* bel bağlarlar. Devrimci gençlikse, gereksinimlerinin bilincine vardığı için, en güçlü ve sürekli coşkuyu: *yaşama sevinci*'ni geliştirir. Oysa, «genç» ve «bağımsız» olmak, cinsel yaşamın olumlanmasını gerektirir. Sovyet Devlet'i ya gücünü çileci özveriye dayandırmak, ya da cinsel yaşamın olumlanmasıyla elde edilen yaşama sevinci üzerine oturtmak zorundaydı. Gençlik, uzun bir zaman dilimi içersinde, devrime ancak yaşamın olumlanmasıyla inandırılabilir, düşünsel yapısı toplumculuğa doğru ancak bu olumlamanın yardımıyla değiştirilebilirdi.

Komsomol'un 1925'te bir milyon, 1927'de iki, 1931'de beş, 1932'deyse aşağı yukarı altı milyon üyesi vardı. İşçi gençliğin örgütlenmesi de aynı başarıya ulaşmıştı. Peki, ikinci ulusal gençlik toplantısının istediği şey olmuş, bu gençlerin ruhsal yapısı «tam bağımsızlık»a doğru değiştirilmiş miydi acaba? O günlerde, Komsomol'da, köy gençliğinin yalnız % 15'i vardı; tarımsal ortaklıklarda yaşayan ve kolayca erişilebilecek beş yüz bin genç köylünün yalnız % 25'i Komsomol'a üyeydi. Neden geri kalan % 75 örgütlenmemişti? Gençlik örgütler tarafından ancak, bu örgütler gençlerin cinsel ve maddî gereksinimlerini anladığı, onları dile getirip gidermeye çalıştığı oranda etkilenebilir. Yani yaşama biçimleri ancak *yeni* yaşama içeriklerinden çıkabilir, yeni içeriklerinse yeni biçimler almaları gerekir. Cinsel yaşamları ayrı olduğundan, köylü gençlikte ruhsal yapı değişikliğinin işçi gençliğininkinden başka bir görünüş alması gereklidir.

a) Sorokin Topluluğu

. Devrimci dönüşümler sırasında, yeni toplumsal biçimlerin geliştiği görüldü; bunlar, o geçiş dönemine özgü olsalar bile, ilerde kurulacak toplumsal düzenin tohumları sayılamaz. Şimdi bu özellikleri, ünlü «Sorokin Topluluğu» örneğinde inceleyelim.

Sorokin topluluğu, kadın-düşmanı, eşcinsel bağlar üzerine kurulmuş, yapısı *pek de* ortaklaşmacı olmayan, buyurgan topluluk biçiminin ana örneğidir.

Sorokin, Kuzey Kafkas azınlığından gelme genç bir işçiydi. Büyük Sovyet otomobil fabrikası «Avtostroy»un kurulmakta olduğunu işitti ve gidip orada çalışmaya karar verdi. Yakınlarındaki kentte uygulayım (teknik) dersleri aldı, bir küme öğrenciyi toplayıp örgütledi. Derslerin sonunda, Sorokin'in coşkusuna kapılan yirmi iki diplomalı genç, 18 Mayıs 1930'da Avtostroy'a gitti. Bu yirmi iki genç işçi, Sorokin'in başkanlığında, bir çalışma topluluğu kurdu. Ücretlerini ve bütçelerini birleştirdiler. Üyelerinin hiçbiri yirmi iki yaşından büyük olmadığı için, tam bir gençlik topluluğuydu bu. On sekizi Komsomol'a, biri Parti'ye üyeydi, üçüyse hiçbir örgüte bağlı değildi.

Gençliğe özgü coşkunlukları, özençleri ve taşkın etkinlikleri kısa zamanda öteki işçileri sinirlendirdi. Fabrika yöneticisi de, dileklerine uyup hepsini aynı yerde bırakmayıp sağda solda çalıştırarak onları canlarından bezdirdi. Ama Sorokin, yöneticiyi değiştirtmeyi başardı. Yerine gelen adam, topluluğa karşı daha anlayışlıydı. Yirmi iki genç, kalkınma tasarısına göre % 70 gecikmesi bulunan son derece güç bir işe, bir bataklığın akaçlanmasına (tefcirine-drainage'ına) girişti. İçlerinde topluluğun biricik kadını da olmak üzere, dört ortaklaşmacı, iş çok ağır olduğu için, alıp başını gitti. Geri kalan on sekiz kişi çılgınlar gibi çalışıyordu. Çok sert bir sıkıdüzene (disipline) girdiler. İşi iki saat aksatanı topluluktan çıkarma kararı almışlardı; çok sevdikleri halde, bu kusuru işleyen bir arkadaşlarını acımadan attılar.

İş, kısa bir süre sonra, tasarlananın % 100 ilersine geçti. Sorokin topluluğunun ünü, kuruluşun en ıssız köşelerine dek yayıldı. Ondan sonra, düzenli olarak, en zor görevlere atandılar. Her yerde işçilere örnek oldular. Kimi zaman, günde yirmi saat çalışıyorlardı. İki çadır edindiler, bunların içinde yaşamaya başladılar. Sizin anlayacağınız, tam bir ortaklaşmacı topluluktu bu. Verdikleri örneği daha başkaları izledi. Sorokin'le arkadaşları fabrikaya geldiklerinde, 68 işçi kolu ve en ağır işlerde çalışan 1691 emekçi (udarniki) vardı: tek ortaklaşmacı topluluk bunlardı. Altı ay sonra, işçi kollarının sayısı 253'e çıkmıştı, bunun yedisi ortaklaşmacıydı. Bir yıl sonraysa, işçi kolu sayısı 339'a, udarniki'ler 7023'e, ortaklaşmacı topluluklar da 13'e yükselmişti. Sorokin'e Kızıl Bayrak nişanı verildi.

Bu ortaklaşmacılar insanın aklına, Almanya'daki Kızıl Cephe birliklerinin ortaklaşmacı kümelerini getiriyor. Kadınların topluluktan çıkarılması onları, ilerde kurulacak demokratik ortak yaşayışın ilk örneği saymamızı önlemeye yeter. Yapıları, sıradan bireye aykırıdır; üyelerinin kendi kendilerine uyguladıkları zorunluluklar hiç kuşkusuz yiğitçedir ve geçiş dönemlerindeki çetin kavgalara gereklidir, ama geleceğe dönük değildirler. Varlığını amansız bir gerekliliğe ve karşılıklı alışmaya borçlu toplulukla, yaşamın temel gereksinimlerinin karşılanmasına dayalı topluluğu birbirinden ayırmak gerekir. Sovyetler Birliği'ndeki bir sürü ortaklaşmacı topluluğun gelişmesinde işte bu geçiş dönemine özgü olma niteliği ağır basar: kökeninde, fabrika ve ordudaki ortak çalışma ve ortak güçlükler vardır; ilkel yaşama biçimi, bireysel ayrılıkları yoketmektedir. İş toplulukları, ancak ortak yaşayış eklendikten sonra ortaklaşma haline geldi.

Ama böyle bir ortak yaşayış henüz tam bir ortaklaşma sayılamaz, çünkü ücretlerin ancak bir kesimi ortak bütçeye katılmaktadır.

Tam ortaklaşmacılık, «en yüce yaşama biçimi» sayılmaktaydı. Bu ortak yaşayışın gelişmesi, yapısal ve kişisel sorunların yanlış değerlendirilmesinin insanları zorlayıcı ve buyurgan bir örgütlenmeye götürdüğünü gösterdi. İşte size bir örnek:

Moskova Devlet Kitaplığı'nda, ayakkabıların, hattâ iç çamaşırlarının bile ortak olduğu tam bir ortaklaşmacılık vardı. Ortaklaşmacılardan biri kendi iç çamaşırını giyerse, buna «küçük-kentsoyluluk» gözüyle bakılıyordu. Kişisel yaşam diye bir şey yoktu. Ortaklaşmacılardan biriyle ötekilerden daha yakın ilişki kurmak yasaktı. Sevgi yasadışıydı.

Kızlardan biri topluluktaki erkeklerden birine eğilim duydu mu, ikisi de «ortaklaşmacı ahlâkı yıkmak»la suçlanıyordu. Bu ortaklaşmacı topluluk kısa zamanda dağıldı.

Ortaklaşmacı topluluğun (commune'ün) geleceğin toplu yaşamında kurulacak «aile»ye örnek olacağı öne sürülüyorsa, bu toplulukların başarısızlığını incelemek ve anlamak büyük önem kazanır. İnsan gereksinimleriyle çelişen, her türlü buyurgan, ahlâkçı ya da ahlâkî kural, sonunda mutlaka ortaklaşmacı topluluğu yıkacaktır. Temel sorun, ortaklaşmacı topluluğun ahlâkî değil, doğal koşullar içersinde nasıl gelişeceğini bilmektedir. İnsanın ruhsal yapısıyla yaşama biçimleri arasındaki çatışkı, zaman zaman, çok gülünç durumlara yol açtı. Kimi ortaklaşmacı topluluklar, üyelerinin zamanını dakikası dakikasına düzenlemeye dek vardırdılar işi. AMO fabrikasında kurulan ortaklaşmacı topluluk, ortakların zaman dizelgesi konusunda şu rakamları vermiştir:

1. Fabrikadaki çalışma .... 6 s, 31 dk.
2. Uyku .... 7 s, 35 dk.
3. Ders .... 3 s, 1 dk.
4. Yemek .... 1 s, 24 dk.
5. Siyasal etkinlik .... 53 dk.
6. Okuma .... 51 dk.
7. Eğlence (sinema, klüp, gezinti, vb.) ...... 57 dk.
8. Ev işi .... 27 dk.
9. Ziyaret .... 25 dk.
10. Sağlık bakımı .... 24 dk.
11. Boş vakit .... 1 s, 32 dk.

Sayılama hastalığı sayıklamasıdır bu. Böyle görüngüler düpedüz hastalıklıdır, ortaklaşmacıları her yönden başkaldırmaya zorlaması gereken, görevi yaşamın temeli sayma saplantısının açık belirtisidir. Bu olgulardan çıkarılacak sonuç, Mehnert'in[1] sandığı gibi, ortak yaşamın olanaksızlığı değil, insanın yapısıyla uyuşacak bir ortaklaşmacı yaşama biçiminin bulunması gerektiğidir. Ortaklaşmacıların yapısı, düşüncesi ve etkinliği toplu yaşama biçimiyle çatıştıkça, toplumsal zorlama ahlâkî bilinç ve zorunluluk halinde ağır basacaktır. İnsan yapısıyla yaşama biçimleri arasındaki boşluğun zorlamayla değil, örgensel olarak doldurulması gerekir.

b) Suçlular için kurulan Bolşevo ortaklaşmacı topluluğu

Bu, suçluların tam bir özgürlük içinde yeniden eğitilmeleri ilkesi uyarınca, 1924'te, G.P.U.'nun (Siyasal Polis Örgütü'nün) yöneticisi Dzerjinski'nin önerisiyle kurulan ilk çalışma ortaklaşmacılığıydı. En önemli sorun, bir örgüt biçimi bulmaktı. Topluluğun iki kurucusu, Moskova'daki Butirki hapishanesindeki tutuklularla görüştüler. Burada ufak aşırmalardan, hırsızlıktan ve serserilikten hapse atılmış gençler vardı. G.P.U.'nun gençlere önerisi şuydu: sizlere, kendinizi eğitmek ve Sovyetler Birliği'nin kurulmasına katkıda bulunmak üzere bir fırsat ve özgürlük veriyoruz; burdan gitmek, ortaklaşmacı bir topluluk kurmak ister misiniz? Hükümlüler, kuşkuluydular; G.P.U.'ya güvenemiyorlardı: kendilerini önce tutuklamış, şimdi de özgürlük vermeye kalkıyordu. Bunun altında bir oyunun yatmasından korkuyorlardı, ilkin hayır dediler. Derken bir evrim oldu, kaçıp eski suçlu yaşamlarına devam edebilmek için gidip her şeyi yerinde görmeye karar verdiler. Sonunda, içlerinden on beşi topluluğa katılmayı kararlaş-

_____
[1] Klaus Mehnert, *Die Jugend in Sowjetrussland.* Berlin. S. Fisher Verlag 1932.

tırdı. Katılmayı kabul eden öbür gençlerin adlarını yazdılar, bağlantı kurmak üzere başka tutukevlerine elçi gönderdiler. Kısa zamanda sayıları bine ulaştı.

Yapılacak işe gelince, bölge halkı için ayakkabı çıkaracak bir fabrika kurma kararı alındı. Gençler her şeyi kendileri düzenlediler. Çalışma, ev işi ve eğitim toplulukları kurdular. En düşük ücret on iki rubleydi. Bölge halkı, kendilerini ürküten bu suçlular topluluğuna karşı çıktı; imza toplayıp Hükümet'e gönderdiler. Zamanla bu tutum değişti. Köylülerle işçilerin gelebildikleri bir kulüp ve tiyatro kuruldu; birkaç yıl içinde, suçlularla halk arasındaki ilintiler öylesine iyileşti ki, delikanlılar çevre köy ve kentlerinin kızlarıyla arkadaşlığa başladılar.

İş genişledi: 1929'da, günde 400 çift ayakkabı, 1000 çift paten ve giysi yapılıyordu. İlk işe giren 18 ruble, eskilerse 130 ruble kazanıyordu. Emekçiler, bakım ve giyim için 35-40 ruble ödüyordu. Ücretin % 2'si öğretim için kesiliyordu. İşe yeni başlayanlar, 18 rublelik kazançlarıyla bu yükün altından kalkamadıkları için, tam ücret alana dek borçlanarak yaşıyorlardı. Bütün Sovyet fabrikalarındaki özerk yönetim burada da vardı.

Art arda bir kitaplığın, bir satranç odasının, bir sanat galerisinin ve sinemanın kurulduğu görüldü, hepsini ortaklaşmacılar kendileri işletiyorlardı. Ayrıca, uyuşmazlık kurulları vardı: içlerinden biri işe gelmedi ya da geç kaldı mı, herkesin gözü önünde azarlanıyordu; aynı şeyi bir daha yaparsa, para cezası kesiliyordu. Daha ciddî durumlardaysa, suçlu iki üç gün tutuklanıyordu: Moskova'daki hapishanenin adresi veriliyor, delikanlı yanına kimse katılmadan oraya gidiyor, cezasını çekip geri geliyordu.

İlk üç yıl, 320 delikanlıya karşılık, 30 da kız vardı aralarında. Oğlanlar çevredeki kızlarla ilişki kurduğundan, kızlarla delikanlılar arasında gözle görülür cinsel güçlükler doğmadı. Topluluğun başkanı bana, ortaklaşmacıların cinsel sorunları tartıştıklarını ve pek az aşırılığa rastlandığını söyledi. Bütünüyle doyuma erme olanağı bulunduğundan, cinsel yaşam kendiliğinden düzene giriyordu.

«Bolşevo» ortaklaşmacı topluluğu, suçlu gençlerin kendi kendini yönetme ve buyurgan ruhsal yapının değiştirilmesi ilkesine uygun bir biçimde eğitilmelerinin ilk örneğiydi. Yazık ki, bu topluluklar ender örnekler olarak kaldı, 1935'te elimize geçen durum bildirilerinin de gösterdiği gibi, oralarda uygulanan ilke sonraki yıllarda yüzüstü bırakıldı.

1935'te, buyurgan yöntemlere genel dönüşün epey yol almış durumda olduğunu anımsamak gerekir.

c) Yeni yaşama biçimleri arayan gençlik

N.E.P.'nin (Yeni İktisadî Siyaset'in) yardımıyla iktisadî yaşamın düzelmeye başladığı dönemde, özel ortaklaşmacı topluluklar önemli bir rol oynamaktaydı. Gençliğin, ortaklaşmacılığa özgü ortak yaşama biçimini toplu konutlarda sınaması gerekiyordu. Mehnert, bu girişimin sonradan ikinci plana atıldığını söyler. 1932'de: «Sonradan daha alçakgönüllü olundu, diye yazar; ülkenin bütünü daha ancak N.E.P.'nin dökümünü çıkarmaya uğraştığı ve toplumculuğun ilk aşamalarında bulunduğu dönemde, küçük adacıklar halinde, toplumculuğun en son aşaması olan ortaklaşmacılığı yaşamaya kalkışmanın akla aykırı olduğu açıkça kabul ediliyor. Ortaklaşmacı bucakların kurulması, ilk başlarda, ivedi bir önlemdi, bugün artık onlara gerek yoktur.»

Bu açıklama insanı doyurmaz. 1925'lere doğru gençlik bucaklarının kurulması belki gerçekten zamansızdı. Ama asıl sorun, bunların neden başarısızlığa uğradığını bilmektedir.

Bugüne kadarki Sovyet gelişmesinin başlıca özelliği, yeni yaşama biçimleriyle eskiler arasındaki amansız savaş olmuştur. Bu çatışmanın sonucu, Rus devrimini çok kesin bir biçimde etkileyecektir. Gençlerin kurduğu ortaklaşmacı topluluklar genel sorunun ancak bir yanıdır. Bunların kurulmasının «ivedi bir önlem» olduğu söylenemez; karşılaşılan şey, daha çok, gençlik açısından büyük anlam taşıyan, ciddi bir ilerlemeydi, ve bu girişim, şimdiye dek açıklanamayan nedenlerden ötürü başarısızlığa uğradı. Eski düzenin duruma el koymasından sonra yeni düzen yaşayamazdı elbet. Oysa, Sovyetler Birliği'nde toplumculuğun «kesinlik kazanmış bir olgu» olduğu öne sürüldü.

Mehnert'in kitabından alınmış birkaç ortaklaşmacı topluluk günlüğü örneği verelim :

Özellikle Moskova gibi büyük kentlerde müthiş kıtlık çekilen 1924 kışıdır. Ortaklaşa yaşanan açlık, yokluk ve konut darlığı sıkıntısı insanları birbirine yaklaştırmaktadır. Nerdeyse okulu bırakmak üzere olan birkaç dost, eve dönüp yaşamaya dayanamayacakları için, yeni bir aile, bir ortaklaşmacı topluluk kurup yaşamaya karar verirler. Uzun süre aradıktan sonra, eski bir evin ikinci katında birkaç oda bulurlar. Birinci katta bir Çinli tarafından işletilen bir çamaşırcı dükkânı vardır, sabahın ikisiyle altısı arasında kalan saatların dışında, döşemedeki aralıklardan sürekli buhar gelmektedir. Ama bunun hiç önemi yoktur; gençler, başlarını sokacak bir dam buldukları için mutludurlar.

1925 Nisan'ında eve taşınırlar. Dairede iki yatak odası, «kulüp» adını verdikleri bir oturma odası, bir de mutfak vardır; ev eşyası olaraksa yataklar, iki masa, iki sıra. Beşi kız, beşi oğlan, on kişi yeni bir yaşam kurmaya hazırlanmaktadır.

Ortak yaşama özenen bu gençler kısa bir süre sonra kendilerini dışardaki işlerine öylesine kaptırırlar ki, eve çekidüzen vermeyi aksatırlar. Günce'de şunları okuruz :

«28 Ekim. — Ev işini görecek arkadaş uyuyakaldı: sabah kahvaltısı yok. Ev temizlenmedi. Akşam yemeğinden sonra, bulaşık yıkanmadı (zaten su yoktu).

29 Ekim. — Yine sabah kahvaltısı yok. Akşam yemeği de. Bulaşık da yıkanmadı. Mutfak ve hamam temizlenmedi. Her yan bir parmak tozla kaplı. Kapı sürmelenmedi, iki yatak odasında da ışık sabaha kadar yanık kaldı. Fotoğraf meraklısı arkadaşımız, bütün kuralları çiğneyerek, sabahın ikisinde resim bastı.

30 Ekim. — Yatak odalarından işe başladık: her şey yerlerde, pencere içlerinde, iskemlelerde, yatakların altında ve üstünde. Kulüp'te, gazeteler, mürekkep hokkaları, divitler, mektuplar dört bir yana saçılmış. Masanın üstünde müthiş bir karışıklık. Mutfakta, bulaşıklar temiz kap kacaktan daha çok, temiz bir şey kalmamış gibi. Bulaşık dolabı tıkabasa dolu. Musluk tıkanmış. Erzak odası savaş yerini andırıyor. Topluluk üyeleri gevşek, cansız, hattâ kimisi yaşamından hoşnut. Bu gidişle yeni bir yaşam kurabilir miyiz?»

Birkaç gün sonra, ev işini görecek bir kadın tutma konusu tartışılır. Peki ama, bu başka birini sömürmek olmayacak mıydı? Uzun tartışmalardan sonra şu sonuca varılır: «Herkes, her an, parayla birilerine iş yaptırmakta; çamaşırlarını çamaşırcıya vermekte, eve temizlikçi getirmekte, falan. Eve hizmetçi kadın tutmak, bütün bu işleri tek bir insanda toplamaktan başka bir şey değildir.» Böylece Akulina hizmetçi olarak topluluğa katılır, eve belli bir düzen ve temizlik gelir.

Bununla birlikte, ilk yılın günlüğü daha çok üzücü bir tablo çizer. «Yaşanan çetin günler, sonunda herkesi sinirli, parlayıcı yaptı.» Üyelerden dördü ayrılır: bunlardan biri, toplulukta sağlığını yitirdiğini söyleyen bir genç kız; öbürü, oğlanların çekilmez olduğunu öne süren başka bir kızdır; üçüncü kız evlenmiş, kocasının evine taşınmıştır; delikanlılardan biri de, kazandığının bir bölümünü kendine ayırdığı için topluluktan çıkarılır. Geriye iki kız, dört oğlan kalır. Yaz aylarında topluluğa yeni insanlar katılır, beşi kız altısı oğlan olmak üzere, sayıları on biri bulur, yaşları yirmi iki, yirmi üçtür, çoğu üniversite öğrencisidir. Kurucu üyelerden yalnız dördü kalmıştır.

En küçük bir sorun bile, bütün topluluk tarafından tartışılmaktadır. Günlük yaşamın her bölümü için ayrı bir «kurul» vardır: harcama kurulu, giysi kurulu, sağlık işleriyle, sabun, diş macunu falan gibi şeylerin sağlanmasıyla görevli sağlık kurulu, vb. Demek ki, topluluk örgütlenme konusunda, Devlet'in yürütme organına benzemiş, hükümet gibi çeşitli «kurullar»a ayrılmıştır.

Derken, anlık maddî gereksinimlere değil, yapısal cinsel sıkıntıya bağlı temel güçlükler ortaya çıkar. Bunlar, «bencillik», «bireycilik» ve «küçük-kentsoylu atacılığı» biçiminde dışa vurmakta, topluluğun ortaklaşmacı havasıyla çelişmektedir. Bu kırk yıllık «kötü alışkanlıkları» ahlâkî bir sıkıdüzenle yoketmeye çalışırlar. «Bencilliğe» karşı bir ülkü, «toplu yaşama» adı verilen ahlâkî ilke bulunur. Sözün kısası, ahlâkî, hattâ buyurgan önlemlerle, kendi kendini yönetmeyi ve isteğe bağlı sıkıdüzeni ilke kabul eden bir örgüt kurmak istenir. Peki, nerden geliyordu bu iç sıkıdüzen eksikliği? *Ortaklaşmacı bir topluluk, kendi kendini yönetme ilkesi ile buyurgan sıkıdüzen arasındaki çatışkıya uzun süre dayanabilir miydi?*

Bir topluluğun kendi kendini yönetmesi akıl sağlığını, buysa, doyumlu bir sevisel yaşamın bütün iç ve dış koşullarının sağlanmasını gerektirir. Kendi kendini yönetme ile buyurgan sıkıdüzen arasındaki çatışkının kökü, ortak yaşama arzusuyla böyle yaşamaya uygun olmayan ruhsal yapı arasındaki çatışkıdaydı: *gençler, cinsel yaşamın koşullarını düzenlemeye sıra gelince, başarısızlığa uğradılar.* Topluluk, baba ocağından ve aile yaşamından bıkmış gençlere *yeni* bir yuva sağlayacaktı. Ama bu gençlerin içinde hem bir aile *düşmanlığı,* hem de bir aile *özlemi* vardı. Ev işi falan gibi ufacık sorunlar, cinsel ilişkilerdeki karışıklıktan ötürü çözülemez hale geldiler.

Ortak yaşama katılanlar, başlangıçta, çok doğru zorunluluklar dile getirdiler. Bununla ne demek istediklerini açıkça belirtmeseler de, ilişkilerin «dostça» olması gerektiğine parmak bastılar. Ortak evin manastır, ortaklaşmacıların da çileci olmadığını belirttiler. Topluluğun tüzüğü bu konuda şöyle diyordu :

«Cinsel ilişkilerin sınırlandırılmaması görüşündeyiz. Cinsel yaşama içtenlik egemen olmalıdır; bu konuya gereken bilinç ve ciddîlikle eğilmeliyiz. Yoksa, bir gizlenme, köşe bucak arama, oynaşma gibi hoşa gitmeyecek arzular belirecektir.»

Topluluk üyeleri, şu birkaç cümlede, cinsel tutumbilimin temel ilkesini içgüdüyle yakalıyorlardı: cinsel ilişkilerin kısıtlanması, cinsel yaşamı gizli kapaklılığa itmekte, düzenini bozmaktadır. Topluluktaki üyeleri, bu ortaklaşmacı ilkeye uygun yaşayabilmelerini sağlayacak eğitimi almış mıydılar, cinsel yaşamlarının yeterince bilincinde miydiler, sağlıklı mıydılar? Değildiler.

İnsanın ruhsal (zihinsel) yapısı denen güç sorunun öyle boş lflarla, ahlâkî zorunluluklarla çözülemeyeceği kısa zamanda ortaya çıktı. Bir çiftin yalnız kalma, sevişirken rahatsız edilmeme arzusunun «arkadaşlık»a aykırı olmadığı anlaşıldı.

Ortaklaşmacı topluluk, hangi toplumsal kategoryadan olurlarsa olsunlar, bütün ülkelerdeki gençlerin karşılaştığı geleneksel sorunla yüz yüze geldi: *bağımsız oda eksikliği*. Evdeki bütün odalar tıklım tıklımdı. Nerde sevişeceklerdi rahatsız edilmeden?

Topluluk kurulurken, hiç kimsenin aklına, cinsel yaşamın doğuracağı sayısız sorun gelmemişti. Bu sorunlar öyle ahlâkî yönetmelikler ya da sıkıdüzenle falan çözülemezdi. Bununla birlikte, soruna kesin bir çözüm bulabilmek için, yönetmelikte bir değişiklik yapıldı: «*Ortaklaşmacılığın ilk beş yılı içersinde topluluk üyeleri arasında cinsel ilişki kurulmamalıdır.*»

Tutulan günce, bu ilkeye iki yıl uyulduğunu öne sürüyor.

Gençliğin cinsel yaşamı konusunda bildiklerimize dayanarak söyleyebiliriz ki, böyle bir şey olanaksızdır: cinsel ilişkiler, hiç kuşkusuz, «denetim kurulu»nun denetimi dışında, gizli kapaklıydı. Buysa, işin içine eski gerici dünyayı sokuyordu azıcık; topluluğun en başta gelen, en iyi ilkesi, cinsel konuda içtenlik ve yalınlıktan ayrılmama ilkesi çiğnenmiş oluyordu.

d) Aileyle ortaklaşmacı topluluk arasındaki aşılmaz çelişki

Topluluğun yaşamındaki güçlükler, erkeklerin çorap onarımına katılıp katılmamaları sorunundan gelmiyordu; asıl sorun cinsel yaşamla ilgiliydi. Dert, cinsel sorunların bir yandan yeni ve devrimci, öte yandansa korkak ve gergin bir biçimde ele alınışından doğuyordu. Bu çatışkılar, şu sonuca varılmasını sağladı: *aile ile ortaklaşmacı topluluk birbirleriyle bağdaşamayacak örgütlerdir.*

1928 yılı başlarında, sorun olanca keskinliğiyle kendini gösterdi. Ortaklaşmacı Vladimir, bir toplantı yapılmasını istedi ve aralarında şu tartışma geçti,

VLADİMİR : Katya'yla ben evlenmeye karar verdik. Başka bir yerde yaşamayı aklımızın köşesinden geçirmediğimiz için, toplulukta kalacağız..

KATYA : Ben de topluluğa üye olmak istiyorum.

SEMYON : Katya hangi sıfatla üye olmak istiyor? Vladimir'in karısı olarak mı, yoksa Katya olarak mı? Yargımız buna bağlı.

KATYA : Nicedir topluluğa katılmak istiyordum, üye olmak arzusundayım.

SERGEY : Ben kabul ediyorum. Katya üyeliğe adaylığını, Vladimir'le evliliğinin dışında koysaydı, evet demezden önce iki kez düşünürdüm. Ama şimdi yalnız Katya değil, ortaklarımızdan biri söz konusu; bunu unutmayalım.

LELYA : Üyelerden birinin eşidir diye üye alınmasına karşıyım. Her şeyden önce, *bu yoldan kurulan ailenin topluluğa katılıp katılamayacağını araştırmalıyız.* Mizacı ortak yaşama uygun olduğu için, Katya'nın bu konuda özel nitelikleri bulunduğu kanısındayım.

MİŞA : Topluluk bunalım içersindedir. *Evlilik, topluluğun içinde ayrı bir küme yaratacak ve ortaklaşmacılığın birliğini sarsacaktır.* Dolayısıyla ben, Katya'nın üyeliğine karşıyım.

LELYA : Katya'yı kabul etmezsek, Vladimir'i yitireceğiz. Zaten şimdiden yitirdik sayılır, hemen hiç aramızda değil. Onun için ben olumlu oy veriyorum.

KATYA: Durumumu «hafifletici nedenler» olmadan ele almanızı dilerim; ortaklaşmacılardan birinin karısı gibi değil, kendi adıma üye olmak istiyorum.

Yargı : Katya üyeliğe kabul edilmiştir.

Kızların odasına yeni bir yatak eklenir. Ne tutulan güncede, ne de Mehnert'in kitabında topluluk üyelerinin cinsel yaşamıyla ilgili somut veriler var. Topluluktan birinin evliliği sorunu kuramsal olarak çözülmüş, güçlükler sonradan ortaya çıkmıştır. Uzun tartışmalardan sonra, odaların kalabalıklığından ve parasızlıktan ötürü, çocuk istenmediği yargısına varılır; doğan çocuklar, üniversite öğrencilerinin evde çalışma olanağını yok edecektir. Günce'de şu satırlar var: «Topluluk içersinde evlilik kabul edilmiştir, evlenmeye izin vardır. Bununla birlikte, barınma koşulları gözönünde bulundurulduğunda, evliliğin çocuksuz kalması gereklidir. *Çocuk aldırmaya izin yoktur.*»

Bu üç cümle, Sovyetler Birliği'ndeki cinsel devrim konusunda, binlerce sayfalık resmî durum bildirisinden daha aydınlatıcıdır.

1. *Topluluk içersinde evlilik kabul edilmiştir, evlenmeye izin vardır.* Başka bir deyişle, uzun süre kararsızlık geçirildikten sonra, evlilik kabul edilmiştir; eh, her şeye karşın, bir cinsel ilişkiyi yasaklamaya hiç kimsenin gücü yetmezdi elbet. Resmî Sovyet öğretisinde evlilik *her türlü* cinsel bağlılığı kapsadığından, hiç kimsenin aklına, bir cinsel bağlılığı ayakta tutabilmek için ille de «evlenmek» gerekmediği gelmiyordu. Çocuk yapma arzusunu da içeren bir bağlılıkla, salt sevgi gereksinimine dayalı bağlılık birbirinden ayrılmıyordu. Ayrıca, geçici bağlanmayla sürekli bağlanma da öyle; ne geçici bağlanmanın sonu düşünülüyordu, ne de sürekli bir ilişkinin adım adım gelişmesi.

2. *Barınma koşulları gözönünde bulundurulduğunda, evliliğin çocuksuz kalması gereklidir.*

Topluluktaki bireyler, onlara yer bulunmadığından, çocuk yapmamak koşuluyla evlenilebileceğini anlıyorlardı.

Ama asıl sorun, cinsel ilişkilerin *nerede* gerçekleştirileceğiydi. Devrimci Alman gençlik örgütlerinde soruna bir çözüm bulunmuştu: odası olan gençler, bunu arkadaşlarına bırakıyorlardı. Böylesine ivedi olduğu halde, hiçbir Parti görevlisi bu soruna tez elden ve resmen çare arama yürekliliğini gösteremedi.

3. Çocuk aldırmaya izin yoktur

Bu cümle, bir sevgi ilişkisini kabul etme, ama çocuk aldırmaya izin vermeme konusundaki tutucu eğilimi ortaya vuruyor; dolayısıyla, kılgısal alandaki tek çözüm, cinsel perhiz oluyordu. Oysa, duruma uygun çözüm şu olmalıydı: «Yaşanacak alan dar olduğu için şimdilik çocuk kabul edemeyeceğimizden, çocuk yapmamalısınız. Sevişmek istiyorsanız, gebeliği önleyici araç ve ilâçlar kullanın, rahatsız edilmek istemediğiniz zamanı bize bildirin.»

Bu yargının ardından patlak veren tartışma, çocuk üretmeyle cinsel doyumu birbirinden ayıramayan topluluk üyelerinin kafalarındaki onulmaz karışıklığı açığa çıkardı. Üyelerin çoğu, doğal alanda haksız bir engelleme yarattığı, karışık ve zararlı olduğu gerekçesiyle bu karara karşı çıktı. Bir yıl sonra, topluluk daha geniş bir konuta kavuştu; o zaman, varılan yargı şöyle değiştirildi: «Topluluk, doğuma izin vermektedir.» Cinsel ilişkiler sorununa yine değinilmemiştir. Gerçekten devrimci olan tek şey, topluluk üyelerinin çocuklar karşısındaki tutumuydu: topluluk çocukları benimsiyor, eğitimlerini üstüne alıyordu.

Ama işte bu noktada çatışkı açıkça kendini gösteriyordu. Ortaklaşmacı topluluk, birbirlerine kan bağıyla bağlı bulunmayan kişilerden oluşmuş, eski aile biçiminin yerini alacak yeni bir «aile» biçimi haline geliyordu. Ortaklaşma, varlığını aileden gelen zorlamalara başkaldırmasına borçluydu elbet; ama aynı zamanda, aileye benzer bir topluluk içersinde yaşama arzusuna da dayanıyordu. Buysa, içinde eski aile biçimini sürdüren, yeni bir aile yaratıldığını belli ediyordu. İş epey karışıktı. Topluluk üyeleri şu çözümü benimsediler:

«Ortaklaşmacılardan biri evlenmek isterse, topluluk ona engel olmamalıdır. Tam tersine, kuracağı ailenin yaşayabilmesi için elinden geleni yapmalıdır.»

Aileyle toplu yaşayış arasındaki çatışkı: Topluluktan biri, ortaklaşmacılığa uyamayan, yabancı bir kızla evlenmeye kalktığı zaman ne yapmalı? gibi sorular karşısında iyice açığa çıktı. Ya kız gelip topluluğa katılmak istemiyorsa? Bu durumda karı koca ayrı mı yaşayacaklardı? Görüldüğü gibi, her soru başka bir soruyu ardından sürüklüyordu. Topluluk üyelerinin bilmedikleri şunlardı:

1. *Ortaklaşmacı topluluğun yeni biçimiyle, ortaklaşmacıların eski zihinsel yapıları arasında çatışkı vardı.*

2. Ortaklaşmacı topluluk, *evlilik ve aile gibi eski kurumlarla bağdaşmazdı.*

3. Toplulukta yaşayan bireylerin *ruhsal yapılarının değiştirilmesi* gerekliydi, ama onlar hem bu gerekliliği, hem de değişikliğin *nasıl* yapılacağını bilmiyorlardı.

Ortaklaşmacılar, bir kez gerçekleştirildi mi bir daha bozulmaz sayılan gerici «evlilik» kavramından kurtulamamışlardı.

Ve tam soruna çözüm bulduklarını sandıkları anda, Günce'de anlatılan şu olay ortaya çıktı:

«Vladimir artık Katya'yı sevmiyor. Bunu ona kendisi söyleyemiyor. Evlendiği zaman seviyordu, ama şimdi aralarında yalnız arkadaşlık duygusu var; buysa, sevgisiz, karı-koca olarak yaşamalarını güç ve gereksiz kılıyor.»

Sonunda boşandılar, bu da bütün topluluk üyelerini altüst etti; özellikle kızların yargıları pek sert oldu:

«Vladimir domuzun biri. Evlenmezden önce iyi düşünmeliydi. Sevgisi küçük-kentsoylu romantizmine benziyor: sevmek istediğim zaman severim, istemediğim zamansa vazgeçerim. Günümüzde bu iş şu biçime giriyor: sensiz yaşayamıyorum, evlenelim; biraz zaman geçince: artık seni sevmiyorum, yalnız dost olalım.»

Sovyet evlilik yasalarının ortaklaşmacılığa kalkışan bireylerin ruhsal yapısı üzerindeki etkisinin ne kadar gülünç olduğunu görüyoruz! Bir küçük-kentsoylunun en çok korktuğu şeye: evliliğin bozulmasına «küçük-kentsoylu» damgasını vuruyorlardı.

Oğlanlar daha anlayışlı davrandılar: «Vladimir'in Katya'yı sevdiğine kuşku yok, şimdi bu sevgi sona erdiyse, kusur onun değil», dediler. Bütün topluluk üyelerinin katıldığı toplantıda uzun uzun tartışıldı. Kimileri: «Vladimir boşanmak istemekte haklıdır, kimse onu kınayamaz. Ayrıca, onu Katya'yı sevmeye zorlayacak bir topluluk kararı da yok», dedi. Ama büyük çoğunluk: evliliği hafife aldığı, bir Sovyet Gençlik Örgütü üyesi ve ortaklaşmacıya yakışmayacak biçimde davrandığını söyleyerek suçladı onu. O arada, on bir üyeden beşi evlenmişti. Yaşama koşulları aynıydı, kızlarla oğlanlar ayrı odalarda yatıyorlardı. Cinsel sağlık yönünden, dayanılmaz bir durumdu bu.

Topluluktaki kızlardan Tanya kocasına şunları yazdı :

«Bütün istediğim, azıcık kişisel mutluluk, o kadar. Başbaşa kalabileceğimiz, öbürlerinden saklanmayacağımız, ilişkimizi daha özgür ve sevinç verici kılacak, dingin bir köşenin özlemini çekiyorum. Topluluk bunun basit bir insanî gereklilik olduğunu anlayamaz mı acaba?»

Tanya'nın sağlıklı bir cinsel yapısı vardı. Şimdi artık ortaklaşmacı topluluğu başarısızlığa götüren şeyi anlayabiliriz. Topluluktakiler Tanya'yı çok iyi anlıyorlardı aslında; hepsi yaşama koşullarından ve kafalarındaki düşünsel karışıklıktan ötürü acı çekiyor, ama bu durumu değiştiremiyorlardı. Sorun, Günce'den ve tartışmalardan silindi, su altında yaşamaya başladı.

Konut sorununun çözümü, hemencecik, topluluktaki cinsel bağlılık sorununu da çözmezdi elbet; o, bu sorunun çözümünde, çok önemli bir *dış* etken olurdu. Topluluktaki insanlar, yaşama hızı, ruhsal yapı ve cinsel etkinlik bakımından uyuşulduğuna emin olmadan sürekli bağ kurulmaması, bunun anlaşılması içinse, kişilerin bağlanmazdan önce bir süre birarada yaşamaları gerektiğini bilmiyorlardı; karşılıklı uyumun çoğu kez epey zaman aldığını; cinsel açıdan uyuşulmuyorsa ayrılınması gerektiğini; kimseden zorla sevgi istenemeyeceğini, cinsel mutluluğun insanın içinden gelirse tadıldığını, yoksa tadılmadığını da bilmiyorlardı. Eğer beylik evlilik düşüncesi ile cinsel yaşamı ve döl vermeyi bir sayan gerici denklem ikinci bir doğal yapı olarak beyinlerine çakılmasaydı, bu genç erkeklerle genç kızlar yukarda saydıklarımızı hiç kuşkusuz bulurlardı. Zihinlerine çakılan bu düşünceler yeni değildi, ama onları toplumsal öğretiden söküp atmak için hiçbir şey yapılmamıştı.

3 — VAZGEÇİLMEZ YAPISAL KOŞULLAR

Yukarki gözlemleri özetlemek üzere şunu söyleyebiliriz:

1. 1900'lerde, ailenin durumu belli oranda yalındı. Bireyler, ailenin dar kabuğu içersinde yaşıyorlardı. Getirdikleri zorunluluklar aileyle ya da kişilerin ailesel yapılarıyla çelişen topluluklar yoktu Aileyle, buyurgan, ataerkil Devlet'in toplumsal düzeni arasında çatışkı da yoktu. Bastırılan cinsel yaşam, arzu nöbetlerinde, kişilik bozuklukları ve soğuklukta, sapıklıklarda, kendi eliyle canına kıymalarda, çocuklara çektirilen acılarda ve savaşçı bağnazlıkta çıkış yolu buluyordu.

1930'lara doğru, durum çok daha karmaşıktı. Toplu üretimin ve ailenin iktisadî temelinin yokedilmesinin etkisiyle, aile kurumu dağılmaktaydı. Hâlâ ayakta duruyorsa, bu, iktisadî etkenlerden çok, insanın ruhsal yapısından ötürüydü. Aile ne yaşayabiliyor, ne de can veriyordu. İnsanlar, aile içersinde yaşayamayacaklarını hissediyor, ama onsuz edemeyeceklerini de seziyorlardı. Tek bir eşle ömür boyu yaşayamadıkları gibi, yalnız da kalamıyorlardı. Sözün kısası, tutucu ülkelerde, aile bağlarından yeni kurtulmuş insan gereksinimlerini doyurucu bir biçimde üstlenecek bir yaşama yolu yoktu.

2. Sovyetler Birliği'nde yeni bir yaşama biçimi yaratıldı. Bu, *kan bağıyla bağlı bulunmayan kişilerin oluştur-*

duğu yeni aile biçimiydi. Eski evliliği konu dışında bırakı-
yordu. Ondan sonraki soru, yeni topluluklardaki cinsel iliş-
kilerin hangi biçime girecekleriydi. Bu konuda bir öner-
mede bulunmaya ne gücümüz yeter, ne de böyle bir öde-
vimiz vardır. Bizim yapabileceğimiz tek şey, cinsel devri-
mi yakından izlemek, özgür bir toplumun iktisadî ya da
toplumsal biçimlerine aykırı düşmeyen yönelmelerini des-
teklemektir. Buysa, genel olarak, *cinsel mutluluğun kesin-
likle ve somut bir biçimde olumlanması*'nı gerektirir; cin-
sel mutluluk ne zorlayıcı tekeşlilikte, ne de sevgisiz ve do-
yumsuz rastlantısal bağlılıklarda («yakışıksız kadın-erkek
kaynaşması»nda) tadılabilir. Sovyet topluluğu çileci yaşa-
ma biçimiyle, kesin, zorlayıcı tekeşliliği konu dışı saymış-
tır. Cinsel ilişkiler yepyeni bir evreye girmektedir. Ortak-
laşa yaşayış insan ilişkilerini öylesine çokbiçimli kılar ki,
eş değiştirmeyi ya da üçüncü kişilerle ilişki kurmayı önle-
yecek korkuluklar düşünmek olanaksızdır. İnsan bu soru-
nun yalnızca iktisadî değil, ruhsal yapıyla ilgili olduğunu
ancak, sevilen kişinin başka birine sarıldığını bütün acı-
sı ve ciddiliğiyle anladığı, bunu etkin ve edilgin olarak sı-
nadığı zaman anlayabilir. Erkeklerle kadınların sayıca eşit
olduğu bir toplulukta, pek çok eş değiştirme olanağı doğar.
     Yeni bir cinsel düzenin ortaya çıktığı bu acılı süreci
anlamaya ve denetim altına almaya girişmemek tehlikeli
bir yanılgı olurdu. *Söz konusu süreç ahlâkçı yoldan değil,
yaşamın olumlanmasıyla denetim altına alınmalıdır.* Sov-
yet gençliği bunu çok pahalıya öğrenmiştir; edinilen ders
boşa gitmemelidir.
     İnsanın ruhsal (zihinsel) yapısı toplu yaşayışa uydu-
rulmalıdır. Bu uyum, hiç kuşkusuz, eski kıskançlık duy-
gusunun ve eşini yitirme korkusunun ortadan kalkmasına
yol açacaktır. Genellikle, insanlar cinsel bağımsızlığa ha-
zır değildirler; eşlerine, onlardan ayrılmalarını olanaksız-
laştıran sevgisiz, yapışkan bağlarla bağlıdırlar; onu yitir-
dikleri zaman başka bir eş bulamamaktan korkarlar. Bu
korkunun temelinde çoğu kez, çocukluk döneminden kal-
ma bir anaya, babaya, kız ya da erkek kardeşe saplanma

yatar. Ailenin yerine ortaklaşmacı topluluk geçirilebilseydi, bu hastalıklı saplanmalar olmaz, dolayısıyla cinsel yalnızlık duygusunun çekirdeği de yokedilirdi; böylece uygun eş bulabilme olanakları elle tutulur derecede artar, kıskançlık sorunu hemen hemen bütünüyle ortadan kalkardı. Gerçekten de, acısız ve yıkıntısız sürekli bağlılık değiştirmeye elverişlilik yaşamın temel sorunlarından biridir. Yeni bir zihinsel yapıya kavuşturma girişimi bireyleri aynı anda hem türlerine özgü cinsel sevgiyi, hem insanca sevgiyi duyabilecek, cinsel yaşamı çocukluktan başlayarak deneyebilecek güce, yani *bedensel boşalma gücüne* kavuşturmalıdır. Cinsel bozuklukların, sinir hastalığının, doyumsuz çökeşliliğin, yapışkan cinsel yatırımın, bilinçsiz cinsel etkinliğin önlenmesi büyük çabalar ister. Yapılması gereken, insanlara nasıl yaşarlarsa daha iyi olacağını söylemek değil; cinsel yaşamlarını tehlikeli toplumsal dertler yaratmadan kendi başlarına düzene koyabilmelerini sağlayacak biçimde eğitmektir. Buysa, her şeyden önce, *toplum tarafından sınırlandırılmayan, desteklenen doğal cinsel yaşamın geliştirilmesini* gerektirir. *Eşiyle içten olabilme ve kıskançlık duygularına kabalık yapmadan dayanabilme yeteneği ancak ondan sonra gelişebilir.* Cinsel yaşamdaki çatışkılar bütünüyle yokedilemez, ama çözüme bağlanmaları kolaylaştırılabilir, kolaylaştırılmalıdır.

Sinir hastalıklarının toplumsal alanda tutarlı olarak önlenmesi denemesi, bireylerin, günlük kaçınılmaz çatışkılarını hastalıklı bir tutumla karmaşıklaştırmamalarına dikkat etmelidir. Cinsel açıdan kendine güven halk kitlelerine yayılabilseydi, ahlâkî ikiyüzlülük toplumsal suç sayılırdı. Ortaklaşa yaşama düşüncesinin cennet düşüncesiyle uzaktan yakından ilgisi yoktur. Gerçekten de, kavga, acı, cinsel etkinlik yaşamın ayrılmaz parçalarıdırlar, en önemli iş, bireylerin zevki ve acıyı tam bir bilinçle duymalarına, onları akılsal yoldan denetim altına alabilmelerine izin verecek düzeni kurmaktır. Zihinsel yapıları böyle kurulan bireyler köle olamazlar. *Yaşamlarını buyurgan ilkelerden uzak, kendi başlarına çekip çevirebilmeyi ve canla başla*

çalışmayı ancak cinsel açıdan sağlıklı kişiler becerebilir.
Bu nokta iyi anlaşılmadıkça, insanlara yeni bir zihinsel
yapı kazandırma girişimleri başarısızlığa uğramaktan kurtulamaz; hattâ bu görevin doğru dürüst tanımlaması bile
yapılamaz. Gerçekten de insanın cinsel yapısının toplu yaşayışa uymayışı, nesnel açıdan gerici sonuçlar doğurur.

Bu uyumu ahlâkî ve buyurgan zorunluluklarla sağlamaya çalışmak bizi ancak başarısızlığa götürür. İnsanlardan «istemli» cinsel sıkıdüzen *bekleyemezsiniz:* bu sıkıdüzen ya vardır, ya da yoktur. Biz ancak insanların doğal yeteneklerinin tam anlamıyla gelişmesine yardım edebiliriz.

XIII. BÖLÜM

ÇOCUĞUN CİNSEL YAŞAMIYLA İLGİLİ
BİRKAÇ SORUN

1929 yılında Rusya'da gezdiğim çocuk bahçelerinde kusursuz bir imeceli örgütlenme vardı.

Çocuk bahçelerinden birinde, otuz çocuğun başında, beş saatlarını çocukların yanında geçiren, bir saat da işlerine hazırlanan, altı öğretmen vardı. Okulun yöneticisi ve yönetim görevlisi fabrika işçisi hanımlardı; öğretmenlerin birer yazmanları vardı. Çocukların aşağı yukarı on beşi işçi ailelerinin, geri kalan on beşi de üniversite öğrencilerinin çocuklarıydı. Yönetim kurulunda yönetici hanım, bir öğretmen, iki aile temsilcisi, bir mahalle temsilcisi, bir de hekim vardı. Çocuklara hiçbir din öğretilmiyordu; çalışma yaz aylarında da sürüyordu. Öğretim konuları çok ilginçti; bunlar arasında, örneğin: «Ormanın insanlar için önemi nedir?» ya da «Sağlık konusunda ormanın önemi?» gibi konulara rastlanıyordu. Çocuklar uzun uzun ağaç üzerinde çalışıyorlardı.

Cinsel konuda işler pek o kadar iyi değildi. Öğretmen hanımlar, çocukların sinirliliğinden yakınıyorlardı. Kendi kendini doyurmayı önlemek için falakaya yatırmak gibi eski yöntemlere başvuruluyordu. Kendi kendilerini doyuran çocuklar, çoğu kez, anaları babaları tarafından okuldan alınıyordu. Öğretmen hanımlardan biri şöyle dedi: «Hekim çocukları *bile* kendi kendilerini okşuyor.» Bir de küçük gözlem: okulun yöneticisi hanımla konuşurken, pencereden dışarda oynayan çocuklara bakıyordum; küçük bir oğlan, kendisini seyreden minik bir kıza pipisini gösteriyordu; tam o sırada yönetici hanım bana, *kendi* bahçesinde, orasıyla burasıyla oynama falan gibi cinsel etkinliklerin görülmediği konusunda güvence veriyordu.

1 — ORTAKLAŞMACI YAPININ YARATILMASI

Kuramsal düşüncelerin (öğretilerin) tarihçesi her toplumsal düzenin, bilinçli ya da bilinçsiz, çocukları etkileyerek insanın yapısına kök saldığını gösterir. Bu kök salma sürecini anaerkil toplumdan ataerkil topluma geçiş evrimi içersinde izlersek, sözünü ettiğimiz etkilemenin çekirdeğinin *cinsel eğitim* olduğunu görürüz. İlkel ortaklaşmacılık düzenine dayalı anaerkil toplumda çocukların cinsel özgürlükleri tamdır. Ataerkil düzen iktisadî ve toplumsal yönlerden geliştikçe, çocukların eğitimi konusunda çileci bir öğretinin geliştiğine tanık oluruz. Bu değişikliğin amacı, eski buyurgan-olmayan yapının yerine, *buyurgan* bir iç yapı yaratmaktır. Anaerkil düzende, genel olarak ortaklaşa sürdürülen yaşamın aynası olan *ortaklaşa* bir cinsel yaşamları vardır çocukların; başka bir deyişle, çocuk herhangi bir kuralla önceden belirlenmiş bir cinsel yaşam biçimine zorlanmaz.

Çocuğun özgür cinsel etkinliği, topluluğa *kendi istemiyle* uyabilmesi ve işinde kendi isteğiyle bir sıkıdüzen uygulayabilmesi için gerekli sağlam yapısal temeli yaratır.

Ataerkil ailenin gelişmesiyle birlikte, çocuğun uğradığı cinsel baskı da artar. Cinsel oyun yasaklanır, kendi kendini doyurma cezalandırılır. Roheim'in Piçentaralı çocuklarla ilgili anlatısı, doğal cinsel yaşamı baskı altına alındığı zaman çocuğun bütün kişiliğinin nasıl acıklı bir biçimde değiştiğini açıkça göstermektedir. Çocuk utangaç, ürkek, yetkeden korkan bir varlık haline gelmekte, başkalarına eziyet etme eğilimi gibi, doğal-olmayan cinsel içtepiler geliştirmektedir. Korkusuz, özgür davranışın yerini, boyuneğme ve bağımlılık almaktadır. Cinsel güdülerle savaşmak pek çok enerji, dikkat ve «kendini denetleme» ister; bitkisel enerjileri dış dünyaya ve içgüdüsel doyuma yatırılmazsa, çocuk itici canlılığını, hareketliliğini, yiğitliğini ve gerçeklik duygusunu yitirir: «bastırılmış» bir varlık olur. Bu bastırmanın, yasaklamanın odak noktasında hep kasları hareket ettirme özelliğinin, koşup atlamanın, itişip kakışmanın, sözün kısası kaslarla ilgili bütün devinimlerin yasaklanması vardır. Ataerkil çevrelerde dört, beş, altı yaşındaki çocukların nasıl katı, soğuk insancıklar haline geldiklerini, dış dünyaya karşı birer zırh takındıklarını kolayca görebiliriz.

Bu süreç içersinde, doğal çekiciliklerini yitirir, çoğu kez beceriksiz, akılsız, saldırgan, «uyumsuz» olurlar; bu da, ataerkil eğitim yöntemlerinin sertleşmesine yol açar. Din eğilimleri, anaya babaya, çocukça saplanıp kalma, onlara bağımlı olma da işte bu yapısal temel üzerinde gelişir; çocuk, doğal hareketlilik açısından yitirdiğini, düşsel ülkülerle kazanmaya çalışır; içedönük, sinirli, «düşçü» olur. Ben'i gerçeklik işlevinde, o anki eyleminde ve duygulanma yetisinde zayıfladıkça, eylem yeteneğini yaşatabilmek için kendinden beklediği düşünsel zorunluluklar güçlenir. Burada, şu iki tür ülküyü titizlikle birbirinden ayırmamız gerekir: çocuğun doğal bitkisel devingenliğinden gelen ülkülerle, kendini denetleme gerekliliğinin ve içgüdülerin bastırılmasının doğurduğu ülküler. Birinciler istemli, özgürlük içersinde üretici çalışmaya, ikincilerse görev sayarak çalışmaya kaynaklık ederler. Böylece, ataerkil toplumda, bireyin özerklik içinde topluma uyuşuyla zevkli çalışmanın yerini, yapısal açıdan, yetkeye boyuneğme ve görev sayarak çalışma ilkesi almıştır; buysa, yapışık kardeşi olan başkaldırıyı yanında getirmiştir. Biz bu kaba taslakla yetineceğiz. Gerçekte, sözünü ettiğimiz durumlar çok karmaşıktır ve ancak özel bir kişilik çözümlemesi incelemesinde bütünüyle anlatılabilirler.

Burada bizi ilgilendiren, çocuklardan başlayarak kendi-kendini-yöneten bir toplumun nasıl yaratılacağını bilmektir. Ataerkil dizgenin eğitimiyle aynı insan örneğini çoğaltma ile kendi-kendini-yöneten ataerkil olmayan dizgeninki arasında özel ayrılıklar var mıdır? İki olasılık çıkar karşımıza:

1. Ataerkil kentsoylu ülküler yerine, çocuğu, devrimci ülkülerle yetiştirmek;

2. Her türlü kuramsal öğretimi bir yana bırakmak, onun yerine, çocuğu ortak ve ortaklaşmacı görüş açısına uygun biçimde, içinden geldiği gibi hareket ettirecek, ona devrimci havayı *başkaldırtmadan* kabul ettirecek yapının oluşturulmasını geçirmek.

İkinci yöntem, istenen özerklik ilkesiyle uyuşur; birinci uyuşmaz.

Tarihin her anında çocuğun yapısı cinsel eğitim örsünde dövüldüğüne göre, ortaklaşmacı yapı bu kuralın dışında kalmamalıdır. Sovyetler Birliği'nde, bu yönde bir sürü girişim olmuştur. Pek çok eğitbilimci (pedagog), özellikle Vera Şmit, Spielreyn gibi ruhçözümlemesi alanında da çalışanlar, olumlu bir cinsel eğitim kurmayı denedi. Ama bunlar tekil denemeler olarak kaldı, *Sovyetler Birliği'nde çocukların cinsel eğitimi, bütünüyle, cinselliğe düşman olma niteliğini sürdürdü.* Bu olgu son derece önemlidir.

Çocuğun zihinsel ve bedensel yapısının arzulanan ortaklaşa yaşama uydurulması gerekliydi, buysa çocuğun cinsel yaşamını olumlamadan yapılamazdı; çünkü çocukları, eğilimlerinden en canlısını, cinsel eğilimi bastırarak ortaklaşma içinde büyütemezsiniz. Bastırırsanız, *dıştan* ortaklaşma içinde yaşasa bile, cinsel etkinliğini dizginleyebilmek için aile içersinde yaşadığı zamana oranla çok daha fazla *iç* enerji harcayacak, iç çatışkıların ve yalnızlığın acısını daha çok çekecektir.

Bu durum karşısında eğitici, sert bir sıkıdüzene, dışardan zorla benimsetilen bir «düzen»e, cinselliğe aykırı ülkü ve yasaklamalara başvuramaz. Cinsellik, ortaklaşa yaşamda aileden daha çok uyarmayla karşılaştığı için, söz konusu yöntemlere başvurma daha güçtür. İşte bu yüzden, ortaklaşâ eğitime yöneltilen karşıkoymalar, genellikle, çocukların «kötü yola sapmaları», başka bir deyişle cinsel içtepiler (güçlü arzular) göstermeleri korkusunu dayalıdır.

Çocuk bahçelerinden edindiğim izlenimler çelişik oldu. Yeni, özgün ve umut verici yetiştirme yöntemlerinin yanında, eski ataerkil yöntemler de vardı. Yeni yöntemlerin uygulandığı yerlerde, çocuklar, bir eğitbilimcinin önderliğinde, yapacaklarına kendileri karar veriyordu ("özyönetim"). Çocuğun yeni bir yapıya kavuşturulmasında son derece önemli yenilik, zihinsel çıraklığın yanında kol işinin de öğrenilmesidir. Uygulayımcı (teknik) okul denen kurumlar —çocuklar buralarda öbür kuramsal derslerin yanında bir uğraş da öğrenmektedirler—, ortaklaşa yaşayışa uygun yapıları üretecek eğitim kuruluşlarının hiç kuşkusuz ilk örnekleriydiler. Çok değil birkaç yıl öncesine dek, öğrencilerle öğretmenler arasında tam bir arkadaşlık vardı. *Öğrenci Kostia Riabtsev'in Güncesi*'nde, çocukların öğretmenleriyle ilişkilerini, gösterdikleri zekâ kıvraklığını, eleştirici tutumlarını anlatan bir sürü olay buluruz. Çocuğa ortaklaşmacı bir yapı kazandırma konusunda çok ilginç bir örneği, Moskova eğitim parkındaki «uçan çocuklar bahçesi»nde gördüm: parkı gezmeye gelenler, çocuklarını, eğiticilerin onlarla oynadıkları bir yuvaya bırakabiliyorlardı; ana-babasının ya da dadısının yanında hüzünlü bir yüzle, sövüp sayaı ak parkı arşınlayan çocuk kalmamıştı ortada. İkiyle on yaş arasındaki çocuklar bir odaya toplanıyor, ellerine anahtar, çatal, kaşık gibi ilkel bir araç veriliyordu. Bir müzik öğretmeni piyanonun başına geçiyor, bir şeyler çalıyordu. Çocuklar, kimseden yönerge ya da işaret almadan ritmi yakalıyor, ellerindeki «çalgı»yla buna katılıyorlardı. Bir eğitim parkının varlığı özellikle ortaklaşmacı değildir elbet; gerici ülkelerin çoğunda böyle parklar vardır. Asıl ortaklaşmacı olan, çocukların dediğim gibi biraraya toplanmaları, onların devindirici, ritmik gereksinimlerini hesaba katan bir yöntemle eğlendirilmeleriydi. Böyle kendiliğinden doğan bir örgütlenmeyle çatal-kaşık çalmanın sevincini tadan çocuklar, kuramsal eğitimden geçirilmelerine gerek kalmaksızın, toplumcu öğretiyi geliştirmeye yatkın olacaklardır.

Çocuğun sinir hücrelerindeki kasları çalıştıran öğelerin etkinliği'ne yön verilmesi sorunu, bizi, eğitim konusunun can alıcı noktasına götürür. Bir devrimci hareketin görevi, genel olarak bakıldığında, eskiden baskı altında tutulan bitkisel gereksinimleri özgür bırakmak ve doyurmaktır. Toplumculuğun gerçek anlamı budur. Gereksinimleri doyurabilmekte karşılaşılan yeterli ve durmadan artan olanak, bireylerin doğal yetenek ve gereksinimlerini geliştirmelerine izin vermelidir. Baskı altında tutulmayan, kaslarını devindirme yeteneği özgür çocuk, gerici öğreti ve törelere açık değildir. Buna karşılık baskı altında yetiştirilen, kolay eğilip bükülmeyen çocuk, her türlü kuramsal düşünceyi kuzu kuzu kabul etmeye hazırdır. Burada, Sovyet hükümetinin, devrimin ilk yıllarında, analarını babalarını eleştirebilmeleri için çocuklara tam bir özgürlük vermek üzere giriştiği denemeleri anımsatmalıyız. Bu, Batı Avrupa ülkelerinde ilkin hiç anlaşılmayan bir önlemdi. Pek çok çocuk anasına babasına adıyla sesleniyordu. Bu, okul gibi aile ocağının da çocukları buyurgan olmayan bir yapıya kavuşturmak üzere yöntem değiştirdiğini gösteriyordu. Daha başka bir sürü örneğin dile getirdiği bu eğilim, yavaş yavaş ağır basan başka bir eğilimle çatışıyordu. İkinci eğilim, son yıllarda, yeniden anaya babaya verilen çocuğun eğitimi konusunda yengiye ulaştı; bu, ataerkil eğitim biçimlerine dönüşün yeni bir örneğiydi. Çocukların ortaklaşa eğitiminin ortaya çıkardığı karmaşık sorunların incelenmesi son zamanlarda gözden düşer gibi oldu, aile eğitimi yeniden kural haline geldi. Okulda verilen eğitim de aynı biçimde değişikliğe uğradı. Şimdi artık, eğitbilimsel dergilerde çocukların siyasal tartışmalara katıldıklarını okuyabiliriz. «Onuncu Dünya Toplantısı'nın bilmem kaçıncı savı ne diyor?» gibi sorular, kafaların ortaklaşmacı kurama göre zorla eğitilmesinin seçkin bir yöntem halini aldığını göstermektedir. Küçük bir çocuğun, uluslararası bir toplantıda öne sürülen bir savı anlayamayacağı, yargılayamayacağı gün gibi ortadadır. Bu tartışmalar sırasında kanıtladığı kişisel değeri ne denli büyükse, kuramsal savları papağan gibi yinelemekte ne denli ustalık gösterirse, tek partili yönetimin etkisine o denli açıktır; kafasına tek partili yönetim kuramını sokmak da aynı derecede kolay olur. Oysa kaslarını devindirme yeteneği bütünüyle özgür, cinsel etkinliğini en doğal biçimde yaşayan çocuk, çileci ve buyurgan öğretilerin etkisine var gücüyle direnir. Çocuğun dışardan, yüzeysel, buyurgan etkilenmesi konusunda yarışa girildi mi, siyasal gericilik devrimci eğitimi her zaman geçer. Ama cinsel eğitim alanında geçemez; hiçbir gerici öğreti ve siyaset, çocuklara, cinsel yaşamları konusunda, toplumsal devrimin getireceklerini veremez.

Öyleyse şurası açıktır ki, *çocukta devrimci bir zihinsel yapı yaratmak için, bitkisel ve cinsel canlılığını ayakta tutmak gerekir.*

2 — ÇOCUKTA BUYURGAN-OLMAYAN BİR YAPININ YARATILMASI

Bireylerin buyurgan-olmayan bir yapıya kavuşturulması için yapılacak ilk iş, çocukların cinsel etkinliğine elverişli bir eğitimin gerçekleştirilmesidr.

1921 Ağustos'unda, Moskovalı ruhçözümcü Vera Şmit, çocuklara doğru bir eğitimin verilmesi denemesine girişdiği bir yuva kurdu. 1924'te *Sovyet Rusya'da Ruhçözümcü Eğitim* adlı kitapçıkta toplanan deneyleri, bugün cinsel tutumbilimin çocukluğun evrimi konusunda bize öğrettiklerinin o günlerde, orada, yaşama yakın bir tutumun benimsenmesi ve zevkin olumlanmasıyla, kendiliğinden ortaya çıktığını göstermektedir. Vera Şmit'in çalışması, özellikle, çocuğun cinsel etkinliğinin olumlanmasına dönüktü.

Kurduğu çocuk bahçesinin temel ilkeleri şunlardı: eğitici hanımlara, çocuklara ceza vermemeleri, hattâ yüksek sesle bile konuşmamaları gerektiği öğretiliyor; övgü ve kınamaya, ancak büyükler için anlam taşıyan, çocuğa hiçbir şey demeyen yargılar gözüyle bakılıyordu. Böylece, buyurgan ahlâkın dayandığı ilke yürürlükten kaldırılıyordu. Peki ne konuyordu onun yerine?

Yargılanan, çocuğun kendisi değil, eyleminin nesnel sonucuydu. Başka bir deyişle, bundan ötürü övgü ya da kınamaya *girişmeksizin,* çocuğun yaptığı evin ya da ev resminin iyi ya da kötü olduğu söyleniyordu. Dövüştükleri zaman azarlanmıyor, öbür çocuğa yaptığı kötülük gösteriliyordu.

Eğitici hanımlar çocuğun davranışı ya da özellikleri konusunda yargıya varmaktan kaçınmak zorundaydılar. Öpme, kucaklama gibi aşırı sevgi gösterilerine izin yoktu. Vera Şmit'in de değindiği gibi, bu gösterilerin amacı hep çocuktan çok büyüğü doyurmaktır.

Böylece, ahlâkçı buyurgan eğitimin ikinci zararlı ilkesinden de kurtulunmuş oluyordu: çünkü çocukları dövebilmeye hakları olduğunu sananlar, doyurulmamış cinsel yaşamlarını çocuğa gösterecekleri sevgiyle dile getirmeye hakları bulunduğuna da inanıyorlardı; buna, en çok ailenin vereceği eğitimi savunanlarda rastlarız. Sıkıdüzenci önlemleri, ahlâkî yargılamayı bir yana bıraktıktan sonra, tokatla yapılan kötülüğü öpücükle unutturmaya gerek kalmaz.

Bütün çevre çocuğun yaşına ve özel gereksinimlerine uydurulmuştu. Oyuncaklar, araçlarla gereçler çocuğun etkinlik gereksinimine göre ve yaratıcı yanlarını geliştirmek üzere seçilmişti; çocuğun gereksinimleri değişti mi, oyuncaklarla araç ve gereçler de değişiyordu. Gereksinimin onlara değil, *araç ve gereçlerin gereksinime uydurulması* ilkesi, cinsel tutumbilimin temel görüşlerine tıpatıp uygundur ve yaşamın bütününe uygulanabilir: gereksinimler o anki iktisadî yaşama değil, *iktisadî kuruluşlar gereksinimlere uydurulmalıdır.* Vera Şmit'in çocuk bahçesinde doğruluğu kanıtlanan bu cinsel düzenlilik ilkesi, çocukların önceden belirli araç ve gereçlere uymak zorunda kaldıkları Montessori okullarındaki buyurgan ahlâkî ilkenin tam tersidir.

Vera Şmit: «Çocuğun dış gerçekliğe zorluk çekmeden uyabilmesi için, dış dünyanın ona düşman gibi gözükmemesi gerekir. Gerçekliği çocuğa olabildiği kadar çekici göstermeye, vazgeçmesi gereken zevklerin yerine akılsal zevkler koymaya uğraşıyoruz» diyordu.

Bunun anlamı, şuydu: çocuk gerçekliğe kendi istemiyle uyacaksa, önce bu gerçekliği sevmeyi öğrenmelidir. Kendini sevinçle çevreye özdeş kılabilmelidir: cinsel tutumbilim ilkesi de budur. Buyurgan ahlâkî ilkeyse, tam tersine, ödev duygusu aracılığıyla ya da ahlâkî baskıyla çocuğu kendisine aykırı bir çevreye uydurmayı denemiştir. Bir ana ya da öğretmen; çocuğa kendilerini içinden gelen bir sevgiyle sevdirecek biçimde davranırlarsa, bu cinsel düzenlilik ilkesine uygundur. «Anneni sevmelisin» diyen ahlâkî ya da dinsel zorunluluksa —annenin sevimli olup olmadığını hesaba katmadığından— ahlâkçıdır, buyurgandır.

Bu yuvadaki çocuklar toplumsal yaşama uyma gerekliliğine türlü yollardan hazırlanıyorlardı. Toplumsal yaşamın zorunlulukları, sinir hastası, gözü yukarda, sevgisiz büyüklerin kararlarından değil, çocuk topluluğunun kendisinden ve günlük yaşamdan geliyordu. Çocuklara, neden onlardan birtakım şeyler istendiği açıklanıyordu yalnız; buyruk verilmiyordu. Örneğin büyüklerin ve arkadaşların sevgisi gibi daha yüce arzuların doyurulabilmesini engelledikleri gösterilerek, zaten atılması gereken güdüsel doyumlardan vazgeçmeleri sağlanıyordu. Böyle yetiştirilen çocuklar yaşamın gerekliliklerine dışardan yönetildikleri zamankine oranla daha kolay uyabilecekleri için, kendine güven ve bağımsızlık duygusu geliştiriliyordu. Bu saptamalar, kör kör parmağım gözüne ortada oldukları halde, asbaşkan tipindeki eğiticilerin hiç ama hiç anlayamayacağı şeylerdir. Cinsel tutumbilimin toplumsal açıdan olanaksızlaşmış doyumdan kendi istemiyle vazgeçme ilkesi de temizlik öğretiminde uygulanıyordu. Bu konuda eğiticilerin herhangi bir yasaklama getirmeleri yasaktı. Çocuklar, cinsel içtepilerinin öbür bedensel gereksinimlerinden ayrı değerlendirilebileceğini bilmiyorlardı. Dolayısıyla, tıpkı açlık ya da susuzlukları gibi, bu gereksinimlerini de eğitici hanımların gözü önünde, utanıp sıkılmadan gideriyorlardı. Bu, gizlilik gereksinimini yokediyor, çocukların eğiticilere güvenini artırıyor, gerçekliğe uymalarını kolaylaştırıyor, böylece genel gelişme için sağlam bir temel yaratıyordu. Bu koşullarda, eğiticiler çocuğun cinsel gelişmesini adım adım izleyebiliyor, şu ya da bu güdünün (akılsal nedenin) yüceltilmesini kolaylaştırabiliyorlardı.

Vera Şmit, eğiticinin hiç durmadan kendini işlemesi gerektiğine parmak basar. Çocuk bahçesindeki kaynaşma ya da karışıklığın, genel olarak, eğitici hanımların bilinçsiz sinirliliklerinden doğduğu saptanmıştır. Cinsel tutumbilime uygun eğitim, eğiticiler bilinçsiz davranışlarından kurtulmadıkça ya da hiç değilse bunları tanıyıp denetlemeyi başaramadıkça kesinlikle gerçekleştirilemez. Bu dediğimiz, sözünü ettiğimiz eğitimin somut içeriğine baktığımız an, gün gibi açığa çıkar.

Batılı kafa eğitimi denen eğitimde, anneler ve sütanneler çocuğun daha ilk yaştan lâzımlığa alışmamış *olmasına* dayanamazlar. Vera Şmit'in yuvasında, ikinci yılın sonundan önce çocukları «belirli aralıklarla» lâzımlığa oturtmak için en küçük bir girişimde bulunulmuyor, ondan sonra da bu konuda hiç zorlanmıyor, altlarını ıslattıkları zaman azarlanmıyor, yaptıkları çok doğal karşılanıyordu.

Temizliğin öğretilmesine verilen bu önemli yer, cinsel tutumbilime uygun bir eğitime geçmeyi düşlemezden önce hangi koşulların gerçekleştirilmesi gerektiğini açıkça göstermektedir. Böyle bir eğitim ailede verilemez, ancak *çocuk toplulukları*'nda gerçekleştirilebilir. Bilgisiz hekimlerle eğiticiler yatağını ıslatmanın şiddetle cezalandırılması gerektiğini düşünürlerken (oysa bu, cinsel yaşamı bozacak bir saplanıp kalmaya yol açar), Vera Şmit kitapçığında şu olayı anlatmaktadır: üç yaşındaki bir kız yeniden yatağını ıslatmaya başlamanın verdiği sıkıntıyı çekiyormuş. Hiç aldırmamışlar, küçük kız, üç ay sonra, kendiliğinden iyileşmiş. Alın size buyurgan eğitbilimcinin hiç anlayamayacağı bir olgu daha; oysa olgu ortadadır. «Çocukların temizlik konusundaki tutumu bilinçli ve doğaldır, diyor Vera Şmit. Bu konuda direnme ve özenç (kapris) diye bir şey yoktur. Bu süreçlerde 'utanma'ya rastlanmaz. Bizim uyguladığımız yöntem, çocukları, genellikle dışkılığı ve sidik yollarını çalıştıran kasların denetlenmesi işinin öğrenilmesi sırasında yaşanan örseleyici deneylerden kurtaracak gibidir.» Gerçekten de, hekimlik deneylerimiz göstermiştir ki, yetişkin insanda rastlanan bedensel boşalma gücü bozukluklarının en yaygın nedeni, dışkıyla ilgili temizliğin çok sıkı bir biçimde öğrenilmesidir. Söz konusu temizlik öğretimi insan türüne özgü cinsel işleve utancın karıştırılmasına yol açmakta, buysa, bitkisel enerjinin düzenli olarak kullanılmasına elverişliliği bozmaktadır. Vera Şmit tepeden tırnağa haklıydı. Dışkısal işlevlerine utancı karıştırmayan çocuklarda, ilerde, cinsel bozukluklar ortaya çıkmaz.

Bu *home*'daki (yuvadaki) çocukların hareket etme arzuları hiç kısıtlanmıyordu: atlayıp sıçramaya, koşup bağırmaya hakları vardı. Böylece doğal eğilimlerini yalnız dile getirme değil, aynı zamanda uygulama olanağına kavuşuyorlardı; buysa, çocukluktaki güdülerin yüceltilmesinin, yani zihinsel üretim alanına aktarılmasının başlıca *koşulunun* özgürlük içinde uygulanmaları olduğuna, yasaklanmalarının, bilinçaltına itmeye yol açtığı için yüceltmeyi engellediğine inanan cinsel tutumbilime tıpatıp uygundu.

Çocukların devindirici etkinlikleri yasaklanarak «kafa eğitimine elverişli» hale getirildiği, «gerçekliğe uydurulduğu» bizim yuvalardaysa, tam tersine, dört, beş, altı yaşlarındaki çocuklarda çok ciddi davranış bozuklukları görülür: doğal, canlı ve etkin olacak yerde, akıllı uslu, «terbiyeli» davranırlar; soğuklaşırlar. Anna Freud, *Yetiştiriciler İçin Ruhçözümlemesi* adlı kitabında bu gözlemi doğrular, ama eleştirmez; üstüne üstlük, bilinçli ereği çocuğu *kentsoylu* bir yurttaş yapmak olduğundan, bunu kaçınılmaz bir olgu sayar. Bu yargı, kentsoylu eğitbilime özgü, yanlış bir düşünceye dayanmaktadır: çocuğun doğal hareketliliği, kafa eğitimine elverişliliğiyle çelişir. Oysa, bunun tersi doğrudur.

Vera Şmit'in incelemesinde önemli bir bölüm *kendi kendini doyurma*'ya ayrılmıştır. Kendi yuvasındaki çocukların, öbür çocuk bahçelerindekilere oranla «daha az kendilerini okşadıklarını» saptamış. Çok doğru bir gözlemle, iki türlü kendini doyurma bulunduğunu yakalamış: insan türüne özgü bedensel *uyarmalar*'dan doğan ve cinsel zevk gereksiniminin giderilmesine yarayan ile, «bir küçük düşürülmeye, düzen bozukluğuna ya da özgürlük kısıtlanmasına tepki göstermek üzere» uygulanan kendi kendini doyurma. Birincisi hiçbir sorun yaratmaz. İkincisi, çocuğun cinsel uyarılma yoluyla boşaltmaya çalıştığı, korku ya da üzüntüden ileri gelen bitkisel uyarılganlığın artmasına bağlıdır. Vera Şmit bu olguyu doğru yakalar, Anna Freud' sa, yanlış bir bakışla, çocukların kendi kendilerini okşamaya aşırı düşkünlüklerini «güdüsel kurtuluş» sayar. Şunu unutmamak gerekir ki, güdüleri olumlayan bir eğitimde, kendi kendini doyurma «gizlisi saklısı olmadan, eğiticilerin gözü önünde» yapılmaktaydı. Sıradan eğiticinin kendi kendini doyurma karşısındaki utanıp sıkılmasını biliyorsak, çocuktaki içgüdünün doğal bir biçimde dile gelişine telâşlanmadan tanıklık edebilmesi için ilkin «eğiticinin eğitilmesi» gerektiğini kolayca anlarız.

Dolayısıyla, Vera Şmit'in yuvasında, çocuklar *cinsel merakları*'nı gidermekte de tam anlamıyla özgürdüler. Kızlarla oğlanlar rahatça birbirlerini inceleyebiliyorlardı; bunun sonucu olarak, çıplaklıkla ilgili yargıları «yüzde yüz dingin ve nesnel»di. «Çocukların cinsel organlarla çıplakken değil, giyinikken ilgilendiklerini farkettik.» Çocuklar cinsel konularla ilgili sorular sorduklarında onlara açık, doğru karşılıklar veriliyordu. Bu konuda, diyor Vera Şmit, ana-baba yetke ve korkusu tanımıyorlardı. Onlar için anayla baba, sevdikleri, düşünsel varlıklardı. «Bütün bunlara bakarak, diye yazıyor Vera Şmit, ana-babalarla çocuklar arasında, ancak, çocuk ailenin dışında eğitilirse iyi ilişkiler kurulabileceği söylenebilir.»

Bu çocuk bahçesindeki uygulama, genel olarak yaşamı, özel olarak da cinsel etkinliği olumladığı için, cinsel tutumbilime tıpatıp uygunken, kuramsal görüşler birbirinden ayrıydı. Vera Şmit, home'unun ilkelerini sıralarken, «zevk ilkesinin aşılması»ndan, onun yerine «gerçeklik ilkesinin konması»ndan söz eder; zevkle çalışma arasında mekanik bir karşıtlık bulunduğunu kabul eden yanlış ruhçözümcü görüşten kurtulamamıştı; zevk ilkesinin gerçekleştirilmesinin, yaşamın her evresinde, yaşam enerjisini yüceltmenin ve topluma uyabilmenin baş etkeni olduğunu görememişti. Kılgısal çalışması, kuramsal görüşleriyle çelişmekteydi.

Yeni kuşağı yeni bir yapıya kavuşturma girişimlerinin değerlendirilmesinde, sözünü ettiğimiz home'un sonu çok önemli bir etkendir. Bu yuvada çok korkunç şeylerin olup bittiği söyleniyordu; örneğin, eğiticiler, salt deneysel ereklerle çocukları vaktinden önce, cinsel yönden kışkırtıyor, deniyordu.

Home'un kurulmasına izin veren yetkililer, bir soruşturma açtılar. Bazı eğitbilimcilerle çocuk hekimleri yuvayı desteklerken, ruhbilimciler, kendilerine yakışan bir davranışla, Vera Şmit'in çocuk bahçesine karşı çıktılar. Eğitim komiserliği, devlete yüklediği ağır harcamaları öne sürerek, home'un daha fazla işleyemeyeceğini bildirdi. Gerçekte, home'un bağlı bulunduğu Sinirsel-Ruhbilim Kuruluşu'nun yöneticileri değişmişti; yeni yönetici, aynı zamanda soruşturma kurulunda üyeydi, olumsuz oy verdi; hattâ, home'daki eğiticilerle çocukları suçlamaya dek vardırdı işi. Bunun üzerine, Sinirsel-Ruhbilim Kuruluşu yalnız malî desteğini kesmekle kalmadı, aynı zamanda yuvayı korumaktan da vazgeçti.

Tam home kapanacağı sırada, Alman maden işçileri

«Birliği»nin bir temsilcisi buna karşı çıktı, Alman ve Rus maden işçi sendikaları adına, yuvayı hem mali, hem de düşünsel açıdan desteklemeye hazır olduklarını bildirdi; zaten *home*, 1922 Nisan'ından beri, yiyeceğini Alman sendikadan, kömürünüyse Rus sendikasından almaktaydı. Ama *home*'un artık pek ömrü kalmamıştı. Kurullar, soruşturmalar, devlet desteğinin kesilmesi kısa bir süre sonra kapılarını kapamaya zorladı onu. Bunun, tam Rus cinsel devriminin genel boğazlanmasının başladığı döneme rastlaması çok anlamlıdır.

Yalnız, Uluslararası Ruhçözümlemesi Derneği'nin Vera Şmit'in denemeleri karşısında yarı kuşkucu, yarı düşman bir tutum takındığını da belirtmeden geçmemek gerekir. Bu olumsuz tutum, daha o zamandan, ruhçözümlemesinin *cinselliğe-karşıt* bir kuram haline geleceğini haber veriyordu. Her şeye karşın, Vera Şmit'in çalışması, *çocuğun cinsel yaşamıyla ilgili kurama kılgısal bir içerik kazandırma konusunda eğitbilim tarihindeki ilk girişim*'di. Bu açıdan bakıldığında, değerlendirme merdiveni ayrı olsa da, Paris Ortaklaşa Halk Yönetimi'ne (Commune'üne) benzer. Vera Şmit, hiç kuşkusuz, salt sezgiyle, insanın kılgısal olarak yeni bir yapıya kavuşturulması gerektiğini ve bunun yöntemini yakalayan ilk eğitbilimcidir. Ve cinsel devrimin her anındaki gibi, sendikacılar, hiçbir kuramsal bilgileri olmadığı halde, kılgısal alanda sorunun önemini kavradıklarını gösterirlerken, işbaşındaki yetkililer, «bilginler», ruhbilimciler ve eğitbilimciler geriye dönüşü ve bozgunu hazırlıyorlardı.

Şimdi bu uyanık girişimle, sözümona devrimci bir eğitbilimcinin çağdaş etkinliğini kıyaslayacağız; bu kıyaslama bize ilerde yapılacak yeni bir denemede, uğraştan gelen gerici ruhbilimcilere değil de, yaşama doğal bir duyguyla yanaşan basit insanlara yaslanmak gerektiğini gösterecek.

3 — SÖZÜMONA-DEVRİMCİ, PAPAZCA EĞİTİM

Emekçi eğitimci, en büyük güçlükle, cinsel eğitim alanında karşılaşır. Bu eğitim genel eğitimden ayrılamaz elbet, ama eğiticinin karşısına çok özel sorunlar çıkarır. Eğiticinin kendisi de, bir emekçi ailesinden gelse bile, kentsoylu cinsel eğitimden geçmiştir. Baba ocağı, okul, kilise ve yaşadığı kentsoylu çevre onun da kafasına, devrimci davranışlarıyla çelişen, cinselliğe-düşman davranışlar işlemiştir. Bununla birlikte, çocukları emekçi gibi yetiştirmek istiyorsa, kentsoylu bakış açısından kurtulması, temsil ettiği sınıfın çıkarına uygun bir kişisel görüş geliştirmesi, sonra bunu eğitbilimde uygulamaya koyması gerekir. Kentsoylu eğitbilimin bir sürü öğesini benimseyecek, bir bölüğünü cinsel etkinliğe aykırı bulup atacak, onların yerine yenilerini uygulayacaktır. Bu, yeni yeni ele alınmaya başlayan, hatırı sayılır, güç bir iştir. Temel güçlük, devrimci kamp papazlarından gelir; bu kampta, cinsel açıdan dokuları manda derisine dönmüş gerici aydınlar, gerekçeleri hastalıklı devrimciler vardır; bunlar, olumlu bilgiye katkıda bulunacak yerde, habire kafaları karıştırırlar. Uluslararası Ruhçözümlemesi Derneği *ile* Ortaklaşmacı Akademi'nin üyesi Salkind böylelerindendir. Düşünceleri, devrimci Sovyet gençliği tarafından şiddetle eleştirildi, ama gerek Rusya'da, gerekse Almanya'da resmî kurama bu düşünceler egemendi. *Einige Fragen der Sexuellen Erziehung der Jungpionere* adlı yazısı (Genç Öncülerin Cinsel Eğitimiyle İlgili Sorunlar; *Das proletarische Kind*, 12 jg., H. 1/2, 1932) Alman cinsel siyaset hareketine pösteki saydırdı. Bu yazıda, cinsel yaşam konusunda takınılan, biçimde devrimci, özde düşmanca tutumun birbirine karıştırılmasının ne denli zararlı olduğunu görmekteyiz.

Salkind doğru bir düşünceden yola çıkmakta, Öncüler'in giriştiği hareketin çocukları «gelişmelerinin en önemli evresinde» etkilediğine, ellerinde aile ve okulda bulunmayan araçların bulunduğuna parmak basmaktadır. Ama çocuğun cinsel yaşamı konusunda, Kilise'ninkinden daha değerli olmayan bir kavram var kafasında; bütün yanlışları bu kavramdan doğmakta. Şöyle diyor yazısında:

«İşte bundan ötürü (Öncülerin giriştiği hareketin elinde çok daha iyi araçlar bulunduğu için), söz konusu hareket, *büyüyen çocuğun enerjisinin asalakça bir yön değiştirmeyle cinsel etkinliğe kayması*'na karşı girişilen savaşta başlıca gücümüz olmalıdır.»

Salkind'e göre, çocuğun cinsel etkinliği «asalakça»dır. Nerden varıyor bu değerlendirmeye? Ne demek istiyor bununla? Eğitim konusunda hangi sonuçları çıkarıyor bu nitelemeden? Yalnız organizmaya yabancı olan şey «asalak» tır. Sovyetler Birliği'nin yazıp çizmesine göz yumduğu bu cinsel yaşam felsefecisi, büyük bir ciddilikle, enerjinin «asalaklığa», yani cinsel alana «kayması» *önlenmeli*'dir, diye düşünüyor.

«Öncüleri eğitenler çocuklara üzerinde çalışacakları konuyu uygun bir biçimde gösterebilirlerse, asalak alanlara yatırılacak enerji kalmaz.»

Demek ki, Salkind, çocuğun cinsel ilgilerinin yokedilebileceğine inanıyor. Toplumsal çıkarların cinsel çıkarlarla nasıl bağdaştırılabileceğini aklının köşesinden geçirmediği gibi, nerde çatışıp nerde uyuştuklarını da düşünmüyor.

Bu durumda, Salkind'le herhangi bir gerici papaz ya da eğitbilimci arasındaki ayrımın ne olduğu araştırılabilir, çünkü bu sonuncular da cinsel enerjinin başka bir alana aktarılabileceğine kesinlikle inanırlar. Bugün artık hiç kimse çocuğun ve gencin cinsel yaşamını yadsıyamıyor, ama herkesçe kabul edilen ilke cinsel enerjinin bütünüyle başka bir yöne çevrilmesi ilkesidir; bu da, yukardaki ilkenin başka bir biçimde sürdürülmesinden başka bir şey değildir. Salkind'in kendi kendine, Kilise'yle kentsoylu toplumun çocuğun cinsel yaşamına neden izin vermediğini sorması gerekirdi. Gerici eğitimin kurallarını yürürlüğe koymak istiyorsa, ilkin, neden devrimci eğitbilimin görüş açısını benimsediğini açıklamak zorunda olduğunun farkında bile değildir; dıştan bakıldığında, belirsiz bir görüşle, cinsel yaşamın ortaklaşa yaşamayla çatıştığına, ortak yaşayış uğruna cinsel etkinliğin gözden çıkarılması gerektiğine inanır gibidir. «Özellikle yüzüstü bırakılmış, kimsesiz, yaşıtlarıyla etkin bir arkadaşlık kuramayan çocuklar çok küçük yaşta cinsel güdülerinin kurbanı olmaya adaydırlar... Topluluktan uzak kaldıkları, yalnız bırakıldıkları oranda, vakitsiz cinsel asalaklığa düşmeleri tehlikesi artar.»

Alın size bilgisizlere özgü koca koca lâflar! Nedir «vakitsiz» olan? Dört yaşındaki bir çocuğun kendi kendini okşaması vakitsiz midir? On üç on dört yaşındaki ergin bir çocuğun kendi kendini doyurması vakitsiz midir? Ya cinsel ilişki kurmak istemesi? Salkind ve benzerleri, birtakım kalıplardan oluşmuş kuramsal kanıtlamalarıyla, soyut ahlâkı bırakıp çocuğun ve gencin yaşamlarındaki gerçekliğe inemediklerini göstermektedirler. Salkind'in kanısının tersine, kümelerinde hastalıklı cinsel belirtiler yakalar yakalamaz çocuklara cinsel eğitim veren öncü öğretmenleri tepeden tırnağa haklıydılar. Aklı başında her gençlik yöneticisi, Salkind ve benzerlerinin «cinsel durum» adını verdikleri sorunu yaratan şeyin «ortaklaşa yaşayış» eksikliği olmadığını; tam tersine, onunkiler gibi düşüncelerin çocuğun cinsel yaşamında yarattığı kargaşalığın, toplumsal yaşamı aksatan başlıca etken olduğunu çok iyi bilir. Buyurganlığa kalkışmadıkça, cinsel baskıyla ortaklaşa yaşam kurulamaz. Salkind'e göre, «çocuğun sağlıklı cinsel gelişmesinin temeli, hem genel, hem de cinsel davranışlarının toplumca denetlenmesi» olmalıdır. Ancak o zaman «sağlıklı» sözü «cinsellikten arınmış»la özdeşleşir. Salkind, «çalışmanın akıllıca örgütlenmesi»yle gerçekleştirilecek bir «öncü ahlâkı» önerir.

Neyse, biz boş lâfları bırakalım da, düşüncelerinin somut olarak ne anlattığına bakalım. Kaç saat çalışacaktır gençler? Hiç durmadan mı? Cinsel dolaplar çevirecek fırsatı bulamasınlar diye, gece, yataklarında da mı çalışacaklar? Çocuklar ve gençler oyun oynarken, birbirlerini sevmelerini, «meleksi» de olsa birbirlerine sevgi beslemelerini önlemek için «sürekli bir toplumsal denetim» mi uygulanmalıdır? Salkind, on üçle on sekiz yaş arasındaki, düpedüz ergin gençlerden, bile bile «çocuk» diye söz eder!

Neden bu «çocuklar» birbirlerine vurulmayacak, «sevda»
lanmayacaklar acaba? Böyle bir şey ortaklaşa yaşamın dü-
zenini bozacağı için mi? Yoksa Salkind efendi buna daya-
namaz diye mi? Berlin'deki gençlik örgütlerinin düzenle-
diği halka açık tartışmalarda kümelerin, kız sayısı erkek-
lerden çok olduğu zaman dağıldığı, aşağı yukarı eşit ol-
duğu zamansa birliğini koruduğu saptanmıştır. Birliğin ko-
runması, «gereksiz sevda düşünceleri»nin zihinlere yerleş-
mesini önlemek üzere «sürekli bir toplumsal denetim»in
uygulanmasına değil; gençlerin kendilerine cinsel eş bula-
bilmelerine, böylece cinsel yaşamın toplu yaşayışı zorla-
mayışına bağlıydı. Salkind gibiler, *sağlıklı* cinsel yaşamla
hastalıklı olanı birbirinden ayıramadıkları için saplanır-
lar bu saçma düşüncelere; çünkü onlar, sağlıklı cinsel ya-
şamın baskı altına alınmasının, ortaklaşa çalışmayı aksa-
tan düzensiz bir cinsel etkinliğe yol açtığını görmezler.
Salkind'in yaşama düşman, kalemefendilerine özgü, sert
savı şöyledir:

«Cinsel eşitlik duygusunu geliştirmenin en iyi yolu, et-
kin bir ortaklaşa yaşayıştır. Başkalarıyla ortaklaşa çalışan
kişi gereksiz sevgiler beslemez, çünkü buna ne vakti, ne
de enerjisi vardır.»

Ne anlatıyor şu «cinsel eşitlik» sözü? Biz de cinsel eşit-
likten yanayız; siyasal gericilikle, özgür cinsel yaşamı öne-
rerek savaşmaktayız; Salkind'lerse, tam tersine, bir Kato-
lik gençlik örgütünün yöneticileri gibi, «cinsel eşitliği» *bin
türlü yasak içersinde* öngörmekteler; neyse ki, *şimdilik*[1]
karma eğitime hayır demiyorlar. Ama tutulan yol insanı
ister istemez saçmalıklara sürüklemektedir: bu dizge içer-
sinde, önemli bir işte çalışan ve Salkind'in On Buyruğu'na
karşın birbirlerine vurulan oğlanla kızı ne yapmalı? He-
men toplumsal denetime mi başvurmalı? İşi yoğunlaştıra-

---

[1] «1935 basımında altı çizilmiştir; sekiz yıl sonra, 1943'te, Sovyet-
ler Birliği'nde *karma eğitimin kaldırıldığı* öğrenilmiştir (aydınlatıcı bil-
gi için *International Journal of Sex-Economy and Orgone Research*, 2,
1943, s. 193'e bakın.) T.P.W.»

rak sevgiyi mi «boğmalı?» Sıkı perhiz içersinde cinsel eşitliği mi güçlendirmeli? Hem de kendi deyimiyle, «gelişmenin en önemli evresine, cinsel gereksinimlerin çoğaldığı evreye» rastlayan yaşta mı? İnsan şu sözlerdeki dürüstlüğe aykırı, ikiyüzlü yanları açıkça görüyor:

«Tam bir karşılıklı saygı ve güven, tam bir karşılıklı dürüstlük: temel koşul budur işte, onsuz, öncülere sağlıklı bir eğitim verilemez.»

Gençliğin en can alıcı sorunlarından birini anlayamadığımız zaman, çocuklar hem birbirlerini, hem de öğretmenlerini karşılıklı olarak nasıl sayıp güvenebilirler acaba?

«Öncü olacak yaşa gelen çocuk, cinsel konularda epey şey bilir. Hattâ gereğinden fazlasını bilir, ama bildiğini de, neyi bilmesi gerektiğini de bilmez. Öğretmen bu yanlışlığa göz yumamaz, konuşmalıdır. İyi ama nasıl konuşsun?»

Evet, nasıl konuşsun? Biz de işte bunu öğrenmek için yanıp tutuşuyoruz.

«Cinsel konuda konuşmalar yapmamalıdır. Dahası var: çocuklara özellikle cinsel konulardan söz açmamalıdır.»

Bunun anlamı, cinsel yaşam ancak siyasal ve toplumsal sorunlar içersinde ele alınmalıdır mı acaba? El, böyle bir tutum doğru olurdu elbet, ama neden bu değildir:

«Dikkatli (!) bir gözlem, bazı (!) çocukların kendi kendini doyurmaya dadandığını yakalamaya izin verir. Bu durumda öğreticinin son derece sakınımlı davranması gerekir, çünkü söz konusu kötü alışkanlıklar'la savaşmaya kalktınız mı, çocuklar (haklı olarak, W.R.) özel bir duyarlılık göstermektedirler...»

İnsan, Alman Cizvitlerinden Peder Muckermann'ı dinlediğini sanacak vallahi!

«Sözün kısası eğiticinin, çocuğun cinsel dünyasına, ancak önceden özel bir eğitbilim öğrenimi görmüşse, doğrudan doğruya girmeye hakkı vardır. (Kim verecek bu öğrenimi? Ölçüsü ne olacak? Kendi kendini doyurmanın kötü bir alışkanlık olduğu söylenerek mi yapılacak eğitim? W. R.) Böylesine sakıncalı konuların, hem de öğreticilerden birinin yönetiminde, herkesin önünde tartışılması olacak şey değildir. Bu iş daha kaynağında boğulmalıdır, hem de yalnız öğreticiyle öğrenci arasında. (Hangi iş? Çocuğun kendi kendini doyurmasının yaratacağı utancı mı? W. R.) Bunun içinse, *cinsel şaşmazlıkları* doğrulanmış, en seçkin ülkü savaşçılarına başvurulmalıdır.»

Böyle olacak işte «tam bir karşılıklı dürüstlük». Eh, bu durumda öncü topluluklar içersinde «cinsel suçluluğun», yani çelişkilerle dolu, düzensiz bir cinsel yaşamın ortaya çıkmasına şaşılmaz elbet.

Salkind'ler, «cinsel açıdan şaşmaz» olmasa da, her gencin kendi yaşamına dayanarak bildiği şeyi, cinsel suçluluğu cinsel etkinliğin değil, Salkind'ci eğitim yöntemleriyle yasakların yarattığını hiçbir zaman öğrenememişlerdir.

Bununla birlikte :

«Öğretici, daha başka sorunlar gibi, cinsel konuya da ancak ivedi bir gereklilik ve tehlikeli belirtiler varsa değinmelidir.»

Bir gençlik örgütü önderi, yönetici çevrelerin şu karman çorman düşünceleri arasında doğruyu nasıl bulacak acaba?

Salkind gibi eğitbilimciler, çocuğun ve gencin cinsel yaşamı sorununu dibine dek götürmeye kalktığınız zaman karşınıza çıkan güçlüklere yan çizmektedirler. Çocuklarla gençlere bir yandan cinsel eğitim verip, öte yandan cinsel oyunları ve kendi kendini doyurmayı yasaklayamazsınız. Cinsel doyumun işlevi konusunda doğruyu onlardan saklayamazsınız. Sizin yapacağınız tek şey doğruyu söylemek, sonra işleri yaşamın doğal akışına bırakmaktır. Cinsel güç, bedensel canlılık ve güzellik, toplumsal ilerleme uğrunda girişilen kavganın sürekli ülküleri olmalıdır.

Devrim, boğayı bırakıp yük arabasına koşulan öküzü, horozu bırakıp iğdiş edilmiş horozu göklere çıkaramaz; insanların yük hayvanı gibi yaşadığı yeter, hadım haremağalarından özgürlük savaşçısı olmaz.

4 — SUÇLULUK SORUNUNA YENİ BİR GÖZATMA

Gençliğin suça yönelmesi gibi koskoca bir sorunla başa çıkabilmesi için, Rus devriminin elinde yeterince eğitbilimci, özellikle iyi bir cinselbilim öğrenimi görmüş eğitbilimci yoktu. Gençliğin cinsel başkaldırısının anlaşılamaması, 1935'lere doğru, suçluluk sorununun ciddileşmesine yol açtı. Bu yeni suç işleme dalgasının içsavaştan sonra ortaya çıkan sıkıntılardan biri olduğu öne sürülemez, çünkü 1935 yılında suç işleyen gençler yeni toplumsal düzenin çocuklarıydılar. Sovyetler Birliği suçluluk sorununu çözebilmek için her şeyi denemişti. Dolayısıyla biz kendi kendimize ancak sorunun neden çözülemediğini sorabiliriz. Başarısızlık, 1935 Haziran'ında alınan hükümet kararlarıyla doğrulanmıştır:

«S.S.C.B.'deki Halk Komiserleri Kurulu ile Komünist Partisi Merkez Yarkurulu, emekçilerin maddî ve eğitsel durumları durmadan geliştiği ve Devlet çocuk kuruluşlarına önemli para yardımlarında bulunduğu halde, kentlerde ve daha başka yerleşme merkezlerinde suçlu çocukların bulunuşunun her şeyden önce, o bölgelerdeki Sovyet yetkilileri, parti örgütleri, emekçiler ve gençlik tarafından gençlerin işlediği suçların önlenip yokedilmesi konusunda yeterince çalışılmamasına; ayrıca, halkın tümünün bu sorunun çözümüne örgütlü olarak katılmayışına bağlı olduğu inancındadır.

a) Çocuk *home*'larının (yuvalarının) çoğunun para kaynağı yeterli değildir, eğitim yönünden de türlü eksiklikleri vardır;

b) Çocukların sapıklığına, çocuklar ve gençler arasındaki suçlulara açılan örgütlü savaş ya sorunun genişliğine uygun değildir, ya da hiç yoktur;

c) Analarını babalarını yitirdikleri ya da onlardan ayrıldıkları, bir kuruluştan kaçtıkları için sokakta kalmış çocukları hemen uygun bir kuruluşa ya da analarına babalarına teslim etmek üzere gerekli önlemler alınmamıştır;

d) Çocuklarına kayıtsızlık gösteren, onların serseriliğe, küçük hırsızlıklara, başıboş dolaşmaya alışmalarına, ahlâkî yönden yozlaşmalarına ses çıkarmayan ana-babalarla velilere karşı hiçbir önlem alınmamaktadır.»

Böylece, durum çeşitli örgütlerin «yetersiz çalışmaları» na bağlanıp bırakıldı. Yeniden ana-babanın vereceği eğitime ve devrim tarafından benimsenmiş ilkelere uymayan önlemlere dönüldü. Başarısızlık, bu ilkelerin kendisinden mi geliyordu? Hayır, onlara yüklenecek tek kusur eksik oluşları, temel sorunu göz önünde bulundurmayışları, hattâ çoğu kez buna yan çizmeleriydi. Temel sorunsa, çocukların cinsel yaşamıdır. Ortaklaşmacı kuramla yetişkinlerin ortaklaşa yaşamı, *çocuğun cinsel etkinliğinin geleneksel baskı altında tutulmasıyla, cinsel ikiyüzlülükle, aile eğitimiyle el ele verince, ister istemez, gençliğin suçluluğuna yol açar.* Özgürlüğe dönük genel evrim içersinde, çocuğun cinsel gereksinimleri, topluma ve çocuğa zarar vermeden baskı altına alınamaz.

Hükümet, 1935'te, suçluluğu azaltmak için hatırı sayılır bir çaba gösterdi. Çocukları *home*'lara (yuvalara) yerleştirmekle görevli eğitim komiserlikleri kuruldu. Yardımcı polis örgütüne, çocukları sokaklarda başıboş dolaşan ana-babalara iki yüz rubleye dek ceza kesme yetkisi verildi. Ana babalarla veliler, çocukların yaptıkları zararı ödemek zorunda bırakıldı. Analar babalar «çocukların davranışlarına göz kulak olmakta gevşek» davranırlarsa, çocuklar ellerinden alınacak, onların hesabına *home*'lara yerleştirilecekti. (3 numaralı Hükümet kararı: «Çocukların sokaklarda sürtmesiyle savaşacak örgüt hakkında».)

16 Haziran 1935 tarihli Norveç gazetesi *Arbeiderbladet*, Sovyet Hükümeti'nin suçlu çocukları kitle halinde tutuklamak zorunda kaldığını yazar. Yazıda, kilitleri kırıp evlere girmenin, sağı solu talan etmenin yanında, çocukların cinsel organ hastalıklarına yakalandığı da bildirilmektedir: «Çocuklar, hastalığı veba gibi her gittikleri yere taşımaktaydılar.» Çocukların gidebileceği halk hamamları, *home*'lar (yuvalar) ve hastaneler yoktu elbet, ama olsa da gitmek istemiyorlardı. Toplu halde kaçıyorlardı *home*'lar-

dan. *Arbeiderbladet,* Rus gazetesi *İzvestia'*nın hemen her gün, evden kaçan çocukların bulunması için duyurular yayımladığını belirtir. «Yakın zamanlara dek, Sovyet basınında böyle duyurulara pek ender rastlanırdı; şimdiyse çok sıklaştılar.» Gazetedeki yazı, ayrıca, Sovyet Hükümeti'nin şu önlemleri aldığını bildirmektedir: iyi eğitbilimciler yetiştirilmiş, çocuk örgütlerine eğitici filmler, özel kitaplar, makineler, araçlar verilmiş. Hükümet, bununla da yetinmeyerek, sorunla başedebilmek için, bütün halkın desteğini sağlamaya çalışmış.

1929'da, Vera Şmit ve Geşelina gibi eğitbilimcilerle yaptığım konuşmalarda, hep bu önlemlerin yetersizliği ve etkisizliği üzerinde durdum. Şurası çok açık ki, suçluluk sorunu, içsavaştan arta kalan durumlarda doğsa bile, asıl kaynağını cinsel yaşama verilecek düzen konusunda kafaların yeterince aydınlık olmayışından alıyordu: Sovyetler Birliği'nde iş sıkıntısı yoktu; iş hekimliği çok gelişmişti; işsizlik de yoktu; çocuk yuvaları ve toplulukları iyi örgütlenmişti; bütün *bunlara karşın,* sokaklardaki yıkıcı ve topluma aykırı yaşamı *yuvalardaki* yaşayışa yeğleyerek kaçmaya devam ediyorlardı. Bu dev sorun yalnız herhangi bir işte çalışıp onu öğrenerek çözülemeyeceği gibi, başarısızlığın suçu gençliğin romanlara özgü eğilimlerine de yüklenemez. Almanya'da, gençliğin suçluluğu sorununu enine boyuna inceleyecek vaktimiz oldu. Gençlerin cinsel sağlığını güvenlik altına alma girişimlerimi duyan bir sürü kaçak genç beni görmeye geldi; gerçek sorunlarını, yoksulluklarını ve topluma aykırı davranışlarının kökünde yatan nedenleri görebildiğim için, açıkça ve dürüstçe konuştular benimle. Okura şunu kesinlikle söyleyebilirim ki, aralarında son derece zeki ve yetenekli, harika gençler vardı. Suçlu genç adı verilenlerin, iyi yetiştirilmiş ikiyüzlülerden daha canlı olduklarını, kendilerinden ilk doğal haklarını esirgeyen toplumsal düzene başkaldırmaktan başka bir şey yapmadıklarını görüyordum hep. Ana konuları hiç değişmiyordu. Anlatılan hep aynı öyküydü: cinsel uyarılmalarını bastıramamış, kafalarından cinsel düşleri ata-

mamışlardı. Analan babaları onları anlamamıştı; eğitici-
leriyle yetkililer de öyle. Bu konuda konuşup anlaşacak
insan bulamamışlardı. Bu da onları güvensiz, gizleyici ve
kötü yapmıştı. Karşılaştıkları zorlukları kendilerine sak-
lamak zorundaydılar, ancak yapıları kendilerine benze-
yen, aynı sorunlarla karşılaşan arkadaşları tarafından an-
laşılıyorlardı. Okulda kendilerini kimsecikler anlamadığı
için, derse girmez olmuşlardı; anaları babaları da anlama-
dığı için, onlara küfrediyorlardı. Ama beri yandan, köklü
bir bağla analarına babalarına bağlıydılar, bilinçsizce on-
lardan yardım ve avutma bekliyor, kendilerini müthiş suç-
lu hissediyorlardı. Buydu işte onları sokağa düşüren; ger-
çi orada da mutlu değillerdi, ama hiç değilse özgürdüler;
tabii, polis gelip de onları avucunun içine alana ve ıslah-
evine gönderene dek... üstelik de, bu dediğim, çoğu kez
on beş, on altı, on yedi yaşında, kendilerine yaşıt kızlarla
bir arada yakalandıkları için oluyordu. Söz konusu genç-
lerin çoğunun ruhsal açıdan sağlıklı, yargıları sağlam,
akıllıca başkaldırmış insanlar olduklarını saptadım; ta ki
polisin ve sağlık yetkililerinin pençesine düşene kadar; on-
dan sonra, ruh hastası oldular, toplumsal sürgün cezasına
çarptırıldılar. Toplumun bu gençlere karşı işlediği suçlar
saymakla bitmez. Kılgısal olarak kendilerini anladığımızı
gösterirsek, bu «suçlu gençler»e güven verebilir, onlara
gerçekten kılavuzluk edebiliriz: böyle bir şeyse, şimdiye
kadar öne sürdüğüm görüşlerin doğruluğunun yeni bir
kanıtıdır.

Almanya gibi ülkelerde bile gençlik sorunu son dere-
ce güç ve karmaşıktı. Bir yandan özgürlük lâfları edilir-
ken, öte yandan cinsel baskının sürdürüldüğü Sovyetler
Birliği'nde, cinsel yaşamın buyurgan gereklilikleriyle top-
lumun bunları elinin tersiyle itmesi arasındaki çatışkı is-
ter istemez daha keskinleşmişti. Ortaklaşa yaşamın genel-
leştirilmesiyle ailenin verdiği eğitim yan yana gelince top-
lumsal patlamalar kaçınılmazlaşıyordu. Ayrıca, anaların
üretim sürecine ve kamu yaşamına gittikçe daha fazla ka-
tıldıklarını da unutmamak gerekir; buysa, çocuklarla iliş-

kilerinde çatışmaya yol açan yeni bir etkendi: analar toplumsal yaşama katılınca, çocuklar da aynı şeyi yapmak istiyorlardı. Gerçi yaşam yolu açıktı, ama cinsel etkinlik engellendiği için, pek çoğu bu yola girmekten kaçınıyordu. Gençler arasında yayılan suçluluğun gerçek nedeni işte buydu, yoksa —1935'te zaten tarih olmuş bulunan— içsavaş, Sovyet dizgesi (sistemi) ya da başka bir etken değil. Gençlerin suçluluğunun, çocuğun ve gencin içine düştüğü cinsel bunalımın dışa vurması olduğuna kuşku yoktur. Hiç duraksamadan şunu ileri sürebiliriz: *çocukların ve gençlerin cinsel yaşamını cinsel etkinliğe elverişli biçimde düzene koyacak bilgi ve yürekliliği biraraya getirmedikçe, hiçbir toplum, çocuk ve gençlerde beliren ruh hastalıkları ve suçluluk sorununa çözüm bulamaz.*

Bu amaçla hangi somut önlemlerin alınması gerektiği önceden kestirilemez; ancak temel olgulara ve gerekli koşullara parmak basılabilir. Gerek suçluluk, gerekse genel eğitim sorununun çözümü, *ruhsal* (zihinsel) *yapının oluşturulması sürecinden çocukların ana-babaya, ana-babanın da çocuklara, kin ve suçluluk duygularıyla yüklü, yakışık almaz saplanıp kalmalarını söküp atabilme olanaklarına bağlı olacaktır.* Buysa ancak, çocuklar toplumsal eğitimi, anaya babaya yıkıcı bir biçimde saplanıp kalmaların oluştuğu durumları yaşamazdan, yani dört yaşından *önce* alırlarsa gerçekleşebilir. Ama bu, hastalıklı ve sinirli ilişkilerin hemen ortadan kalkacağı anlamına gelmez. Toplumun bütünü içersinde, topluluk ile aile arasındaki çatışkı çözüme kavuşturulmadıkça, sözünü ettiğimiz ilişkiler ortadan kalkmayacaktır. Ana-babalarla çocuklar birbirlerini tam anlamıyla sevip değerlendirebilirler. Ama ne denli aykırı gözükürse gözüksün, bu, şimdiki haliyle ailenin ve çocuğa verdiği eğitimin yürürlükten kaldırılmasını gerektirir. Çocuğun cinsel yaşamının kara listeye alınmasına ve çocuğun cinsel arzularıyla etkinliklerinin doğurduğu toplumdışı sayılma duygusuna son vermedikçe, sorun olduğu gibi kalacaktır. Artık şöyle öyküleri hiçbir yerde okuyamamalıyız :

«Garik, altı yaşında: 'Hey ulu Tanrım, n'oluyor?' Görülmemiş bir şey. Sekiz yaşındaki, daha yeni okuma öğrenmiş Liubka 'sevdaya tutuluyor' ve Pavlik'e (sekiz yaşında) sıranın altından bir kâğıt uzatıyor: 'Şekerim, hazinem, mücevherim benim...' 'Vurulmak ha! Ancak kentsoylulara yakışan bir şeydir bu! Çar Nikola dönemi çoktan gerilerde kaldı!' Konu kıyasıya tartışıldı ve Liubka'ya üç gün oyundan atılma cezası verildi.» Fanina Halle, ünlü kitabı, Sovyet Rusya'da Kadın'da (Die Frau in Sowjetrusland, s. 235), «ahlâklı» dünya karşısında ortaklaşmacılığa yeniden saygınlık kazandırmak isterken, Sovyet dizgesinin ahlâka uygunluğunu kanıtlamak üzere işte bunları yazıyor.

İyiniyetleri ne olursa olsun, kendi kendilerini okşayan çocukları görmeye dayanamayan, çocuğun cinsel etkinliğinin doğallığını ve sevimliliğini yakalayamayan eğitbilimcilerle cinselbilimciler, yeni kuşağa devrimci bir eğitim verilmesinde işe yaramazlar. Çocuğun duyduğu güçlü cinsel arzuda, ortaya koyduğu duyusal sevgide, binlerce sıkıcı sav ve çözümlemeden daha çok ahlâk, doğallık, yaşama gücü ve sevinci vardır. Gerçekten özgür insanlardan oluşmuş bir toplumun güvencesi ancak ve ancak çocuğun zihinsel ve bedensel yapısının canlılığındadır.

Bu artık kesinlikle anlaşılmıştır. Ama sözünü ettiğimiz olgunun ortaya konmasının sorunları çözmeye yeteceğine inanmak tehlikeli olur. Tam tersine, ataerkil ve buyurgan bir biçimde yaşayan insanın, kendi istemiyle çalışan, yaşamdan zevk alabilen, özgür bir insan haline getirilmesinin son derece güç bir iş olduğunu anlamamız gerekir. Marx'ın: «eğiticinin kendisi de eğitilmelidir» sözü, boş bir savsöz haline gelmiştir; bu söze somut bir içerik kazandırmanın tam sırasıdır: yeni kuşağı eğitecek kişilerin, analarla babaların, eğitbilimcilerin, Devlet'in başında bulunanların ve iktisatçıların, çocuklarla gençlerin cinsel tutumbilime uygun bir biçimde eğitilmeleri düşüncesini kabul edebilmeleri için, önce kendilerinin cinsel yönden sağlıklı olmaları gereklidir.

XIV. BÖLÜM

SOVYETLER BİRLİĞİ'NDE «YENİ YAŞAM BİÇİMİ» UĞRUNDA GİRİŞİLEN KAVGADAN ALINACAK DERSLER

Günlük çalışmaları sırasında bu sorunlarla karşılaşanlar, somut yönergeler isteyeceklerdir. Çok kolay anlayabileceğimiz bu dilek yerine getirilemez. Biz ancak devrimci dönüşümlerin başarısızlığa uğrama nedenlerini çözümleyebilir, bizi doğru yola götürebilecek ana çizgileri belirtebiliriz. Yeni devrimci itişler sonunda şu ya da bu ülkede ortaya çıkacak durumları şimdiden kestiremeyiz; söz konusu durumlar ne olursa olsun, birtakım ilkeler o gün de geçerli olacaktır. *Bununla birlikte, o an geldiğinde somut gerçeklerin yakalanmasını engellemekten başka bir işe yaramayacak ayrıntılı düşçü taslaklar çizmekten kesinlikle kaçınılmalıdır.*

Sovyet cinsel devriminin boğazlanmasından çıkarılabilecek temel ilkelerden biri, *cinsel mutluluğa gidebilecek bütün yolların daha başından açıkça güvenlik altına alınması*'dır. Yürürlüğe konacak yasalar konusunda izlenecek yol, Sovyetler Birliği'nde 1917 - 1921 yılları arasında uygulanan yasalarla hemen hemen gösterilmiştir, bu yasaları oldukları gibi bile kullanabiliriz. Ama asıl yapılması gereken, bu yasaların insan yapısına girebilmeleri için, ciddî önlemlerle kılgısal etkililiklerini güvenlik altına almaktır. Bu açıdan bakıldığında, kendiliğinden boygösteren cinsel devrimi örgütlü yollara sokacak bir dizi önlem bulunabilir.

Devrimci cinsel yasaların uygulanmasını güvenlik altına alabilmek için, halkın cinsel sağlığının sorumluluğunun gerici sağlıkbilgisi öğretmenlerinin, kadın hekimlerinin, sidik yolları uzmanlarının elinden alınması gerekir. Her işçinin, kadının, köylünün ve delikanlının, gerici toplumda, bu alanlarda *yetkili kişi'nin bulunmadığı'nı* anlaması gereklidir; cinselbilimci ve sağlıkbilim uzmanı diye geçinenlerin çileci anlayışla yoğrulduklarını, insanların «ahlâklılığı» kaygısından kurtulamadıkları bilinmelidir. Gençlerle yeterince çalışmış olan kişiler, eğitimsiz ama sağlıklı bir genç işçinin, cinsel yaşamla ilgili konularda herhangi bir uyduruk yetkiliden çok daha iyi bir sezgiye, çok daha doğru bir yargıya sahip bulunduğunu bilirler. Emekçiler, bu güvenlikli sezgi ve bilgilerle birtakım örgütler kurabilmeli, cinsel devrimin güç işlerinin altından kalkabilmek üzere kendi çevrelerinden insanlara görev verebilmeliydiler.

Cinsel yaşamın alacağı yeni biçim, çocuğa verilen eğitimin gözden geçirilmesiyle başlamalıdır. Dolayısıyla, eğiticilerin yeniden eğitilmeleri, halkın da, cinsel yetişimleri kötü eğiticileri bu konularda eleştirebilmek için şaşmaz sezgisini kullanmayı öğrenmesi gerekir. Eğitbilimcileri yeniden eğitmek, nüfusbilim uzmanlarıyla sağlık uzmanlarını inandırmaktan çok daha kolaydır. Elimizdeki türlü belirtiler, Avrupa ve Amerika'daki ilerici eğiticilerin, kendiliklerinden, eğitbilimsel yöntemleri yenileştirme yollarını aradıklarını ve çoğu kez cinsel yaşama elverişli görüşler edinmeye başladıklarını gösteriyor.

İşçi hareketlerinin siyasal önderleri bu soruna gereken dikkatle eğilmedikçe, cinsel yaşamın yeniden düzene konması işi başarıya ulaşamayacaktır. Dünyaya çileci anlayışla bakan siyasal yöneticiler, bu konuda çok ciddî bir engeldirler. Bu alanda yaşantıları bulunmayan ve çoğu kez cinsel açıdan hasta yöneticiler, yönetmeye kalkmazdan önce, pek çok şey öğrenmeleri gerektiğini bilmelidirler. Özellikle de, insanların içinden gelen cinsel sorunları tartışma arzusunun «sınıf kavgasından sapma» diye nitelenerek bir köşeye itilemeyeceğini, tam tersine, söz konusu tartışmaların özgür bir toplum yaratmak için girişilen çabalara katılmaları gerektiğini öğrenmelidirler. Emekçilerin artık toplumcu papazların, ahlâkçı aydınların, saplantılı düşçülerin, soğuk kadınların cinsel yaşamın örgütlenmesini tekellerinde tutmalarına göz yummamaları gerekir. Bilinçsiz gerekçelerin itelediği bu gibi insanların, durum olabildiğince aydınlığa kavuşturulmayı beklediği anda tartışmaya karıştıkları bilinmelidir; o zaman, yaşantısı az emekçi, genellikle aydına duyduğu saygıdan susmakta ve yanlış bir yargıyla, aydının kendisinden daha iyi düşündüğünü kabul etmektedir. Her kitle örgütü yanına cinselbilim alanında uzman görevliler almalıdır; bunların işi, örgütün cinsel bakımdan gelişmesini gözlemek, bu gözlemlerden gerekli sonuçları çıkarmak ve bir cinselbilim merkezinin yardımıyla güçlükleri yenmeye uğraşmak olacaktır.

Ancak, olumlu cinsel yasalarla cinsel yaşamı koruyacak önlemlerin dışında, geçmişteki deneylerimiz bize daha başka önlemlerin alınması gerektiğini göstermiştir.

Her şeyden önce açık saçık yazı ve resimler, polis romanları, çocuklar için yazılmış korkulu öyküler gibi cinsel sıkıntı yaratabilecek yayınlar kesinlikle yasaklanmalıdır. Bunun yerine, insanlığın yararına, kara duyguları ve ürpermeyi değil de, yaşamdaki sayısız doğal sevinç kaynak ve biçiminin vereceği sahici duyguyu tartışıp anlatacak yapıtlar konabilir.

Geçmişteki deneylerimiz kuşkuya yer bırakmayacak biçimde göstermiştir ki, analar babalar, eğiticiler ya da devlet yetkilileri tarafından çocuğun ve gencin cinsel yaşamının önüne dikilen bütün engellerin kaldırılması gereklidir. Bu işin nasıl yapılabileceğini şimdiden söyleyemeyiz. Ama, *çocuğun ve gencin cinsel yaşamının toplum ve yasalar tarafından korunmasının kaçınılmaz olduğu açıktır.*

Bugünkü siyasal örgütlenme ve insanın yapısal koşulları göz önünde bulundurulduğunda, çocuğun ve gencin cinsel yaşamının toplumca kabul edilmesi sırasında ortaya çıkacak güçlükler açıkça belirtilmedikçe, alınacak bütün yasal önlemler kâğıt üzerinde kalacaktır. Ana-babalarla eğiticilerin kendileri hasta olmasaydılar, çocuklarla gençler hemencecik en iyi eğitim koşulları içersine yerleştirilebilseydiler, her şey çok basitleşecekti. Ama durum bu olmadığına göre, aynı anda iki dizi önlemin alınması gerekir:

a) Çeşitli yerlerde, görgülü, gerçekçi, cinsel açıdan sağlıklı eğiticilerin büyük bir titizlikle genç kuşağın gelişmesini inceleyeceği ve kılgısal sorunları karşılarına çıktıkça çözeceği *örnek ortaklaşa eğitim kurumları* kurulmalıdır. Bu örnek kuruluşlar, yeni düzenin ilkelerinin bütün topluma yayılacağı çekirdekler olacaklardır. Uzun, güç ve yorucu bir çalışma olacaktır bu, ama elimizde insanın köleliğe yatkın yapısını yoketmek için bundan başka olanak yoktur. Ayrıca, *araştırma kurumları* yaratılacak, buralarda cinsel yaşamın bedensel yanı, akıl hastalıklarının önlenmesi ve cinsel sağlık koşulları, şimdiye kadarkinden apayrı bir biçimde incelenecektir. Bu kurumların biricik görevleri eski kavimlerden kalma erkeklik organlarını ya da *daha başka cinsel gariplikleri* derlemek olmayacaktır.

b) Bu kuruluşların dışında, cinsel yaşamın bütün toplum çerçevesinde, cinsel tutumbilime uygun olarak, kendiliğinden düzene konabilmesi için gerekli koşullar hazırlanacaktır. Bunun birinci ilkesi, cinsel yaşamın özel bir iş *olmadığını* kabul etmek olacaktır. Bu, bir hükümet dairesinin ya da başka bir örgütün insanların yatak odalarına burnunu sokabileceği anlamına gelmez. Bununla, insanoğlunun zevki en eksiksiz biçimde tadabilecek bir cinsel yapıya kavuşturulması işinin özel girişime bırakılamayacağını, *bütün toplumsal yaşamın temel sorunlarından biri* olduğunu anlatmak istiyoruz.

Kitlelerin cinsel yaşamını ikinci dereceden bir iş saymaktan vazgeçtiğimiz an kolayca yürürlüğe koyabileceğimiz birtakım önlemler vardır. Gebeliği önleyici ilâç ve araçlar bilimsel denetim altında, her türlü aşırı kâr kaygısından uzak, makineler kadar titizlikle yapılmalıdır. Çocuk aldırmayı yoketmek üzere, gebeliği önleyici yöntemlerin kitlelere yayılması kılgısal olarak gerçekleştirilmelidir.

Gençlerin ve evlenmemiş kişilerin konut sorununu çözmedikçe Sovyet cinsel devriminin uğradığı korkunç başarısızlıktan kaçınılamaz. Tanıdığım kadarıyla gençler, tepeden gelecek önlemleri beklemeden bu sorunu zevkle çözebilecek güçtedirler.

Gençler için yardım yuvaları kurmak kaçınılmaz bir önlemdir ve şu ya da bu yetkili ahlâkçı nedenlerden ötürü engellenmezse, kolayca gerçekleştirilebilir. Gençlik, kendi yaşamını kurabilmesine olanak verildiğine inanmalıdır. Bu onun toplumsal görevlerini tavsatmasına yol açmayacaktır; tam tersine, konut sorununu yavaş yavaş çözmesine izin verilirse, genel toplumsal çalışmaya daha büyük bir sevinçle uyacaktır. Halkın tümü, yönetim örgütlerinin, hiçbir koşul ve düşünsel sınırlama koymaksızın, cinsel mutluluğu güvenlik altına alabilmek için ellerinden geleni yaptıklarına inanması gerekir. Kitleler sağlıklı ve doğal cinsel yaşamın değerini ne kadar iyi öğrenmişlerse, onlara çocuk aldırmanın zararlarını ve cinsel organ hastalıklarının tehlikesini öğretmek o denli gereksizleşecektir.

İnsanların içinde cinsel gereksinimlerinin kılgısal olarak hesaba katıldığı duygusu varsa, hiç zorlanmadan, seve seve çalışırlar. Cinsel mutluluk, genel toplumsal güvenliğin en sağlam güvencesidir, çünkü yaşamını kendi eliyle kurmaya alışmış halk, her türlü gerici gözdağının karşısına yiğitçe dikilir.

«Cinsel karışıklık»tan kaçınmak, kara ve deniz ordusunda eşcinselliği yasaklamak zorunda kalmamak isteniyorsa, toplumun cinsel düzenliğine ilişkin en zor sorunun çözülmesi gerekir: *kara ve deniz ordusuna genç kızların sokulması*. Bugünkü askerlik uzmanlarına ne denli akılalmaz gözükürse gözüksün, askerliğin cinsel yaşamı kemirip bitirmemesi için tek çare budur; sorunu çözmek kolay değildir, ama çözümün ilkesi ortadadır.

Tiyatro, sinema ve edebiyat, Sovyetler Birliği'ndeki gibi, yalnız iktisadî sorunlarla uğraşmamalıdır. Dünyadaki edebiyat ve sinema ürünlerinin temelini oluşturan cinsel sorunlar, makinelerin ve üretimin göklere çıkarılmasıyla yokedilemez. Buna karşılık, edebiyatta ve sinemada, özellikle ucuz duygusallıkla dile gelen gerici ve ataerkil görüşün yerine, cinsel sorunlara ilerici ve akılsal açıdan bakan görüş geçirilmelidir.

Temel cinselbilim çalışması bilgisiz hekimlerle soğuk ülkücü kadınların eline bırakılmamalı, bütün toplumsal çabalar gibi ortaklaşa örgütlenmeli, yaz-çizci (bürokratik) olmayan bir biçimde düzene konmalıdır. Böyle bir örgütün ayrıntıları konusunda kafa patlatmak hiçbir işe yaramaz. Halk yığınlarının cinsel yaşamı temel toplumsal kaygılardan biri haline geldiği an, örgüt sorunu kendiliğinden çözülür.

Yalnız, cinsel yaşamın yeniden düzene konması işi asla herhangi bir merkezî kuruluşun kararlarına bırakılmamalıdır. Geniş bir cinselbilim örgütü ağı halk yığınlarıyla bu konuda uzmanlaşmış uygulayım merkezleri arasındaki bağlantıyı sağlamalıdır; Almanya'daki *Sexpol*'un[1] düzenlediği öğretici akşam toplantılarında yapıldığı gibi, söz konusu örgütler halk yığınlarının cinsel sorunlarını tartışmalara getirmeli, sonra elde edilen çözümler ne olursa olsun, kendi çalışma alanlarına dönmelidirler. Cinselbilimciler ve araştırıcılar cinsel sağlık yönünden de, çileci ve ahlâkçı önyargılar karşısındaki bağımsızlıkları bakımından da incelenmelidir.

Dinle savaşılmamalı; ama halk yığınlarına bilimin son buluşlarını ve cinsel mutluluğu güvenlik altına alacak araçları götürme hakkına burnunu sokmasına izin de verilmemelidir; böylece, kısa zamanda, Kilise'nin, din duygusunun doğaüstü kökenini savunup olumlamakta haklı olup olmadığı da görülür. Buna karşılık, dizgeli bir çalışmayla, çocuklarla gençler cinsel kaygıdan ve suçluluk duygularından korunmalıdır.

Toplumsal devrim süreci içersinde, geleneksel aile mutlaka eriyip gidecektir. Ortaya çıkan sorunların halk önün-

---

[1] *Sexpol,* toplumun cinsel siyaset etkinlikleriyle uğraşan Alman örgütünün adıdır.

de tartışılması sırasında, kitlelerin, bir süre daha yaşamaya devam edecek aile duygularıyla bağları hesaba katılmalıdır. Bu konuda bizim görüşümüz şudur :

İnsanın bitkisel yaşamı —ki bu yönden bütün canlı doğayla ortaktır— onu gelişmeye, etkinliğe ve zevke, hoşuna gitmeyendense kaçmaya iter; bitkisel yaşam, birtakım yönlere sürüklenmeler ve itilmeler halinde duyulur. İlerlemeyi konu alan, dolayısıyla devrimci diye niteleyebileceğimiz her felsefenin çekirdeği işte bu duyumlardır. Şu uyduruk «dinsel yaşantı» ile «enginlik duygusu» da bitkisel görüngülere dayalıdır. Bu bitkisel uyarılmaların, türlü durumlarda, dokuların dirimsel elektrik yüklerinden geldikleri ancak kısa bir süre önce gösterilebilmiştir.

Demek ki, dinin önümüze getirdiği evrenle birlik olma duygusunun kökeni doğal olgulardır. Ancak, doğal bitkisel duyumlar gizemsel nitelikler kazanırken, aşındılar, köreldiler. Hıristiyanlık, başlangıçta, temelinden ortaklaşmacı bir hareketti; ama cinsel yaşamın yadsınmasından ötürü, yaşamı olumlama gücü tersine, yani çileciliğe ve doğaüstücülüğe dönüştü. İnsanlığın kurtuluşu için savaşan Hıristiyanlık, Kilise biçimini aldığı an, kendi kökenini yadsıyordu. Kilise, bütün gücünü, araya fizikötesi bir yorum sokarak yaşamı yadsıyan insan yapısından alır: başka bir deyişle, öldürdüğü yaşamla beslenir.

Marx'çı iktisat kuramı, yaşamı ilerleme yoluna sokacak iktisadî koşulları ortaya koydu. Ama salt iktisadî ve mekanik görüşlerde kalması, onu, tehlikeli bir biçimde, en bilinen belirtileriyle yaşamın yadsınmasına doğru götürdü. Çetin siyasal kavga yıllarında, bu iktisatçı dünya görüşü, bitkisel yaşama-isteminin oluşturulması işi «ruhbilimcilik» sayılıp gizemcilere bırakıldığı için yenildi.

Bitkisel yaşam, Alman ulusal-toplumculuğu denen şu yeni-çoktanrıcılık (paganizm) biçiminde yeniden boygösterdi. Tek partili yönetim (faşizm) öğretisi, bitkisel damar atmasını Kilise'den daha iyi anladı ve onu doğaüstü alandan çekip çıkardı. Bu bakımdan, «kanın güçlülüğü» ve «kana ve toprağa bağlılık» ilkelerine dayanan ulusal-toplumcu gizemcilik, insanın kökeninde işlediği ilk günahın yattığına inanan eski Hıristiyan düşüncesine göre bir adım ileriydi; ama bu ilerilik de gizemciliğin yeniden dallanıp budaklanmasıyla ve siyasal gericilikle bastırıldı. Ulusaltoplumculuk hareketinde de, yaşamın olumlanması, kendini adama, hafifleme ve ödevi ilke sayan çileci kuramsal düşüncelerle yadsınmaya dönüşmüştür.

İlkel Hıristiyanlıkla yeni-çoktanrıcılık arasındaki bu ilinti çoğu kez yanlış anlaşılmıştır. Kimileri, yeni-çoktanrıcılığın, gerçek devrimci din olduğunu söylemektedir; bunlar onun ilerici eğilimini sezmekte, ama gizemci sapıtmasını görmemektedirler. Kimileriyse Kilise'nin tek partili yönetim kuramı karşısında korunması gerektiğini hissetmekte, devrimci yolu bulduklarına inanmaktadır. Bir sürü toplumcu «din duygusu»nun tümden yokolmaması gerektiğini öne sürmekte: eğer bunu derken, bitkisel duyumları ve bunların özgür gelişmesini anlatmak istiyorlarsa, haklıdırlar; yaşamın bugünkü sapmasını ve yadsınmasını görmedikleri içinse, haksızdırlar. Şimdiye dek hiç kimse yaşamın cinsel çekirdeğine yanaşma yürekliliğini gösterememiştir; tam tersine, bilinçsiz cinsel kaygı insanları, yaşamı, bir yandan cinsel etkinliğin kılgısal olarak reddi biçiminde yadsırken, öte yandan dinsel ya da devrimci yaşantı biçiminde olumlamaya götürmektedir. Yandaki çizim bu ilintileri aydınlatmaktadır :

Cinsel tutumbilim, bilimsel buluşlarından ve toplumsal süreçlerin gözlemlenmesinden, göğsünü gere gere, şu sonuçları çıkarabilir: *yaşamın olumlanması, öznel biçimiyle cinsel zevkin olumlanması, toplumsal biçimiyle de çalışmanın halk tarafından düzene konmasıyla, en son gelişme noktasına dek desteklenmelidir.* Kavgayı, yaşamı olumlayacak biçimde örgütlemek gerekir; bu konuda en büyük engel, insanların çektikleri zevk sıkıntısıdır.

Bu zevk sıkıntısı, zevk veren doğal süreçlerin toplum tarafından bozulmasından doğar, girişilecek bütün ortak ruhsal ve cinsel eylemlerin önüne dikilecek güçlüklerin merkezini oluşturur; düzmece utangaçlık, ahlâkçılık, Füh-

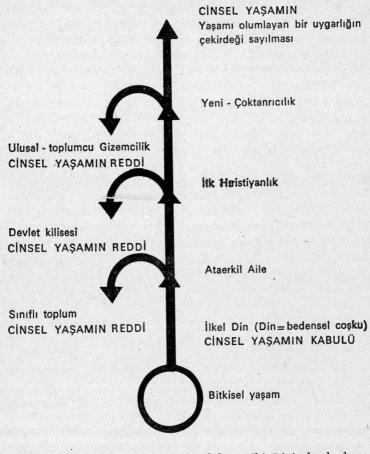

CİNSEL YAŞAMIN
Yaşamı olumlayan bir uygarlığın
çekirdeği sayılması

Yeni - Çoktanrıcılık

Ulusal - toplumcu Gizemcilik
CİNSEL YAŞAMIN REDDİ

İlk Hıristiyanlık

Devlet kilisesi
CİNSEL YAŞAMIN REDDİ

Ataerkil Aile

Sınıflı toplum
CİNSEL YAŞAMIN REDDİ

İlkel Din (Din=bedensel coşku)
CİNSEL YAŞAMIN KABULÜ

Bitkisel yaşam

rer'lere gözükapalı boyuneğme falan gibi biçimlerde kendini gösterir. Tıpkı siyasette gerici olmaktan utandıkları gibi utanır insanlar güçsüz olmaktan; devrimci tutum gibi, cinsel güçlülük de erişilmek istenen ülküdür ve bütün gericiler devrimci geçinir. Ama hiç kimse yaşamda eline geçen mutluluk olanaklarını boşa harcadığını itiraf etmek, geleceğinin geçmişte kaldığını kabul etmek istemez. İşte bu yüzden, eski kuşak, gençlerdeki somut yaşam belirtileriyle kıyasıya savaşır ve yine işte bu yüzden, gençler, yaşlanınca tutucu olurlar. Hiç kimse, yaşamının çok daha iyi olabileceğini kabule yanaşmaz; eskiden olumladığını o gün yadsıdığını; arzularının gerçekleştirilmesinin bütün toplumsal sürecin yeniden örgütlenip düzenlenmesini, sevilen bir sürü yanılsamanın ve cinsel doyumun yerine konan düzmece doyumların kaldırılıp atılmasını gerektireceğini kabule yanaşan da çıkmaz. Adları «Ana», «Baba» olduğu için buyurgan yetkiyle çileci kuramı uygulayanlara kimse dil uzatmak istemez. Böylece herkes dıştan boyuneğer, içten başkaldırır.

Ancak, yaşamın gelişmesi durdurulamaz. Toplumsal sürecin doğanınkine benzetilmesi boşuna değildir; toplumcuların «tarihsel gereklilik» dedikleri şey, yaşamın gelişmesinin doğal gerekliliğinden başka bir şey değildir. Yaşamın çileciliğe, buyurgan yapılara ve yadsınmaya doğru saptırılması birtakım şeyleri yeniden ortaya çıkarır belki; ama insanoğlundaki doğal güçler, *doğa ile kafa eğitiminin birliği* içersinde yengiye ulaşacaktır sonunda. Gözümüzün önündeki bütün belirtiler bize, yaşamın, boyuneğmek zorunda kaldığı baskıcı biçimlere başkaldırdığını göstermekte. «Yeni bir yaşam biçimi» uğrunda girişilen kavga, başlangıçta kaçınılması olanaksız, bireysel ve toplumsal yaşamı içeren ciddî bir maddî ve ruhsal düzensizlik biçiminde, daha yeni başlamıştır. Eğer yaşamın sürecini anlamışsak, bu kavganın nereye varacağından kuşkumuz olamaz. Yeterince yiyecek bulan, çalmaz. Cinsel açıdan mutlu kişinin, «ahlâkî desteğe» ya da doğaüstü «dinsel yaşantı»ya gereksinimi yoktur. Yaşam, sözünü ettiğimiz olgular kadar basittir; ancak yaşamaktan korkan insan yapısıyla karmaşıklaşır.

Yaşama işlevinin kuramsal ve kılgısal açıdan basitleştirilmesi, üreticiliğinin sağlamlaştırılması işine, kafa eğitimi devrimi adını veriyoruz. Bu devrimin temeliyse, ancak emek demokrasisi olabilir.

İÇİNDEKİLER

Bazı temel kavramlar   7
Dördüncü basımın önsözü 13
Üçüncü basımın önsözü 17
İkinci basımın önsözü 23

Birinci Kesim

CİNSEL AHLÂKÇILIĞIN BAŞARISIZLIĞI

I. Bölüm: Cinsel tutumbilimin getirdiği eleştirinin
tıbbî temelleri 37
II. Bölüm: Cinsel yaşam konusunda düzeltimciliğin
güçsüzlüğü 66
III. Bölüm: Cinsel yaşamdaki çelişkilere kaynaklık
edişiyle evlilik kurumu ,... 70
IV. Bölüm: Tutucu cinsel ahlâkın etkisi 76
V. Bölüm: Eğitim aygıtı olarak buyurgan aile ... 110
VI. Bölüm: Erginlik sorunu 119
VII. Bölüm: Zorlama evlilik ve sürekli cinsel ilişkiler 158

İkinci Kesim

«YENİ YAŞAM BİÇİMİ» UĞRUNDA
SOVYETLER BİRLİĞİ'NDE GİRİŞİLEN KAVGA

VIII. Bölüm: Ailenin kaldırılması 200
IX. Bölüm: Cinsel devrim 207
X. Bölüm: Cinsel devrimin boğulması 224
XI. Bölüm: Doğum denetiminin, eşcinselliğin özgür
kılınması ve sonradan bu gidişe dur denmesi 241
XII. Bölüm: Gençlik kuruluşlarında da aynı bastırma 258
XIII. Bölüm: Çocuğun cinsel yaşamıyla ilgili birkaç
sorun 283
XIV. Bölüm: Sovyetler Birliği'nde «yeni yaşam biçimi»
uğrunda girişilen kavgadan alınacak dersler 309

PAYEL YAYINEVİ — Cağaloğlu Yokuşu
Evren Han Kat 3, No: 51
Cağaloğlu - İstanbul

P.K. 889 Sirkeci/İstanbul

Tel. : 528 44 09 — 511 82 33